JN046040

エリア・スタディーズ
80
エルサルバドルを知るための
66章
【第2版】
細野昭雄
田中　高（編著）
明石書店

はじめに

エルサルバドルは小国ながら、国際的に注目されている国である。冷戦時代の内戦の状況が世界で広く報道され、１９９２年の和平合意後、ポスト冷戦期最初の、復興と民主主義国家建設のケースとして、世界の関心が集まった。その６年後には、ハリケーン・ミッチの大洪水の被害、その３年後には、多数の死者を出した2回の大地震に見舞われた。しかし、この国は、辛抱強く内戦や災害の復興に取り組み、かつ、ゲリラ勢力であったファラブンド・マルティ民族解放戦線（ＦＭＬＮ）の合法政党化を含む民主主義体制の構築に努めた。そして、２００９年に再び注目を浴びる。ＦＭＬＮの支持する大統領候補、マウリシオ・フネスが勝利したからである。５年後、ＦＭＬＮのサルバドル・サンチェス・セレンが続いた。さらに、２０１９年に至って、エルサルバドルは再度脚光を浴びた。内戦後の政治を担ってきた二大政党、国民共和同盟（ＡＲＥＮＡ）、ＦＭＬＮのいずれとも一線を画すナジブ・ブケレが両党の候補を抑えて、38歳の若さで大統領選挙に勝利したからであり、しかも、その後、強力なコロナ感染対策、マラスと呼ばれる若者を中心とする犯罪組織への厳しい取り締まり、ビットコインの法定通貨としての流通などの政策を次々と実施したからである。その強権的な政治手法に対しては批判もあるが、ブケレへの国民の支持は高く、２０２４年2月の大統領選挙で再選をはたした。２期目のブケレ政権の経済政策と政治手法に注目したい。こうして和平合意後の30年を超えるプロセスを経て、エルサルバドルは大きく変わり、今、さらに変わりつつある。本書は、このような変貌するエルサルバドルを政治・経済・社会・文化などの観点から総合的にとらえることを目指している。

この国は、日本にとっても重要な国である。日本の製造業の中南米における最初の投資は、1966年に、エルサルバドルで行われた。日本の自動車の中南米における最初の代理店が設けられたのも、この国であった。そのころ、エルサルバドルは、日本企業にとっての中米へのエントリーポイントであった。エルサルバドルは大の親日国である。今でも、みずからを「中米の日本」としばしば呼んでいる。日本並みに高い人口密度、天然資源に恵まれていないこと、ハリケーンや地震、火山の噴火など災害の多いことも共通していることから、地味な努力を積み重ねつつ、大戦後の復興を経て経済大国となった日本から学び、自国の将来を見据えようとする。

国際的にも、また、日本にとっても、これほど重要なエルサルバドルであるが、日本ではあまりよく知られていない。治安が悪いこともあって、日本の研究者が少ないこともその一因であろう。しかし、エルサルバドルと出会い、人びととの心の通う交流を続けてきた日本人が現地にも日本にも多数いる。

このことから、本書は、明石書店のこのエリア・スタディーズのシリーズならではの、かなりユニークな2つの特徴を持っている。1つめは、エルサルバドルについて、総合的に解説した日本語の本がほとんどない現状を念頭に、この国の入門書となることを目指した。しかし、政治、経済、社会などの研究者にも読んでいただけるよう、エルサルバドルの研究書としても役に立てるようにも工夫した。2つめは、エルサルバドルと様々な分野で交流してきた多くの方々に執筆に加わっていただいたことである。実はもっと多くの方々に参加していただきたかったが、スペースの制約もあり、日本かエルサルバドルに在住の方々に限定せざるをえなかった。それでも、執筆者は多数にのぼり、その分野も多岐にわたる。読者が、これらの方々の貴重な体験を通して、エルサルバドルの真の姿に少しでも近づき、エルサルバドルの人びとの心を知っていただけるならば幸いである。

本書は、2004年に刊行された『エルサルバドル、ホンジュラス、ニカラグアを知るための45章』に収められているエルサルバドルの章、15章を改訂するとともに、新たに40章を加えて、再構成し編集した『エルサルバドルを知るための55章』(2010年刊行)が基となっている。この55章を改定するとともに、ブケレ政権の光と影など、近年エルサルバドルで起こっている動きなどについて、新たに執筆した章を加えたのが本書『エルサルバドルを知るための66章【第2版】』である。本書編集にあたっては、明石書店編集部の長尾勇仁、富澤晃、法月重美子、兼子千亜紀の四氏に多大のご尽力を賜った。記して心から感謝したい。

2024年2月

細野昭雄　田中　高

◉エルサルバドル概略図

グアテマラ
ホンジュラス
チャラテナンゴ
サンタアナ
チャラテナンゴ
アウアチャパン
サンタアナ
カバーニャス
クスカトラン
センスンテペケ
アウアチャパン
サンサルバドル
ソンソナテ
ヌエバ・
サンサルバドル
コフテペケ
モラサン
サンビセンテ
サン
サルバドル
サンフランシスコ
ソンソナテ
サンビセンテ
ラ・リベルタ
サカテコルカ
サンミゲル
ラ・ウニオン
ラ・パス
ウスルタン
サンミゲル
ウスルタン
ラ・ウニオン
太平洋
0
10
20
30km
エルサルバドル

エルサルバドル共和国（República de El Salvador）

独立年月日：1821 年 9 月 15 日
国祭日：9 月 15 日（独立記念日）
首　都：サンサルバドル（San Salvador）
　　　　人　口：188 万人（首都圏）
　　　　日本との時差：－ 15 時間
人　口：649 万人（2020 年　国連）
人種構成：スペイン系・先住民族混血　86.3%
　　　　　ヨーロッパ系　12.7%
　　　　　先住民　0.2%
　　　　　その他　0.7%
面　積：2 万 1040 平方キロ
気　候：海岸地帯　熱帯性（高温多湿）
　　　　高原地帯　温暖低湿
　　　　5 ～ 10 月　雨季
　　　　11 ～ 4 月　乾季
宗　教：カソリック
主要言語：スペイン語
主要産業：輸出向けの加工業（マキラドーラ）、農業（コーヒー、砂糖）、漁業（エビ）
政　体：立憲共和制
元　首：ナジブ・アルマンド・ブケレ・オルテス大統領
　　　　2019 年 6 月 1 日就任（任期 5 年）
国　会：一院制（84 名）
日本との外交関係樹立：開始 1935 年 2 月 15 日／再開 1953 年 8 月 31 日

エルサルバドルを知るための66章【第2版】

目次

I　変貌を遂げる政治と経済

Ⅱ 内戦から復興へ

Ⅲ 社会の姿

Ⅳ　歴史と自然環境

Ⅴ　豊かな芸術と文化遺産

Ⅵ 日本とエルサルバドルの深い絆

CONTENTS

I

変貌を遂げる政治と経済

1

ブケレ政権の誕生

★ポピュリズムの台頭と専制化の兆し★

２０１９年6月にナジブ・ブケレ政権が成立して以降、エルサルバドルの政治体制は根底から大きく揺らいでいる。37歳という史上最年少の若さで大統領に就任したブケレ氏は、治安回復と汚職撲滅を国の最重要課題に掲げ、右派・左派の二大政党制のもとで硬直化した政治に風穴を空けることを約束して、歴史的勝利を飾った。しかし政権発足後は、野党優位の国会を軽視し、ときに武力による威嚇を伴って強引に政策を推進した。つづいて国会に多数派を形成してからは、公約違反と憲法軽視の恣意的な法解釈・法運用を重ねつつ、権力集中と長期政権化を見据えた布石を打ち始めた。２０１６年頃から後退の兆しを見せ始めたと言われるエルサルバドルの民主化が、ブケレ大統領の登場によって再び前進するかもしれない、という期待は打ち砕かれつつあるように見える。

そうしたなか、世界各国の政治状況を継続的に分析してきた研究機関や多くの専門家も、最近ではエルサルバドルに厳しい評価を下している。たとえば「民主主義の多様性（V-Dem）」研究所は２０２２年の報告書で、ここ数年の世界的な趨勢として民主主義の後退と専制化が進行しているという見方を示すとともに、それに拍車をかけている国々の一群にエルサルバドルが加わったとして、同国の民主主義の状況を「選挙民主主義」（V-Demは民主主義を「自由民主主義」と「選挙民主主義」の2つに分けており、より民主主義的価値観を実現しているのは自由民主主義である）から、民主主義を装った「選挙権威主義」に格下げした。２０１９～２０２３年にエルサルバドルの自由民主主義指標のスコアは0・45から0・15に、世界ランキングは73位から１３２位に下降している。

しかし、民主的規範から逸脱するようになった大統領でも、国民は希望を託しているのか、支持率は高い。その兆候は早くも２０２０年2月に表れていた。治安対策分野の予算審議がなかなか進まないことに業を煮やしたブケレ大統領は臨時会を招集し、ＳＮＳと政府車両を使って支持者を動員すると、彼らに国会本会議場を包囲させた。そして、武装した国軍兵士と警察官を引き連れて会議場に乗り込み、議員たちに予算承認を迫ったのである。この暴挙により大統領の支持率はあわや急落するかとも思われたが、そうはならなかった。むしろ「多少強引でもここまで徹底して治安改善を目指しているのであれば」「若気の至りとはいえ、さすがに反省しているだろう」と大目に見る風潮があった。

２０２１年2月に実施された国会議員選挙では、ブケレ氏によって創設され、初めて選挙に挑んだ新思想党（ＮＩ）が84議席中56議席を獲得し大勝した。１９８４年の民政移管後、単一の政党が国会の3分の2の議席を占めるのは初めてのことである。党内選挙で選ばれたＮＩの議員候補者84名の平均年齢は38歳と若く、うち36名の経歴は政治と無縁であった。ＮＩはその存続に関してブケレ大統領のリーダーシップやカリスマ性に頼りきっており、制度化の度合いは低い。そのため、ブケレ氏を差し置いて大統領候補になり得る党員は当分現れそうもない。

ブケレ氏の人気の理由の1つとして、旧ツイッター（X）やフェイスブックといったソーシャル・メディアの多用が挙げられるが、政権によるパブリシティや組織的な世論工作も活発化している。たとえば、前述の国会議員選挙ならびに同時実施された市長選挙のキャンペーンにおけるNＩの広告宣伝事業費は870万ドルで、これは同時期の旧二大政党を含む全政党の広告宣伝事業費合計の71％にあたる。また、一部報道によると、大統領府はSNS上で影響力があるインフルエンサーに報酬を払いブケレ大統領の政策に賛同的な意見を拡散させる一方、個人に対する誹謗中傷や悪質な切り抜きによる虚偽の情報を書き込む「トロール（荒らし）部隊」を編成し、政権に批判的な有識者やジャーナリストを攻撃しているという。

民衆の代弁者を自称し、既存の政治構造やエリート層を痛烈に批判しながら、急進的で非現実的とも思えるような政策を訴えることで人気を獲得するブケレ大統領の政治手法は、ポピュリストのそれと言ってよいだろう。ポピュリズムは政治からの疎外を感じている人々の不満をすくい取ることで、民主制への支持を取り戻すというプラスの側面があるにはある。実際、国外からの厳しい評価とは裏腹に、エルサルバドルにおける民主主義への満足度は、ラテンアメリカ諸国の世論調査を実施する非営利団体ラティノバロメトロが同国で1996年に統計を取り始めて以降、過去最低の11％を記録した2018年から、2023年には64％へと大幅な改善が見られる。

しかしその反面、ポピュリズムは為政者の独断と民衆の扇動によって熟議の欠如や権力の濫用を助長し、専制化を招く恐れがある。司法をとりまく懸念すべき状況については第6章で述べるが、ブケレ大統領は公約に掲げていたはずの地方交付金の引き上げを逆に引き下げたり、汚職事件の捜査および訴追機能を強化するための国際支援組織として米州機構との間で設立されたエルサルバドル無処罰問題対策国際委員会（ＣＩＣＩＥＳ）との協定を一方的に破棄したりと、その変節について説明責任を果たしているとは言い難い。政権発足から短期間で目覚ましい成果をあげたように見える治安対策も、実は犯罪集団マラスとの密約による「見せかけ」の部分があることが露呈した。他方、ビットコインの法定通貨化（第7章）や、議員定数を84から60に削減する選挙法改正など、周囲を驚かせるような政策を拙速に打ち出している。

大統領の任期は5年で、本来であれば憲法により連続再選は禁止されているが、ブケレ氏は２０２４年2月4日に実施された大統領選に出馬、圧勝して2期目続投を決めた。2期目が実現すれば憲法改正による多選制限の撤廃（無制限再選）も視野に入ってくると言われていたが、ブケレ大統領の再出馬に対する支持率は70％以上にのぼった。選挙管理委員会（ＴＳＥ）が9日に発表した開票結果によると投票率は52％、有効投票総数に占めるブケレ氏の得票率は82％であった。一方、大統領選と同日に実施された国会議員選挙における与党ＮＩの得票率は61％、旧二大政党の得票率の合計は19％で、本稿執筆時に議席配分（今次選挙より議席計算方法がヘア式からドント式に変更されるという）は未発表だが、ＮＩ単独で過半数獲得も改憲勢力3分の2は割る見通しである。

（笛田千容）

2

ARENA政権の20年間

★４人の大統領★

クリスティアーニ政権（1989～94）

１９８９年６月、ＡＲＥＮＡ（国民共和同盟）のアルフレド・クリスティアーニが大統領に就任した（任期１９８９～94年）。社会民主主義路線を掲げる、ＰＤＣ（キリスト教民主党）党首でもあった、前任のホセ・ナポレオン・ドゥアルテ大統領は、左派ゲリラ組織ＦＭＬＮ（ファラブンド・マルティ民族解放戦線）との和平対話を呼びかけるなど一定の成果をあげた。しかし１９８９年３月の大統領選挙では、ＡＲＥＮＡのクリスティアーニとＰＤＣのフィデル・チャベス・メナ両候補の一騎打ちとなり、前者の得票率は54％、チャベスは36％に留まった。ＡＲＥＮＡはその後20年間４代連続して政権運営を担うことになる。

１９８８年の国会議員選挙では一院制で定数60議席のうち、ＡＲＥＮＡ31、ＰＤＣ22、ＰＣＮ（国民和解党）７議席の配分となり、ＡＲＥＮＡは過半数を占めた。ＡＲＥＮＡは１９８１年、退役軍人ロベルト・ダウッソンにより創設され、極右政党と位置付けられていた。死の部隊と呼ばれる、人権侵害で悪名のあった準軍事組織とも深いかかわりがあると指摘されていた。このような風評を退けるべく、富裕層出身で1947年生まれの若手で、製薬業で財を成していたクリスティアーニを大統領候補に打ち出したARENAの選挙戦略が功を奏した。実際1992年の和平合意を成功させた要因の1つは、クリスティアーニのFMLNとの対話路線であったし、国連監視のもとで進められた合意内容の履行についても、熱心に取り組んだ。内戦解決を最大の優先課題とした同政権は、米国や日本をはじめとする援助供与国の積極的な経済協力もあり、5年間の任期を無事に乗り切った。

カルデロン＝ソル政権（1994～99）

1994年3月は、大統領（任期5年）選挙と国会議員（任期3年）選挙が同時に実施される（世紀の選挙）の年となった。日本からもPKO協力法に基づいて、選挙監視員が派遣された（第21章参照）。大統領選挙では、与党ARENAからは前サンサルバドル市長のアルマンド・カルデロン＝ソル、FMLNは左派ゲリラ組織の外交部門を担当していたルベン・サモラ、PDCはチャベスが前回に引き続き立候補した。第1回投票では、得票率はそれぞれ48％、25％、16％で過半数に達する候補者はなく、規定により4月、上位2名の決選投票となった。得票率はカルデロン＝ソル68％、サモラ32％で、ARENAは大差で勝利した。国会議員選挙では定数84に増えた議席のうちARENA39、FMLN21、PDC18の配分となった。なおサモラはその後FMLN政権時代の2013年、駐米国大使の要職に就く。

余談だが筆者が隣国ニカラグアに在勤していた1980年代中頃、サモラを何度か空港ロビーで見かけた。当時FMLNは非合法組織で、帰国すれば逮捕された。彼は革命政権下にあったニカラグアとパナマをしばしば往復していた。1989年の大統領選挙には、彼の盟友ギジェルモ・ウンゴ（故人）が新党CD（民主連合）から出馬した。選挙戦中、ウンゴは快くインタビューに応じてくれた。市の中心部（セントロ）に近い少し大きめの民家が選挙本部だった。ほとんど人の気配はなく、屋内はがらんとしていた。ウンゴは気負ったこともなく、この国の民主主義について淡々と語った。印象に残るのは机の上の埃を、彼が真っ白なハンカチでさっと拭いたことだ。全く飾り気のない人柄だった。筆者が知りうる限りで、社会民主主義を目指したサモラとウンゴに共通するのは、とても誠実な政治家であるということだ。

カルデロン＝ソル政権は新自由主義的な経済政策を積極的に進め、内戦中に国営企業となっていた銀行や、ANTEL（国営電話公社）、送配電公社、年金基金などの民営化を進め、無事に5年間の任期を終えた。しかし政権末期にはGDP成長率は落ち込み、1996年には0・6％に低迷した。

フロレス政権（1999〜2004）

1999年3月に実施された大統領選挙では、ARENAから出馬した前国会議長のフランシスコ・フロレス・ペレスの得票率は52％、FMLNから立候補したファクンド・グアルダードは29％に留まり、ARENAは3期連続して政権を担うことになった。フロレスはハーバードやオックスフォードなどの著名な大学で教育を受けたエリートで、2004年の大統領退任後は米州機構の事務総長候補にもなった。しかしその後、横領、不正蓄財、資金洗浄などの罪で起訴された。報道によると、2001年にエルサルバドルを襲った2度にわたる地震の際に、外国政府からの援助資金1500万ドルを不正に処理したとされている。自宅軟禁中の2016年、脳出血で死去した。フロレスの起訴は、エルサルバドル憲政史上初めての出来事と報じられたが、第4章で触れるように、以後この国の3人の大統領経験者は収監中1名、ニカラグアへの政治亡命（ニカラグア国籍取得）2名と、不名誉な状態が続いている。

フロレス政権は2001年、米ドルを法定通貨とした。在米居住者からの潤沢な郷里送金をあてにしたものだが、金融政策が取れないなど経済運営に支障をきたすことにもなった。任期中の経済成長率は弱含みで、2%を超えることはなかった。親米外交路線を推進し2003年多国籍軍の一員としてイラクに派兵した。国内では若者の暴力集団マラスが跋扈し、治安悪化が問題となった。

フロレス政権時代に起きた社会経済上の出来事として目を引くのは、1999年11月から2000年1月、2002年9月から03年6月の2度にわたり起きた大規模なストライキである。いずれもISSS（社会保険庁）の民営化をめぐる抗議であった。フロレスは大統領就任演説で、医療改革を唱えていた。医師をはじめとする医療関係者は待遇改善、医療改革への参加を要求した。また一連の抗議活動にFMLNが関与していたことで、政治的な色彩も加わった。ARENA政権のもとで民営化が進められ、労働組合の影響力が弱まっていたことへの焦燥も背景にあったであろう。

サカ政権とARENAの凋落

2004年の大統領選挙には、ARENAから出馬したアントニオ・サカ候補がFMLNのシャフィック・ハンダルを得票率58％対36％の大差で破り、ＡＲＥＮＡ政権は4代続くことになる（サカ政権については第3章参照）。ＡＲＥＮＡはクリスティアーニ政権からサカ政権までの計20年間、4代にわたり与党の座を保った。この間ほぼ一貫して新自由主義に基づく民営化路線を積極的に推進したが、予期した経済成長は得られなかった。ＡＲＥＮＡは２００９年にＦＭＬＮフネス政権が発足して以降、主要政党としてのパワーを失いつつあり、大統領選挙、国会議員選挙で苦戦が続いている。低迷する経済情勢と格差の増大、国内の治安情勢が改善しなかったことなどがその背景としてあろう。また和平後の民主化政策の成果でもあるが、最高裁判事任命に象徴されるように、富裕層は従来のように恣意的に既得権を守るような行動をとることが困難になった。新しい政治の潮流は、２０１９年に就任したブケレ大統領が体現している。

（田中　高）

3

漸進的社会変革を目指したサカ大統領

「人間尊重の政府」

2009年6月1日に任期を終えたサカ大統領（正式にはエリアス・アントニオ・サカ・ゴンサレス大統領）は、1歩ずつ、着実に社会変化を促すことを目指していたと考えられる。

保守党の国民共和同盟（ARENA）の党員であり、その候補として当選した大統領として、それまでにARENAが築き上げてきた新自由主義改革による経済制度や健全なマクロ経済運営を堅持しつつも、それを前提とした教育、医療の充実、貧困対策等からなる、社会政策の拡充を目指した。貧しい家庭の出身であったサカ大統領は、農漁村や、山村、都市スラムの厳しい現実を知っていた。貧困層の不満が、いずれARENAへの国民の支持を失わせることとなるのではないかと憂慮していたとも思われる。「人間尊重の政府」（「ゴビエルノ・コン・センティード・ウマノ」の意訳）というスローガンに批判を浴びせる向きもあったが、サカ政権は、少なくとも歴代ARENA政権のなかでも、特に貧困層に気を配り、社会政策に力を注いだ政権であったと言えよう。

新自由主義改革と健全なマクロ経済政策を維持しつつ社会政策を充実させるのは容易ではない。とくに、資源がなく、しかも災害が多いにもかかわらず、厳しい財政制約があり、かつ、債務の対GDP比を一定以下に維持しなければならないという制約があった。こうした自由主義改革を後戻りさせず、健全なマクロ経済運営を維持しつつ進める社会政策のアプローチは、チリのそれに似ている。民政移行以来、穏健左派政権が続いたチリでは、このアプローチのもとでかなりの成果を上げてきていた。

サカ大統領の大統領就任式に出席した、チリのリカルド・ラゴス大統領が、エルサルバドルの滞在中に行った講演会でチリの経験を語った。その後、大統領府の社会問題担当補佐官、セシリア・ガジャルド氏を中心としたチームがチリを訪問して、多くをチリから学んだ。チリで行われていた、貧困地図の作成、「連帯のチリ」プログラムに近い「連帯のネットワーク」（スペイン語では「レッド・ソリダリア」）の実施などに、それが反映している。セシリア・ガジャルド氏は、和平合意後、教育大臣を務め、住民参加型学校運営（SBM）のモデルとして知られるEDUCOのシステムを制度化した人である。

サカ大統領は、ガジャルド氏のもとで働いた実績を持つ、ダルリン・メサ氏を教育大臣に任命、同大臣は、「教育2021計画」を策定して、中長期のビジョンに基づく、本格的な教育の充実を目指す政策を推進する。サカ大統領は、この計画を強く支持し優先的な予算の配分などを行った（第34章参照）。

サカ大統領は、また、女性の地位向上にも強い関心を持ち、努力している。ARENAの大統領候補となることが決まると、はじめに公約したのが、副大統領には女性を起用したいということであった。その候補として、庶民派の、ARENA婦人部の活動家シルビア・アギラル氏が有力視されていたが、結局、元社会保険庁長官のアナ・ビルマ・デ・エスコバル氏が副大統領候補となった。エルサルバドル史上はじめての女性副大統領に就任した同氏は、エルサルバドルへの投資の誘致や貿易の拡大に向けた活動を積極的に行い、大いに成果を上げた。エルサルバドル投資推進公社（ＰＲＯＥＳＡ）の活動の充実、エルサルバドル輸出振興公社（El Salvador Exporta）の創設に尽力するとともに、あまり頻繁に海外に出かけられない大統領に代わり、エルサルバドルを代表して、米国をはじめ、中南米、ヨーロッパ、アジア、中東など世界各地で、エルサルバドルの広報、投資誘致に努めた。日本にも沖縄での米州開発銀行（ＩＤＢ）総会、日本・エルサルバドル修好70周年に行われた日・中米首脳会談に出席するために訪問している。一方、シルビア・アギラル氏は、内務省次官、ついで総務大臣に任命された。サカ大統領は、この他、ジョランダ・デ・ガビディア経済大臣など、多くの女性を起用した。

地方重視もサカ大統領の重要な方針であった。少なくとも週1回は地方を訪問し、地方の実情を視察するとともに、自ら、その地方の問題に関する、地方の声に耳を傾け、問題の解決に努めた。地域開発に努力し、地域ごとのきめ細かい発展のビジョンと地域開発計画を住民の参加を促しつつ行ってきた、国家開発委員会（ＣＮＤ）の役割を重視し、その意見を政策に大きく反映させたのもサカ大統領であった。東部地域の開発にも強い関心を示し、また、米国のミレニアム・チャレンジ・アカウントを貧困な北部地域の開発のために使う方針を打ち出したのもサカ大統領とその側近、サブラ官房長官らであった。

こうしたサカ大統領の政策は、歴代ＡＲＥＮＡ政権のそれを単純にそのまま引き継ぐものではなかった。サカ政権の斬新さは、次第に国民に浸透していったが、それは、大統領自身の地方訪問と、庶民的な姿勢、巧みなコミュニケーションなどによってより徹底したものとなったと考えられる。それがまた、サカ大統領が多くの問題に直面したにもかかわらず、高い支持を維持できた理由でもあったと思われる。

上に述べたようなサカ大統領の政策と政治スタイルは、彼の生い立ちや放送メディアでの経験などと深くかかわっている。サカ氏は、1965年、エルサルバドル東部のウスルタン市のパレスティナ出身のアラブ系移住者の家庭に生まれた。大統領選挙を戦った、ライバルのファラブンド・マルティ民族解放戦線（FMLN）の大統領候補、シャフィック・ハンダル氏も同じウスルタン市の出身で、サカ家と住まいも近くにあり、しかも同じくパレスティナ移住者の家に生まれている。

サカ氏は幼いころに父親が亡くなり、叔父に助けられ育てられた。その生活は決して楽ではなかったといわれる。叔父の世話で中学在学中からラジオ局で働きはじめ、このときから、メディアに強い興味を持つようになる。複数のラジオ局でスポーツ番組を担当した後、テレビ局（第4チャンネル）のスポーツ部長となり、12年間務める。サッカーのワールドカップの実況を4回行ったほか、多くのスポーツの試合、とくにサッカーの実況を担当し、このころから庶民の人気を集めるようになった。コミュニケーション能力は生まれつき優れていたと思われるが、このスポーツ実況者としての経験を通じ、庶民に語りかけ、ときに庶民に訴えかける語り口を身につけていったと思われる。

しかし、彼は、さらに企業家を目指す。1987年、22歳でパートナーと組んで、ラディオ・アメリカ社を創設し、その6年後の93年には独立して、ラディオ・アストラル社を創設する。これは、後のＳＡＭＩＸグループの企業の第1号となる。ちなみに、ＳＡＭＩＸという名前は、自分の姓Sacaと夫人の姓Mixcoの２つをあわせて命名したといわれる。この事業で成功を収めて、サカ氏はラジオ放送事業者協会（ＡＳＤＥＲ）の会長を２期（１９９７〜２００１年）務める。サカ氏はこのようにして企業家となったが、決して、従来から政治に強い影響力を与えてきた、財界主流に加わったわけではなかった。彼は、中小企業ないし中堅企業の経営者であり、かつ、財界主流とは距離のある、アラブ系出身の経営者であった。

しかし、ＡＳＤＥＲの会長としての実績が評価され、エルサルバドルの多くの企業団体の連盟である、全国民間企業協会（ＡＮＥＰ）の会長に選出され、２期務めた。サカ氏によれば、ＡＮＥＰの会長としての経験を通じ、多くの人の意見に耳を傾け、異なる立場の人びとの間の合意を形成していくことを学んだという。就任時、39歳の若さのサカ大統領は、このような生い立ちと経験から、貧しい人びとへの共感を持ち、かつ、語りかけ、訴えるコミュニケーションの力、異なる利害の調整能力などを高めていったと考えられる。そして、それが、上記のような、サカ政権の漸進的社会改革を目指す政策や、国民の高い支持につながっていったと考えられるのである。

（細野昭雄）

4

FMLN政権の10年間

★2人の大統領★

フネス政権（2009～14）

2009年6月、マウリシオ・フネスが大統領に就任した。この年は15年間に1度、大統領選挙と国会議員選挙が同時に実施される、重要な節目（世紀の選挙）の年であった。1月の国会議員選挙では、野党FMLNは35議席を獲得し、与党ARENAの32議席を上回った。しかしその後ARENAの議員13人が、創設された右派政党GANA（国民統合のための大連合）に鞍替えした。3月の大統領選挙にはARENAから警察庁長官を務めたアビラ、FMLNからフネスが出馬し、得票率はそれぞれ49％、51％でフネスが当選し、初のFMLN政権が発足することになった。

フネスは1959年生まれの政治家で、党の主流派とは距離を置き、穏健派に属し、テレビ放送の司会者やCNNのスペイン語放送のコメンテーターとして知名度が高かった。実はFMLNからは党の古参メンバーで、カリスマ的な指導者としても知られたシャフィック・ハンダルが出馬するとみられていた。しかし2006年1月、ボリビアのエボ・モラレス大統領の就任式に出席した帰路、サンサルバドル国際空港に着陸した際に機内で心臓病により死去した。エルサルバドル政治において、この出来事は世代交代の分岐点となったのかもしれない。有権者は変化を求めていた。ARENA政権のもとで新自由政策を推進し、エルサルバドルは「改革の優等生」と呼称されたものの、「成長の優等生」とはならなかった。さらに若者の暴力グループにより治安は悪化し、人口10万人当たりの殺人事件の発生率は２００９年71・２人、10年64・５人、11年70・４人で、世界でも最悪の状態であった。

フネスが政権を引き継いだのは、リーマンショックによる、世界経済が大きく減速した時期でもあった。米国の景気に強く依存するエルサルバドルは２００９年、国内総生産マイナス２・１％成長を経験する。逆風の中で出発したフネス政権はそれでも、逆進的な租税構造の改革、投票所の数を増やすなどの選挙改革、鉱山採掘の禁止、女性の地位向上、内戦中の人権侵害を公式に謝罪するなど、一連の民主化策を実行した。さらに学校制服、給食の無償支給やサカ政権時代に開始していた、条件付き現金給付プログラムを継続・拡充した。筆者は当時、日系紡績工場の幹部と話したことがある。工場の出荷口に全国からトラックがきて、各地の学校に直接配送され、そこで地域の住民も参加して制服に縫製するのだという。彼自身は富裕層に属する人物だったが、フネス政権のこのやり方を積極的に評価していた。従来は織布をいったん卸売業者に販売し、小売店に流通する段階で高額の中間マージンを上乗せしていたという。一連の社会民主主義的な政策は、以前のＦＭＬＮの強硬路線とは距離を置くものであったが、多くの国民の支持を得ることに成功した。しかし最高裁判所判事の憲法法廷の手続を全会一致とする法令第７４３号は左右両派の抗議デモを生み、撤回を余儀なくされた。

フネス政権時代、財政事情はかなり悪化した。２００９〜10年のリーマンショック後の経済危機を乗り切るための政府支出増加、民営化された年金基金の赤字負担、国債の利払いなどが財政を圧迫した。国会の承認を必要としない1年未満の短期国債（LETES）の発行残高は急激に増加した。2015年国会で承認されていた9億ドルのユーロ債の起債について、憲法裁判所は違憲の判断を下し論争が起きた。財政赤字の要因の1つは、前述のように民営化前の年金受給者への給付金の負担であった。92年の和平合意では退役軍人、FMLNの戦闘員とその家族に、年金を支給することを約束していた。後者は、非合法の武装ゲリラ組織であったので、年金支払いをしていたわけではない。和平後の和解のために、政府がそれを負担することになっていたが、年金への支出額は2014年4億6700万ドル、15年4億8500万ドルに達した。

サンチェス＝セレン政権（2014〜19）

2014年2月大統領選挙が実施され、FMLNから出馬した前副大統領サンチェス＝セレンが、ARENAのノルマン・キハノ前サンサルバドル市長と少数政党の連合体であるUNIDAD（統合のための運動）から出馬したサカ元大統領を破り当選した。第1回投票ではサンチェス＝セレン48・9％、キハノ38・9％、サカ11・4％の得票率で、どの候補も50％以上の票に届かず、決選投票に持ち込まれた。サンチェス＝セレンの得票率は50・1％、キハノは49・9％で、わずかに6364票の僅差となった。エルサルバドル選挙史上、まれにみる接戦である。ARENA支持者は選挙結果に対して抗議行動を繰り広げたが、結局これを受け入れた。

サンチェス＝セレン政権はフネス政権時代の主要政策をほぼ踏襲したが、マラスによる治安の悪化と財政赤字の2つは、アキレス腱となった。当初はマラスとの話し合いによる停戦を模索したが批判もあり、各政党、市民団体、有識者などが参加するフォーラムで討議の末、「安全なエルサルバドル」と呼ばれるプロジェクトで、刑罰を重くするなどの一連の方策を立案した。その後殺人件数は微減したものの、十分有効な手立てとはならず、多くの人々は暴力を逃れて難民として米国を目指した。米国国境で捕捉されたエルサルバドル人は2014年には5万人以上にのぼり、その後いったん減少するものの、トランプ政権時代（2017〜21年）には急増した。未成年者の越境者が増えたのも特徴であった。

2018年3月の国会議員選挙では、定数84議席のうちARENAが2増の37、FMLNは8減の23、GANA10、PCN9、PDC3などの議席配分となり、与党FMLNの退潮が顕著となった。その背景の1つには2017年、民事法廷がフネス前大統領と家族に対して、横領した約40万ドルを返還するよう求めたことがあろう。2016年フネスは家族とともに隣国ニカラグアに亡命し、2019年同国の国籍を取得している。2023年5月欠席裁判のもとで、マラスとの休戦交渉は違法であったとされフネスは実刑判決を受けた。

2018年台湾と断交し、中国と国交樹立した。2021年7月、前年末に陸路でニカラグアに逃亡していたサンチェス＝セレンに対し、検事総長は横領などの罪で逮捕状を請求。また内戦中に起きたエルサルバドル駐在の南アフリカ大使殺害事件をめぐっても遺族の告発を受けていた。最高裁は2016年、左右両派の人権侵害を不問にした恩赦法の無効を決定し、元軍人をスペインの検察当局の求めに応じて引き渡した。内戦の傷痕を癒すには、まだまだ時間がかかりそうである。（田中　高）

5

二大政党制の終焉

★ブケレ政権登場の背景★

エルサルバドルは1992年の内戦終結以降、紛争当事者を中心とする右派の国民共和同盟（ARENA）と左派のファラブンド・マルティ民族解放戦線（FMLN）の二大政党が選挙を通じて勢力を拮抗させながら、紛争を再燃させることなく政治的安定を維持してきた。これは世界的に見ても稀有な事例であり、また、ラテンアメリカでは数少ない政党システムの制度化が進んだ国という点でも「優等生」と見なされてきた。

しかし国民の間では、二大政党による政治に対する不信・不満がここ数年で膨れ上がっていた。エルサルバドルにおける民主主義への満足度が2018年に統計史上最低の11%を記録したことは第1章で述べたが、国民が自国の政党に対してどれだけ信頼を寄せているかを表す「政党信頼度」はさらに低かった。それは2011年の27%から続減し、2018年はラテンアメリカ18カ国中最下位の6%に下落していた。そこへ登場したのが、第3党から2019年の大統領選に出馬したブケレ氏である。大胆な変革を訴える若くてエネルギッシュな大統領に国民が希望を託したのも無理はなかったのだ。2021年2月の国会議員選挙の結果、それまで国会を二分してきたAREN

AとFMLNはいずれも議席数を激減させた。なかでも、かつてブケレ氏が所属していたFMLNはその凋落を印象づけた格好である。

では、二大政党に対する国民の不信・不満の原因はどこにあったのか。1つは、世代交代による党刷新の失敗であろう。2000年代半ば以降、二大政党は勢力を拮抗させるなかでより広い支持層への訴求力が期待できる有名人候補者を大統領選に擁立したが、そのことは必ずしも党の刷新につながらなかった。2004年にARENAから出馬したアントニオ・サカ元大統領と、2009年にFMLNから出馬したマウリシオ・フネス元大統領は、いずれもスポーツキャスターや報道リポーターをしていた知名度の高さから選挙の顔として担ぎ出されたものの、任期満了後に党内対立の扇動や指導部批判を理由に党を除名された。2015年にFMLNから首都サンサルバドルの市長に当選したブケレ氏も、在職中の2017年に同じような理由で党を除名されている。二大政党は内戦当事者とその腹心および親族が指導部を独占する一方、サカやフネス、ブケレのような高い人気と発信力を強みとする若い世代の傍流政治家を排除してきたのである。

もう1つは、治安対策の失敗である。内戦中、エルサルバドルから数多くの移民や難民が国外に渡ったが、内戦終結後も長引く不況や格差・貧困問題から米国への出稼ぎと郷里送金がエルサルバドル経済を支えていて、米国には合法・非合法あわせて推計250万人のエルサルバドル人が在住している。そうしたなか、カリフォルニア州を中心に、犯罪に手を染める若者らが出現した。1996年以降、米国政府は逮捕したエルサルバドル人の強制送還を開始し、そこから「マラス」と呼ばれる青少年ギャングのネットワークが形成され、異なるグループに派生・拡大した。彼らはエルサルバドル国内で熾烈な縄張り争いを繰り広げるなか、なかば強制的に新たな構成員を獲得しながら地域コミュニティーに浸透した。近年はメキシコの麻薬カルテルの末端に組み入れられることで、麻薬や武器の密輸、マネーロンダリングや人身売買などの国際犯罪への関与も取りざたされている。

これに対し、2000年代に本格化した政府によるマラスの取締りは、期待されたような効果を生まなかった。ARENAのフローレス政権およびサカ政権による治安対策は、マラスの構成員を大量に投獄し放置した結果、刑務所内で彼らの一層強固な組織化とネットワークの拡大を招いたと言われる。つづいてFMLNのフネス政権は、マラスの幹部に刑務所内の待遇改善や外部との連絡を可能にするなどの便宜を供与し、その見返りとして市中におけるグループ間の抗争をいったん停止させることに成功した。しかし当然ながら、それにともなう殺人件数の低下は一時的な見せかけの効果しかなく、2014年に再び増加に転じて、2015年には10万人あたり103人という世界最悪の数字を記録するに至った。これをうけ、サンチェス＝セレン政権は2016年3月に治安特別措置を発動し、国軍の投入に踏み切ったのである。ところが、投獄されたマラスのメンバーが携帯電話をひそかに持ち込んで悪用するといった刑務所内の問題への対処は徹底されなかった。

そして最後に、政治の腐敗が挙げられる。フローレス大統領以降、3代続けて大統領在任中の公金横領や不正蓄財などの汚職が発覚し、元大統領たちは服役あるいは海外に逃亡した。さらに2014年の大統領選挙では、二大政党がそれぞれマラスと集票目当ての取引をしていたことも露呈した。これでは国民の不信を買って当然であろう。

ブケレ大統領は汚職撲滅の旗印の下、旧二大政党の排除に邁進している。ブケレ氏が汚職対策のために設立したCICIESが有名無実化したことは第1章で述べたが、検察に独自の権限を付与したり、検察官が自発的に捜査を開始するための環境を整えたりすることよりも、政敵を追い落とすための武器として使うことを優先させたようだ。検察庁は公金横領の疑いでARENAの中央本部を家宅捜索し、財産の一部差し押さえと交付済みの政党交付金の凍結を行ったのを手始めに、FMLNの元閣僚5名をマネーロンダリングの容疑で逮捕したほか、サンチェス＝セレン前大統領を含む5名の逮捕状を請求した。さらに、大統領は司法・公共治安省を通じて、政府関係者による贈収賄や不正蓄財などの汚職事件を対象とする公訴時効の廃止と遡及適用を可能とする刑事訴訟法（第32条）の改正案を国会に提出し、2021年9月に可決された。エルサルバドルの刑事訴訟法は拷問、大量虐殺、強制失踪および未成年者に対する性犯罪を時効の対象から外していたが、これに汚職が加わったかたちである。最近では内戦中の殺害事件に関する不作為の容疑でクリスティアーニ元大統領の逮捕状を請求したほか、公金横領を理由に同氏の財産を差し押さえている。

政府が過去の政権の不正の洗い出しと追及の手をいっそう強めるなか、防戦一方に見える旧二大政党は、これから少しずつでも盛り返すことができるのだろうか。2024年は15年ぶりに大統領選挙と国会議員選挙が重なる。最大のポイントは、旧二大政党を中心とする反ブケレ派が国会の議席の3分の1以上を獲得できるか否かである。

（笛田千容）

6

法の支配の揺らぎ

★司法への政治介入と人権保障の停止★

民主主義体制における「法の支配（rule of law）」を特徴づけ、それを権威主義体制における「法による支配（rule by law）」と隔てるのは、近代憲法原理に即した国家権力の抑制と基本的人権の保護である。ブケレ政権の成立以降、エルサルバドルが権威主義に傾いたとの指摘があることは第1章で述べた。本章では、そのような指摘のおもな根拠とされる司法への政治介入と、非常事態宣言の長期化にともなう人権保障の停止について述べる。ブケレ大統領が政敵を追い落とすための武器として刑事司法と検察を利用していることは第5章で述べたが、より広い意味で司法府の独立性が低下したことは、エルサルバドルの民主化に大きな禍根を残すことが懸念される。

エルサルバドルの司法府はもともと独立性が高いとは言い難いが、国会は国家司法審議会（ＣＮＪ）および弁護士会連盟（ＦＥＤＡＥＳ）によって作成された候補者リストのなかから最高裁判事を任命することが義務付けられるなど、裁判官の給源の透明化や能力主義のための改革が民政移管後に導入された。司法による行政および立法に対する権力抑制手段は違憲審査だが、二大政党制のもとで野党が与党の政策を無効化する手段として政治利用する思惑が見え隠れしても、法令や行政措置を憲法に照らしてチェックする、という原則は守られてきたように見える。

ところが、２０２１年２月の選挙で国会に盤石な足場を築いたブケレ大統領は、違憲審査権を行使する最高裁憲法廷の掌握を図り、政権にとって都合の良い憲法解釈をする機関に変質させた。たとえば、同年９月に最高裁憲法廷は、憲法が禁じている大統領の連続再選を可能とする判決を下し、これによりブケレ大統領は２０２４年の大統領選に再出馬の道が開けた。その経緯は次のとおりである。

２０２１年５月１日に発足した新国会は、同日夜に賛成64票で最高裁憲法廷の判事５名の罷免とその後任人事を可決した。エルサルバドルの最高裁は15名の判事で構成される。任期は９年で、３年ごとに５人が選出される部分入れ替え制であり、罷免された判事の本来の任期は２０２７年である。同法廷はその前年に、政府がコロナ禍で自宅待機や隔離義務を怠った人々に対して司法命令抜きに過剰な警察権を行使し、数週間にわたって強制収容したことは憲法違反にあたるとの判決を下していた。つまり政権の意向に沿わない判決を下した判事たちへの報復が行われたかたちである。罷免の訴追を受けた判事たちに聴聞の機会は与えられず、しかも国会はＣＮＪとＦＥＤＡＥＳによる候補者の選出という正規の手続きを踏まずに恣意的な後任人事を行った。

憲法の規定に従えば国会は次の改選まで判事を選出できないことになるが、同年６月には最高裁判事の任期満了に伴う補充人事に進み、新たに５名を任命した。この時はＣＮＪとＦＥＤＡＥＳからそれぞれ候補者リストが提出されたものの、リストに名前のない人物が任命されるなど、選出プロセスに問題があったことが指摘されている。

その後、政権による司法人事への介入は最高裁のみならず、裁判所システム全体に及んだ。8月に国会は60歳以上あるいは勤務歴30年以上の裁判官の退職を新たに定めた司法専門職任用法の改正を可決した。9月に施行された同法の退職規定の該当者は約200名で、これは裁判官全体の3分の1にあたる。ブケレ大統領はこの法改正について、旧二大政党のもとで腐敗した司法制度を「浄化」するための措置だと説明した。しかし、後任の人事権は大統領の手中に落ちた最高裁に与えられているため、司法府全体を行政府と立法府の行為を追認する機関に変質させる試みではないかとの見方も強い。

法の支配を揺るがすもう1つの懸念事項は、犯罪集団マラスの摘発に係る非常事態宣言の長期化と、それにともなう人権保障の停止である。2022年3月に発令された非常事態宣言は、延長を繰り返すことで18カ月以上に及び、本稿執筆時も続いている。憲法上の人権保障を停止することで、令状によらない逮捕・家宅捜索や、平時は最長3日間とされている予防拘禁を15日間許容する他、集会の自由も制限されており、人権団体からはマラスの非構成員までもが次々と拘束されているとの指摘があがっている。なお、エルサルバドル政府は2016年にマラスに関わる犯罪の刑事責任年齢を16歳以上から12歳以上に引き下げたため、被拘束者には多くの未成年者も含まれる。2015年にマラスを「テロ組織」に認定し、その翌年に国軍を投入して以降、政府による非人道的な状況下での拘束や、裁判抜きの処刑がサンチェス＝セレン前政権下で問題視されていたが、ブケレ政権下で状況はさらに悪化している可能性がある。

そうしたなか、政府は首都サンサルバドルからおよそ74キロメートルの地点に囚人4万人を収容可能な米州最大の巨大刑務所を建設し、2023年2月に開所式を行った。陸軍兵士600人ならびに警察官200人がここで囚人の監視・監督にあたるという。世界の刑務所の状況をまとめた「ワールド・プリズン・ブリーフ（WPB）」（2023年9月18日閲覧）によると、エルサルバドルの刑務所収容率は236％に「改善」したが、国民10万人あたりの刑務所受刑者人口は1000人を超え、世界第1位に躍り出た。

2023年9月、ニューヨークの国連総会において、ブケレ大統領は治安対策の成功を謳い、エルサルバドルはラテンアメリカで最も治安の良い国に変貌を遂げたとまで言い切った。しかし非常事態宣言は解除されていない。国民が基本的人権の享有を妨げられない日常は間もなくやってくるのだろうか。マラスとの密約による「見せかけ」の部分があったとも言われる治安回復だけに、まだまだ根は深そうである。

（笛田千容）

7

新しい通貨制度

★ビットコインの導入★

２０２１年６月５日、エルサルバドルのブケレ大統領は暗号資産であるビットコインを法定通貨とするためのビットコイン法案を国会に提出する考えを表明した。２０１９年６月に就任したブケレ大統領であるが、就任からの2年間、ビットコインの法定通貨化について言及することはなかった。ブケレ大統領の発表から３日後に国会に提出されたビットコイン法案はわずか５時間の審議・採決のみで可決され、官報掲載90日後の９月７日に発効した。ビットコインを法定通貨とするという重大な法律に関し、有識者や民間セクターへの意見の聴取や十分な議論がなされた形跡はない。このようにして、エルサルバドルはビットコインを法定通貨とした世界初の国となり、国際的な注目を集めたが、その経緯からはビットコインの法定通貨化は国家的事業として用意周到に計画されたものではなく、ブケレ大統領と少数の側近によって進められたものとの印象が強く残る。

ブケレ大統領は２０１９年２月の大統領選挙で得票率約53％を獲得するという地滑り的勝利を収め、１９９２年の和平合意締結後から約30年間にわたって続いた右派国民共和同盟（ARENA）及び左派ファラブンド・マルティ民族解放戦線（FML

N）による二大政党制に終止符を打った。

２０２１年２月に行われた国会議員選挙の結果を経て、ブケレ大統領が創設した政権与党新思想党（ＮＩ）と、同党と協力関係にある国民統合のための大連合（ＧＡＮＡ）が、全84議席中３分の２の議席（56議席）を上回る61議席を確保する国会が同年５月に発足した。これによって、ブケレ大統領は立法府におけるフリーハンドを得ることとなった。複数の世論調査から指摘される重要な点は、政権与党ＮＩ全体が国民の支持を得ているのではなく、ブケレ大統領の１人勝ちとも言える政治情勢であり、ビットコインを法定通貨とした世界初の国となったエルサルバドルであるが、この決断は、ブケレ大統領による政治のパーソナル化が進んでいると指摘される状況だからこそ実現することができたと言える。

サンサルバドル市内ショッピングモールにあるビットコイン案内所（筆者撮影）

ブケレ大統領はビットコインの法定通貨化の目的として、①郷里送金のコスト減、②ビットコイン関連投資・観光誘致、③金融包摂の促進を挙げている。ブケレ大統領の説明によれば、約３００万人いるとされる米国を中心とした在外エルサルバドル人からの郷里送金は、２０２１年には75億１７１０万ドル（対ＧＤＰ比約25％）を記録し、エルサルバドルにとっての重要な収入源となっており、既存金融機関の送金手数料よりも送金コストの低いビットコインの導入によって、郷里送金にかかるコストの大幅な減少が見込まれる。また、ビットコインの総資産価値の1%が仮にエルサルバドルに投資された場合、エルサルバドルのGDPは25%増加すると見られ、投資、観光誘致による経済発展が期待される。また、エルサルバドルの成人のうち銀行口座を有している者の割合は35・85%であり、約70%の国民が銀行口座を保有していないエルサルバドルにおいては、ビットコインの法定通貨化によって金融包摂が促進されることになる。

では、エルサルバドルにおけるビットコインの使用は、ブケレ大統領のもくろみ通りに普及しているのだろうか。2022年1月にエルサルバドル商工会議所が行った調査によれば、「ビットコインでの支払いを受け取ったことがあるか?」という質問に対し、86%が「ない」、14%が「ある」と回答した。また、2022年9月に「ラ・プレンサ・グラフィカ」紙が行った「ビットコインの支払いに応じるか?」という質問に対しては、回答者の77・9%が「いいえ」と回答したのに対し、「はい」と回答したのは21・1%であった。これらのアンケート調査から、法定通貨から1年経つ段階においてもビットコインの使用に対し国民の中にある拒否感には根強いものがあると推測される。

国レベルでのビットコインの普及は思うように進んでいないが、ビットコインの使用で注目されている村もある。ビットコイン・ビーチとして知られるラ・リベルタ県チルトゥイパン市エルソンテは首都サンサルバドルから車で1時間程度、太平洋沿岸に位置する人口8000人程度の小さな村であり、サーフィンのメッカとして知られている。同村では2019年よりビットコインの使用を推進するビットコイン・ビーチ・プロジェクトが開始され、ビットコイン・ビーチとして注目を集めている。

エルソンテにおけるビットコイン・ビーチ・プロジェクトはHope Houseという1つのNGO団体によって行われている。Hope Houseは、米国人マイケル・ピーターソン氏の支援を受ける形でエルソンテ出身のホルヘ・バレンスエラ氏が２００９年に創設したプロテスタント系NGO団体であり、クリスチャンの価値観に基づくコミュニティー活動をエルソンテで行っている。エルソンテにおいても、ビットコインがすんなりと通貨として住民に受け入れられたわけではない。プロジェクト開始当初は懐疑的な視線を向ける者も多く、「悪魔の通貨」と呼んでビットコインの導入に反対する者もいた。

Hope House（筆者撮影）

エルソンテは元々サーフィンで有名なビーチであり、観光業を生業（なりわい）とする住民が多い。サーフィンを目的として同地を訪れたビットコイナーの中からビットコイン・ビーチ・プロジェクトに関心を抱き、ビットコインによる寄付を行う者も現れ、ビットコインの流通量が増える中で、ビットコインの使用を受け入れるレストランやホテルが増えていった。現在ではエルソンテ全体で30以上のレストランやホテル、土産物屋がビットコインの支払いを受け入れている。

ビットコインがエルソンテの住民に受け入れられるようになった背景には、Hope Houseが築いてきた地域住民との信頼関係の存在が指摘できる。ビットコインが抱える技術的問題点は、従来の通貨とは異なりその価値を担保する存在のなさであり、それ故に生じる高いボラティリティであると言える。エルソンテの住民の中にはビットコインに対する懐疑心は少ない。エルサルバドル国家という「想像の共同体」ではなく、人口８０００人程度で構成員同士が比較的容易に繋がり、その素性が分かる小さな共同体であるエルソンテであるからこそ、バレンスエラ氏を中心としたHope Houseに対する住民からの信頼、同団体がこれまでの活動で築いてきた住民との間の紐帯がビットコインの価値を担保していると考えられる。翻って言えば、国レベルでビットコインの普及が進まない理由は、ビットコインの価値を担保する信頼の欠如であり、この信頼をどのように生み出していくのかは、国民からの信任が厚いブケレ大統領にとっても容易な課題ではないと言えよう。

（吉田和隆）

8

台湾から中国への外交路線変更

★エルサルバドルの思惑★

1971年の米中接近を契機に南米では中国との外交関係を樹立する国が相次いだが、米国の影響が強く、冷戦下で内戦状態にあり米国や台湾の支援を受けていた右派軍事政権下の中米諸国（1985～90年に中国と外交関係のあったニカラグアを除く）は台湾との外交関係を維持してきた。しかしながら、2007年にコスタリカが中国と国交を樹立したのを契機に、2008年に台湾において親中派の国民党・馬英九総統が就任すると、中米における中台間の外交関係の切り替えを巡る争いは一旦は鎮静化したものの、16年5月の台湾における民進党・蔡英文総統の就任が潮目の変化となり、中台関係の緊張にともない、台湾と外交関係を有する中南米諸国に対する中国の動きも活発なものとなった。その結果、17年6月にパナマ、18年5年にはドミニカ共和国が台湾から中国への外交関係切り替えを行い、18年8月にはエルサルバドルもその流れに続いた。中米各国による近年の中台外交関係切り替えの背景には、①中台関係の緊張に伴う外交関係争奪戦の活発化という外的要因、②米国との関係悪化という政治的要因、③中国からの協力及び投資の誘致を求めるという経済的要因が指摘できる。そこには、米中間の競争の激化という文脈において、自国の状況を踏まえ、中台外交関係切り替えという外交カードをちらつかせつつ、米国及び台湾並びに中国を天秤にかけながら、自国にとっての最大限の利益を引き出そうとする中米各国のしたたかさが垣間見える。

エルサルバドルでは1980年代の内戦後、89年の大統領選挙で右派政党国民共和同盟（ARENA）が勝利すると、2009年までの4期20年にわたって政権を担うことになった。その後、09年の大統領選挙では、92年の和平合意署名によって合法政党化していた左派のファラブンド・マルティ民族解放戦線（FMLN）が政権交代を果たし、19年までの2期10年にわたり政権を担った。和平合意以後、ARENA及びFMLNによる二大政党制が確立されたが、政権のイデオロギーに関係なく、概して米国とは良好な関係が築かれてきた。しかし、強硬な不法移民政策を掲げたトランプ米政権の誕生により良好な2国間関係に歪みが生じ始め、不法移民問題に関連しエルサルバドルを度々罵ってきたトランプ大統領に対し、FMLNのサンチェス・セレン政権が18年1月に非難声明を発出し、これを契機として両者の関係が悪化していくこととなった。両者の対立の深まりによって生じた間隙を突く形での中国のエルサルバドルへの接近が、18年8月に発表された中台外交関係切り替えの要因の1つとなったとの見方もできる。他方、FMLN関係者からは、国交樹立以前より増加傾向にあった中国との貿易関係も踏まえ、世界第2位の経済大国となった中国との経済関係強化の必要性を主な理由に、中台外交関係切り替えの決断を擁護する声が聞かれた。また、脆弱な産業構造しか有さないエルサルバドルにとって、海外投資は国内経済の発展に欠かせない要素であり、中国との外交関係樹立はエルサルバドルにとって非常に魅力的な選択肢であったとも言える。

２０１９年２月の大統領選挙において勝利を収めたＡＲＥＮＡ、ＦＭＬＮのいずれにも属さないブケレ大統領は、大統領就任前より対米関係を最重要視する考えを表明し、ニカラグアのオルテガ大統領及びベネズエラのマドゥーロ大統領を支持しない等、米国の意向に沿う姿勢を示した。同年９月の第74回国連総会ではブケレ大統領とトランプ大統領の首脳会談が実現している。また、ブケレ政権はトランプ政権が対中米政策で重要視した不法移民問題に関し、所謂「安全な第３国」協力合意に署名している。

中国との関係では、大統領就任前、前政権による中台外交関係切り替えに関し中国との合意を見直すと発言し物議を醸していたが、19年12月にブケレ大統領が中国を公式訪問し、習近平国家主席と首脳会談を行った。中国政府側が発表した共同宣言には、エルサルバドルによる「１つの中国」の原則の遵守が表明され、また、エルサルバドルが「一帯一路」に積極的に参加する旨が謳われた。ブケレ大統領は中国公式訪問の成果として、中国による総額５億ドルの無償協力案件を取り付けたと発表した。ブケレ大統領はこの訪問をもって中国との関係を発展させる方向に舵を切ったと言える。その一方で、トランプ政権と良好な関係を維持するブケレ政権は対米関係への配慮から、米国が神経を尖らせる通信分野や交通インフラには中国を参入させない等、中国へのさらなる接近には慎重な姿勢をその後も維持してきた。

２０２１年１月のバイデン政権発足は、ブケレ政権にとっての対米関係の潮目の変化を意味した。バイデン政権は発足以前より、ブケレ大統領による民主主義や法の支配の軽視を問題視してきたが、同年５月１日に発足した政権与党勢力が３分の２以上の議席を確保するエルサルバドルの新国会が同日、最高裁判事及び検察長官を罷免したことによって、両国の関係は緊張感を高めることとなった。バイデン政権が重要視する汚職問題でも、同年7月に国務省が発表したエルサルバドル、グアテマラ、ホンジュラスの汚職者リストに、レシーノス大統領補佐官など複数のブケレ大統領の側近が含まれるなど、両者の亀裂が深まっている。

バイデン政権との関係が悪化する傍ら、ブケレ政権による中国への傾斜の動きが目立ち始めた。ブケレ大統領は21年3月に国立図書館の同年中の着工等、中国による各種無償協力案件の進捗を発表した。また、3月末にはシノバック社製新型コロナワクチン100万回分が他国製に先駆けエルサルバドルに到着した。米国との関係が悪化する中で、ブケレ大統領は中国に秋波を送ったと言える。他方で、小国で天然資源にも恵まれないエルサルバドルに対し、大規模な援助、投資を行うインセンティブは中国にはなく、中台外交関係切り替えという外交カードを既に切ってしまったエルサルバドルには中国からの大型援助、投資を引き出すための交渉カードは残されていないのではないかとの見方も強い。

エルサルバドルにとって米国は最大の貿易相手国であり、約300万人のエルサルバドル系住民が同国に居住していると言われる。米国からの郷里送金はエルサルバドルの対GDP比で約25％にあたる。米国との関係を切り捨て、中国を米国の代わりにすることは現実的ではない。米中間の競争の激化の中で、エルサルバドルが自国の利益のために今後どのような振る舞いを見せるのか、中米の小国のしたたかさに注目が集まる。

（吉田和隆）

9

ハブ機能を高めるエルサルバドル

★物流・金融・ビジネスの中心地★

中米各国を訪問する旅行者の多くは、エルサルバドルのコマラパ国際空港を経由して目的地に向かう。この空港を拠点とするタカ（TACA）航空（現在のアビアンカ・エルサルバドル航空）は、中米や南米の主要都市と米国の主要都市を結んでおり、パナマのコパ（COPA）航空と競いつつ、積極的に事業を拡大し、今や、中米はもとより、中南米で屈指の航空会社である。最近、この空港の旅客ターミナル、貨物ターミナルを中心とする拡張計画が実現し、航空輸送のハブとしてのエルサルバドルの地位はさらに高まっている。中米の中央部に位置するというエルサルバドルの地理的特徴と中米の中でも競争力の高い国際空港の存在がその背景にある（コマラパ国際空港の特徴と歴史については、第10章参照）。

陸上輸送に関しても、エルサルバドルは、中米の中央部に位置し、交通や物流の要衝にある。なかでも東部地域は、同国と、ホンジュラス、ニカラグアにまたがるフォンセカ湾に面して、特に重要な位置を占めている。この点は、以下のような中米の道路網の特徴を念頭に置くとわかりやすい。

中米を縦断するパンアメリカンハイウェイ（メソアメリカ・プ

ロジェクトのパシフィックコリダー）は、太平洋岸を走っている。中米の主要都市が太平洋岸か、それに近い高原地帯にあるからである。カリブ海側は湿地帯が続き、開発が遅れている。現在もホンジュラスのカリブ海側の東半分から、ニカラグア、コスタリカの東部を経てリモン港の近くに至るまで、開発が進まず、幹線道路もない。道路そのものが通っていないところもある。

ホンジュラス北部の湿地帯を農地に変えたのは、バナナ生産を行うユナイテッド・フルーツ等の多国籍企業であった。その拠点がサンペドロ・スーラであった。中米のカリブ海側の港の多くがバナナ輸出港として建設されたが、そのなかで群を抜いて発展したのがサンペドロ・スーラの外港にあたるコルテス港である。

メソアメリカ統合・開発プロジェクト（第14章参照）は、メキシコ南部から、中米5カ国を経てパナマに至る、メソアメリカ地域のインフラ整備による物理的統合をその目的の1つとしている。そのメソアメリカ国際道路網（RICAM）は、太平洋側にメソアメリカ統合回廊（コレドール・メソアメリカーノ・デ・インテグラシオン〔CMI〕、別名パシフィックコリダー）、カリブ海側にアトランティックコリダーを推進しているが、アトランティックコリダーは、コルテス港から先は当面計画されていない。右記のように、湿地帯の広がる未開発の低地が続くからである。そこで、コルテス港からは、方向を変えて南に下がり、パシフィックコリダー（パンアメリカンハイウエー）に合流する。それがアマティージョ周辺である。そこに架かる老朽化した橋の隣接地に、新たな「日・中米友好橋」の建設が、日本の協力で行われた。この合流地点の先に、フォンセカ湾があり、そこに建設されたのが新港湾ラウニオン港である。

以上のように、エルサルバドルは、中米の中心部の太平洋岸に位置しており、物流のハブとなる条件を備えており、空港の拡張、新港湾の建設、中米道路網の整備などの相乗効果が発揮されれば、ハブとしての同国の役割は一層高まるであろう。

エルサルバドルは、物流のハブだけにとどまるわけではない。近年、中米の金融とビジネスの中心地の1つともなりつつある。中米の金融の中心といえば、パナマがよく知られているが、エルサルバドルは、ドル化を実現し、中米諸国のなかで金融の規制緩和を含む経済の改革、自由化を最も積極的に進めてきた国である（第11章参照）。その結果、2007年までに、シティバンク、HSBC、スコティア・バンク、バン・コロンビアが現地主要銀行を買収する形で進出している。

エルサルバドルを含む中米諸国

同時に、エルサルバドルの有力企業グループは、積極的に中米の各国への投資を拡大してきている。とくに、ホテル、ショッピングセンター、住宅建設を含む都市開発、自動車販売などの分野では、これら企業グループは中米各国に進出していること、エルサルバドルが、ドル化をしていること、金融の中心の1つとなりつつあること、自由化政策などによりビジネス環境の改善が進んだことと無関係ではない。

エルサルバドルは、中米統合を積極的に推進してきた国でもある。中米統合機構（SICA）事務局は、エルサルバドルに置かれている。SICAには、ベリーズ、コスタリカ、エルサルバドル、グアテマラ、ホンジュラス、ニカラグア、パナマ、ドミニカ共和国が加盟しており、日本もオブザーバー国となっている。1995年より、日本はSICA加盟国との間で政策協議を実施しており、2005年東京で開催された「日本・中米首脳会談」では、日・中米関係の中長期的な協力の指針となる「東京宣言」及び「行動計画」が採択された。

メソアメリカ統合・開発プロジェクト（旧称プエブラ・パナマ計画［PPP］、以下メソアメリカ・プロジェクトと略す。第14章参照）の執行事務局もエルサルバドルに設置されている。メソアメリカ・プロジェクトには、SICA諸国とメキシコ及びコロンビアが加盟している。メソアメリカ国際道路網（RICAM）の推進をはじめ、経済社会の様々な分野での加盟諸国間の協力が進められている。

以上のように、小国からなる中米は、統合することで経済規模を拡大し、ビジネスチャンスを増やし、同時に国際的な発言力を強めることを目指していると言えよう。それは、中米の経済の実質的統合を支え、ビジネス、物流ロジスティックス、金融のハブとしての機能を強化してきているエルサルバドルの地位をさらに強めるものとなろう。こうしたことを背景に、2006年には、第1回「日本・中米ビジネスフォーラム」がエルサルバドルで開催された。第2回フォーラムは2015年グアテマラで開催されている（CAFTA、中米統合、メソアメリカ・プロジェクトについては、第14章参照、第1回ビジネスフォーラムについては、第62章参照）。

さらに、エルサルバドルは、国際開発協力においても、例えば防災などでの取り組みにおいて、先駆的な役割を果たしてきていることを強調しておきたい。

（細野昭雄）

10

エルサルバドル国際空港

★史上最大のメガプロジェクト★

今日、中米の航空輸送のハブとなっている、エルサルバドル国際空港（コマラパ空港とも呼ばれる）は、日本の資金協力により1977年に着工、約3年間をかけて、80年1月に完成した。滑走路3200メートル、最近拡張された旅客ターミナルおよび別棟の貨物ターミナルからなるこの空港は、現在でも、中米で最大規模の空港の1つであり、ここには、多数の航空会社が乗り入れている。とくにアビアンカ・エルサルバドル航空のハブ空港となっており、この国の首都と北米、中米、南米の主要都市を結んでいる。首都サンサルバドルから、自動車で45分の距離にあり、年間約500万人の人々がこの空港を利用している。

この国際空港建設は、この国にとって、史上最大のメガプロジェクトの1つであった。しかも、その建設は、困難をきわめた。工事が行われたのは、内戦勃発前夜であり、また、多くの技術的問題にも直面した。

エルサルバドルは、早くも70年代はじめから中米の航空輸送のハブとして発展するという戦略を模索していた。しかし、当時、利用できたのは、首都から8・5キロに位置するイロパンゴ空港であり、狭く、能力の限界を超える利用が行われるようになっていた。しかし、拡張は、コストがかかり過ぎるだけでなく、周辺には、住宅密集地区があり、しかも、近くにあるサンハシントと呼ばれる山が飛行の障害となっていた。そのうえ、近くにあるイロパンゴ湖が、しばしば霧を発生させるため離着陸が困難となるなど、イロパンゴ空港の拡張には、多くの問題があった。

このため、当時、別な場所での新空港建設が望ましいとの考えが有力となっていった。エルサルバドル政府が日本政府に要請を行い、1972年11月6日、12人の団員からなる日本の調査団がフィージビリティ・スタディを開始、翌年6月に報告書を提出した。この調査で、日本人専門家とエルサルバドルのカウンターパートは、少なくとも8つの候補地を検討、そのなかから、まず、フィンカ・アストリアをはじめ、カングレヘーラ、サンホアン、エルカリサル、エルポルベニールが選ばれた。最終候補地選定にあたっては、広さ、地形、地質、気象などの自然条件はもとより、首都からのアクセスと距離、離着陸の騒音の影響を受ける集落の存在、空港を拠点とする将来の産業の発展の可能性などが総合的に分析された。

最終的に、空港の建設用地として、フィンカ・アストリアが選ばれた。今日コマラパとして知られる土地である。近くに山や湖がなく、将来の拡張も可能な十分な広さを有し、さらに空港近辺での産業の発展の可能性も大きいと判断された。この場所を決定後、空港建設のマスタープランの作成が日本人専門家のチームによって行われた。

建設用地は、コヨーテや毒蛇の生息する、人里離れた場所であり、工事労働者の住居から用意しなければならなかった。また、労働者も多くは、通勤が困難で、家族と離れて単身で就業しなければな

エルサルバドル国際空港
（エルサルバドル大使館提供）

らなかった。空港建設にあたったのは間組（現安藤ハザマ）と東芝であったが、日本から派遣された技術者も含め、工事関係者は、レストランもホテルもまったくないところで、急ごしらえのバラックでの非常に不便な生活を余儀なくされた。空港建設工事は、エルサルバドルで注目の的となり、全国から職を求める人たちが押し寄せた。建設に携わった人びとは、総勢2000人に達した。

工事はまず、農園の綿花畑の収穫を待ってからの、土地の整地、空港用地を区画する柵の設置などから始められた。しかし、土地の整地は容易ではなかった。用地のなかの地質は、火山灰からなる部分や、砂利、岩石など場所によって大きく異なっており、日本から専門家が派遣されて、地質の調査を十分に行い、滑走路などの整地に万全を期した。また、管制塔を建てる部分の地面をしっかりと固める必要があった。整地に時間を要したこともあって、工期を間に合わせるために、夜間の突貫工事も行わざるを得なかった。この間、アスファルト・プラントが作られ、舗装工事がこれに続いた。

エルサルバドルでは、雨季に、集中的に豪雨が襲う。工事中、1977年末から78年にかけて、豪雨が整地した建設用地や排水路などに多大の被害をもたらした。しかし、こうした困難を乗り越え、

78年半ばには、空港ターミナルの建設工事が本格的にスタートした。さらに乾季には、工事現場をしばしば砂嵐が襲い、工事の中断を余儀なくされることも少なくなかった。また、建設用地は、低地にあって、気温が40度にもなることもあり、工事関係者たちは、この暑さにも悩まされた。

しかし、これらとならんで、困難であったのが、労働者への対応であった。当時、エルサルバドルは、左派ゲリラ勢力、ファラブンド・マルティ民族解放戦線（FMLN）と政府軍とが本格的内戦に突入する前夜にあった。次第に悪化する国内の情勢は、工事現場にも陰を落とすようになっていった。現場の労働者との信頼の醸成に向け、日本人たちが思いついたのが、スポーツ交流であった。日本人とサルバドル人が一緒に野球に興じることで、現場になごやかさが戻ったという。当時、建設に携わった人びとは、工事やスポーツなどを通じ、日本人との友好関係が強まっていったと回想する。

また、3年に及ぶ工事期間中、日本人技術者は、当時の最新建設技術や電気工事技術を持ち込み、エルサルバドルへの技術移転が行われたといわれる。カウンターパートであった、港湾空港公社（CEPA）の技術者は、日本にも招待された。

1980年1月、空港工事は完成し、1月31日に完成の式典が行われ、この空港発の第1便として、グアテマラ行きのTACA航空のフライトが出発した。

しかし、1980年は、内戦に突入した年であった。国際空港は、その直前ぎりぎりに完成したといえる。もし、このときまでに間に合わなかったなら、内戦の悪化で、工事は延期か中止を余儀なくされていたかもしれない。また、そもそも、内戦が始まってからでは、これだけのメガプロジェクトを計画することは、不可能であったであろうし、92年の和平後も、内戦からの復興が優先されたから、これほどの大規模工事は、かなりの間、着工できなかったであろう。新空港の建設は、まさに、ぎりぎりで間に合ったのである。

2005年の、日本エルサルバドル修好70周年を記念して、国際空港建設の歴史に関するドキュメンタリー映画が作成されたが、このときに行われたインタビューで、かつて、CEPAの運営に携わった、実業家ロベルト・ムライ・メサ氏は、当時の新国際空港の建設はエルサルバドルが世界経済に参入するために重要であり、「大いなるビジョン」を持って計画されたものだったと語っている。実際、この空港は、海抜ゼロメートルに近い低地にあり、フルに旅客や貨物を積んで離着陸が可能であり、隣国ホンジュラスやグアテマラの、高地に位置する空港と比べはるかに燃料が少なくて済み、効率が高い。このことに加え、近くに飛行の障害となる山などがなく、また、霧なども出ないことから、この空港は、開港以来、ほとんど飛行中止や閉鎖などが行われたことがない。また、2001年の大地震にも十分に耐えた。さらに、住宅密集地から遠いこと、周辺に広大な土地があり、産業発展のための大きな可能性があることなどは、すでに述べた通りである。

ムライ・メサ氏は、また、この空港は、エルサルバドルの航空輸送産業の発展にとっても重要であったと語っている。事実、TACA航空（今日のアビアンカ・エルサルバドル航空）は、この空港を拠点として中米最大の航空会社となったばかりでなく、コスタリカとペルーをもハブとして、南北アメリカ全体に広く航空路を有し、中南米屈指の航空会社となった。さらに、国際空港には、TACAの資本で設立した、航空機のメンテナンス会社、Aeroman社が事業を拡大して成功し、その高い競争力により、エア・カナダの傘下に入って、中米域外からのメンテナンス事業の受注を行うまでになっている。

同ドキュメンタリーのインタビューで、エリアス・アントニオ・サカ大統領（当時）は、次のように述べている。「われわれサルバドル人は、世界第1級の空港を持っていることを誇りに思っている。これは、わが国の発展のビジョンの模範でもある。コマラパにある空港は、エルサルバドルから世界に開かれた窓である。それは、また、わが国を訪れる人びとが第1印象を持つ、エルサルバドルの顔でもある。海岸近くに位置することで、この空港は中米で最も良い空港となっていることはよく知られている。しかも、空港は、近代的な道路で首都と結ばれている。この空港の建設は日本政府の支援によるものであり、そのお陰で、われわれは現在の経済成長を達成することができ、さらなる投資を誘致するための基礎を築くことができたのである」。

（細野昭雄）

11

経済政策とFUSADES

★国内最大のシンクタンク★

和平実現後の歴代の国民共和同盟（ARENA）政権の下でのエルサルバドルの経済政策は、新自由主義的市場経済に向けた改革を行うことを基本としてきた。この経済政策の策定に大きな影響を与えてきたのが、エルサルバドル経済社会開発財団（FUSADES）であった。

FUSADESは、エルサルバドルにおける最大のシンクタンクであるだけでなく、中米のなかでもユニークな機関であり、他の中米諸国にも、これだけの規模と機能を有する機関はない。ただ、コスタリカとニカラグアにある、中米経営大学院（INCAE）は、大学院大学で経営学の教育を行っているが、シンクタンク的機能も果たしている。

FUSADESの活動は多岐にわたるが、その最も重要な役割は、ARENAの歴代の政権の成立に先立って、政策大綱を提案することにあった。クリスティアーニ、カルデロン＝ソル、フローレス、サカの各政権はおおむねそれを尊重し、それに依拠して政策を実施してきた。シンクタンクとしての面目躍如であり、そのユニークさの所以でもある。

FUSADESの創設は1983年にさかのぼる。当時、内戦中であったが、85年には最初の開発戦略をまとめる。それは、保護主義を排し、新自由主義市場経済を目指す開放政策を標榜するものであった。当時、ほとんどの中南米諸国は、82年に債務危機に陥ったあと、チリなどが先駆けとなって、新自由主義市場経済政策を推進しつつあった（チリの場合のみ、債務危機以前から開始）。しかし、多くの国でそれが本格的に実施されるのは、80年代半ば以降であった。そのようなコンテクストのなかで、エルサルバドルでは、内戦中でありながら、FUSADESのなかで、このような内容の経済政策、開発戦略を早くも策定、提案したことは、注目に値する。

しかも、この戦略を策定したのは、先駆けてチリでこの政策の策定、実施に関与してきたチリ人の経済学者、とくに、チリカソリック大学の学者たち（シカゴボーイズと呼ばれる）と、その師であった、シカゴ大学のアーノルド・ハーバーガー教授であった。

ARENAの最初の政権となり、かつFMLNと和平合意を行ったクリスティアーニ政権に向けては、『エルサルバドルの市場経済構築をめざして――新社会経済開発戦略の基礎』（1989～94年）が、ハーバーガー教授が中心となって作成された。カルデロン＝ソル政権に向けては、『社会問題解決と経済改革』（1994～99年）が、やはり同教授を中心に策定された。続くフローレス政権に向けては、セバスティアン・エドワーズ教授（チリ人で、世界銀行ラテンアメリカ・カリブ局のチーフエコノミストを務めた後、カリフォルニア大学教授）の下で『参加を伴う成長――21世紀の開発戦略』（1999～2004年）が策定された。

こうした、10年余りの新自由主義的経済政策と改革により、エルサルバドルは、中南米では、チリと並ぶ改革の先発国となり、国際比較などで、常に上位の位置を占めるようになった。フローレス政権の下では、ドル化も進められ、現在実質上ドルだけが、この国で流通する通貨となっている（2021年9月からビットコイン導入。第7章参照）。

しかしながら、シカゴ大学と、チリのシカゴボーイズからの直接の支援の下で、着実に経済改革、対外開放政策が実施されたにもかかわらず、チリとは違って、高い成長率の持続は実現しなかった。成長率は、和平合意の直後に一時期高まっただけで、後は低迷した。FUSADESでは、シカゴスクールとは異なる別な視点を、エルサルバドルの経済政策に導入すべきではないかとの意見が表明されるようになった。

そこで依頼されたのが、ハーバード大学のリカルド・ハウスマン教授（米州開発銀行チーフエコノミストを務めた後、ハーバード大学教授）らであった。ハウスマン教授らのチームは、エルサルバドルを訪問し、改革を忠実に実行したのに成長が実現していないこの国の経済を目の当たりにし、ショックを受ける。彼らは、このとき、書いた論文のなかで、次のような表現を用いた。「エルサルバドルは改革の優等生である（a star reformer）」。しかるに、「成長の優等生ではない（not a star performer）」。

このときのエルサルバドルでの研究が、その後のハウスマン、ダニー・ロドリックおよびアンドレス・ベラスコ（2010年はじめまでチリの蔵相）の「成長診断（Growth Diagnostics）」の研究、3人の名前をとったHRVモデルに発展し、注目を集めるようになった。

ハウスマン教授が中心となって策定したサカ政権に向けての戦略と経済政策は、『機会、安全、正当性――発展の基礎』（2004～09年）としてまとめられ提出された。ハウスマンらは、エルサルバドルが改革の優等生にもかかわらず成長できないのは、市場の失敗等により企業家が投資を行わないことにあるとした。これを一言で「セルフ・ディスカバリー」の欠如にあるとし、これを克服することを勧告した。アントニオ・カブラレスFUSADES会長は、機会あるごとに、「われわれは、アウト・デスクブリミエント（セルフ・ディスカバリーのスペイン語）を行う必要がある」と強調し、ハウスマンらの結論を紹介した。

セルフ・ディスカバリーは、チリでの産業振興公社（CORFO）や、チリ財団（Fundación Chile）などのような活動を示唆するものでもあった（当時のハウスマンらの論文参照）。彼らのエルサルバドルでの研究は、世界銀行や米州開発銀行（IDB）などで注目され、さまざまな機会に論文として発表され、世界の30カ国を超える途上国でHRVモデルによる分析・診断が行われている。しかし、エルサルバドルでセルフ・ディスカバリーを行うことは容易ではない。サカ政権下でも、成長率の著しい改善は実現しなかった。

HRVモデルによる「成長診断」がなぜ、このような結論に達したかといえば、エルサルバドルは、インフラも、教育も、マクロ経済など多くの面で、比較的良い水準を達成しており、これらは、成長の深刻な制約条件（彼らの言葉では、binding constraint）とはなっていない。深刻な制約条件は、セルフ・ディスカバリーの欠如にあるという結論に達したのである。

FUSADESはさらに、2009年から始まる政権に向けて、新たな経済政策・開発戦略『民主主義と成長――発展の礎』（2009〜14年）を策定して発表している。

このように、FUSADESは、その創立以来、経済政策・開発戦略を中心とする提言を行ってきているが、政治分野での提言も行っている。スペインのサラマンカ大学と連携して、民主主義の定着を目指し、『エルサルバドルにおける民主主義の諸制度』を発表した。

FUSADESが行ってきた提案や事業は、エルサルバドルの発展に大きな影響力を持ったといってよい。ボリビアでの事例を参考に、地方の村落などの開発の支援を行う「社会投資基金（FIS）」の創設に寄与したのもFUSADESであった。エルサルバドルのビジネス・スクールESENの創設にも貢献した。この他たとえば、フリーゾーンの創設の提案を行ったのは、FUSADESである。また、自ら中小企業融資事業を行っており、これまでに3万人を超える企業家に3億ドルの融資を行ったとされる。さらに、セルフ・ディスカバリーに向けて、FUSADESの下にPROINNOVAを創設した。一方、傘下の「社会強化行動プログラム（FORTAS）」を通じて農村の貧困地帯などで社会事業も行っている。

（細野昭雄）

12

東部地域開発とラウニオン港

★政策支援型開発調査の挑戦と課題★

1990年代終盤以降、日本の対エルサルバドルODAは、内戦後の復興支援から、生産部門の活性化と競争力強化のための支援という、次の段階に移りつつあった。そこで打ち出されたのが、1996年に老朽化のため閉鎖された旧クトゥコ港を国際的なコンテナ港として再建し、港を中心とする東部4県（サンミゲル、ラウニオン、モラサン、ウスルタン）の総合的な地域開発戦略を推進することである。おりしも、国際協力機構（JICA）の開発調査は特定案件の事業化にとどまらず、複数のプロジェクトの組み合わせやセクター間の連携によって、中長期的な指針を示すマスタープラン型が重視されるようになっていた。

なかでも2002～04年に実施された「エルサルバドル国経済開発調査」は、日本のODAのみならず、他ドナーの援助の指針となることまで想定して実施された政策支援型開発調査のベンチマークと見なされている。内戦の被害が最も大きく開発の遅れた東部地域が、国の成長を牽引することはいかにして可能か。この野心的な試みのために、現地ODAタスクフォースのもと、JICA事務所と日本大使館が協力し、大統領や経済閣僚との対話を通じてプロジェクトの優先順位を協議する仕組みが導入された。そして、運輸・流通や商品競争力分析など、異なる専門性を持つ開発コンサルタント総勢14名が17カ月間にわたって、インフラ整備、人間社会開発、生産性向上を3本柱とする開発調査に挑んだのである。また、国家開発委員会（CND）が、エルサルバドル側のカウンターパートを務め、この調査に重要な貢献を行った。調査は、CNDがそれまでに行ってきた調査の報告書や提言、建設が決まっていたラウニオン港の開港などを念頭に行われた（CNDについては、第13章参照）。

東部地域では、このとき提案されたプログラムおよびアクションプランに沿って、様々なプロジェクトが実施された。ラウニオン市およびフォンセカ湾島嶼地域の漁民・住民が利用する桟橋の改修や、ホンジュラスとの国境に架かる新たな橋（日・中米友好橋）の建設、港湾・物流部門を中心とする地域産業を担う人材育成を目的とした高等技術学校「メガテック」の設立などである。2012年には大統領府にJICA専門家が派遣され、東部地域開発マスタープランの改訂が行われたことで、治安対策プログラムや、パンアメリカン・ハイウエィの整備と交通渋滞の緩和を目的とする円借款「サンミゲル市バイパス建設事業」も加わった。

しかし、円借款（112億円）により建設され、東部地域開発の起爆剤となることが期待されたラウニオン港は、2010年の開港後10年以上が経過してもほとんど稼働していない。同港はもともと民間のオペレーターにターミナルをリースして運営する計画だったが、国際競争入札は応札企業が現れず不調に終わった。その背景としては、想定外のリーマンショックとその後の世界的景気後退、エルサルバドルの治安の悪化や政治の不安定化、低成長など様々な不利な要因が重なったことが挙げられよう。

ではなぜ、利用が進まないのか。多くの複雑に関連する要因が挙げられるが、その中の1つとして、航路の埋没土量や貨物のインバランスの問題など、投資リスクに関する事前調査や費用対効果の検証が不十分であったことが指摘されている。ラウニオン港のような長い航路を持つ港湾の場合、水深維持のための定期的な浚渫（しゅんせつ）の費用が港の収益性を大きく左右する。詳細設計の段階でシミュレーションによる試算が行われたが、工事開始後に判明した航路の埋没量はその4倍以上にのぼった。一方、片荷輸送の解消策として、港に隣接した輸出加工区の建設が必要視されていたが、実現には至らなかった。ラウニオン港からホンジュラスのコマヤグアを経由してコルテス港にいたるドライキャナルが機能すればラウニオン港の貨物量も増えることが期待されたが、おもにホンジュラ側の事情で上手く機能していない。

そこへ、パナマ運河の拡張（2016年6月開通）を見据えての悪手が重なった。エルサルバドル政府は寄港可能なコンテナ船の最大船型を「ネオパナマックス型」（20フィートコンテナ×1万5000本）に拡大し、ラウニオン港の積み替えハブ機能を強化するために、審査時の計画を変更して泊地の水深やコンテナヤードの面積を増大させた。ところが、計画変更にともない増加した建設費用はコンテナクレーンの配備にかかる予算を転用したため、当面は自らクレーンを搭載したコンテナ船か、その他の貨物船しか利用できないことになった。未配備のコンテナクレーンの費用は民間オペレーターに転嫁されることになったが、国際競争入札が不調に終わったことは先述のとおりである。

さらに、コンセッションのための法整備が10年以上遅れた。その間、同国西部に位置するアカフトラ港の設備投資が行われ、コンテナ取扱量が増加したことで、ラウニオン港の需要は低下した。アカフトラとラウニオン、2つの港の役割分担を含むエルサルバドル全体の輸送・物流についての基本方針が十分に共有されていなかったと考えられる。

その後、エルサルバドル政府はラウニオン港の活路を見出すために、細々と努力を続けている。2023年8月、ラウニオン港とコスタリカ西部カルデラ港の間を、40年ぶりに貨物フェリーが就航した。これは2016年以降、エルサルバドル政府が提唱してきたことでもあるが、コスタリカから積載されたコンテナ数は20本、エルサルバドルからは8本と小規模で、また、オペレーションに想定外の時間を要したことから、今後改善・定着するかは未知数である。

また、ラウニオン港を船舶の修理・修繕事業に活用する案が浮上し、ブケレ政権1期目で韓国の援助によるフィージビリティ調査がおこなわれている。ブケレ大統領はアカフトラ港とラウニオン港を結ぶ鉄道の建設や、ラウニオン県における新国際空港の建設、そして仮想通貨推進地区「ビットコイン・シティ」構想に言及しており、大風呂敷の感はあるものの、東部地域開発への関心は高い。

他方、パナマ運河では渇水期に運航制限や通行料の値上げ問題が発生している。2023年は降水量が少なかった影響でガトゥン湖の水位が大幅に低下し、5月に船舶の最大喫水が13・41メートルに制限された。これにより、ネオパナマックス型の船の載積量は40%絞られるという。各船社はアジア発北米東海岸向けのサービスについて1コンテナあたり260～300ドル程度のサーチャージを上乗せした。気候変動の影響で降雨量不足が恒常的になれば、ラウニオンが代替港として利用できる価値がでてくるかもしれない。

いずれにせよ、ラウニオン港の最大の弱点は航路の定期的な浚渫でありその費用である。大型の船が通れるように浚渫で多額の資金を投入するだけの需要が見込めるのか。国際輸送インフラ統合や物流の活性化とともに、ラウニオン港の競争力と財政面での持続性を探ることが求められる。

（笛田千容）

13

北部横断道路と北部地域開発

★発展の起爆剤となる道路建設★

エルサルバドル北部地域は、国境に接する山岳地帯であり、内戦中ゲリラ勢力の活動拠点となり、それが、点から線へ、さらに面へと広がり、最も激しい戦闘地域となり、ゲリラ支配地域になっていったところである（第22章参照）。傾斜の急な斜面も多く、インフラの整備も非常に遅れており、1992年以降の経済の復興から北部地域は取り残されてきた。こうした状況に対し、この地域を横断する道路は、発展に欠かせないこと、その建設はその起爆剤になりうるとして、エルサルバドルの国家開発委員会（CND）はその重要性を強調してきた（CNDについては、第3章および第34章参照）。

しかし、多大な投資が必要であるため、その実現は遠い将来のことと思われていたが、サカ大統領の懸命な働きかけによって、エルサルバドルが米国のミレニアム・チャレンジ・アカウント（MCA）の対象国となることとなって、急にその可能性が現実のものとなっていった。

4年余りの交渉と準備を経て、ついに、2009年4月28日、サカ大統領（当時）は、米国ミレニアム・チャレンジ・コーポレーション（MCC）の代表、CNDの委員等と北部横断道路の起工式を行った。

北部を横断して290キロを結ぶこの道路は、エルサルバドルがMCCと結んだ4億6100万ドルの無償援助による、北部地域開発に関する協力協定のなかで最も重要な部分であり、支線を含めると総延長530キロに及ぶ道路網の建設により、92の町村のアクセスが改善し、人口の12%にあたる85万人が裨益するとされている。また北部地域は、将来この横断道路により周辺のホンジュラス、グアテマラなどとも直接つながる可能性がある。

北部の町村は、これまで直接の相互のアクセスができず、いったん山岳地帯を降りて、パンアメリカンハイウェイに出て東西に移動して、再び山岳地帯に戻るというような遠回りをしなければならなかった。この道路の建設で、近隣町村との行き来が容易になるだけでなく、北部地域のエルサルバドルの諸地域へのアクセスが格段に改善し、貧しいこの地域の社会経済発展、貧困の削減に大きく貢献することが期待されている。起工式より先に、4月初めには、横断道路の最初の工事となる23キロ分の契約が行われ、このなかには、レンパ川を北部で横断する150メートルの橋の建設も含まれている。また、農村電化を進めるための115キロの送電網の第1フェーズの着工が行われた。

ここまでにこぎつける過程は平坦ではなかった。もともと、米国がメキシコのモンテレイ国際会議（国連が主催した、途上国開発のための資金動員に関する国際会議、モンテレイ・コンセンサスを採択）で約束したミレニアム・チャレンジ・アカウントは、低所得国向けのものとされた。サカ大統領は、米国、とくにブッシュ大統領に対し、エルサルバドルのような低位中所得国向け支援も重要であることを訴え続けた。これに対し米国は、2005年7月、低位中所得国向けの資金枠を06年に設けることを発表する。これが、エルサルバドルの北部地域開発への米国の協力が実現する第1歩となった。しかし、それがただちにエルサルバドルが支援を得られることを約束するものではなかった。低位中所得国は54カ国にのぼった。

米国は、この資金による協力は、政治経済などに関する一定の条件を満たす国のみに限定するとした。これは、人間開発、公正な統治、経済の自由の3つの分野の16の指標からなるものであった（その後17の指標になった）。これを満たす29カ国に対象が絞られた。エルサルバドルの場合、05年に7つの指標に課題が残っているとされた。それらは、市民の自由、法の遵守、企業が事業を開始するまでに必要な時間とコスト、GDPに対する初等教育への財政支出の割合、女子の人口のうち初等教育を修了することのできる割合などであったとされる。

だが、06年9月にエルサルバドルを訪問したジョン・ダニロビッチMCC長官は、指標についてはすでに問題がないことを表明するに至った。しかし、この時点でも、一部に課題が残っていたと報道されている。これらを含むさまざまな交渉、エルサルバドル側の努力を経て、ついに、06年11月29日、MCCとエルサルバドル政府の間で、総額4億6100万ドルの無償資金協力を5年間にわたって行うことを内容とする協定文書が署名され、07年6月20日から協力が実施されることとなった。

この協力は、既述の通り、北部横断道路を中心とするものであるが、この道路建設と並行して、さまざまな社会経済開発を実施することによってシナジー効果を発揮させ、総合的な北部地域の開発を実現することを目指していることに特色がある。これは、総合的な開発を早くから主張していたCNDの考え方を強く反映するものであるといえよう。

すなわち、署名された文書によれば、協力は、3つの大きな分野からなる。交通・輸送（コネクティビティ）、人間開発、生産セクターの開発である。第1の分野については、すでに述べたが、幹線である北部横断道路の建設そのものに加え、道路沿いの周辺地域からなる3つのサブリジョンを設け、ここで幹線道路へのアクセス道路を整備することにより、各地域内の村落の生活の向上をも目指している。第2の分野では、チャラテナンゴの技術学校（メガテック）をはじめ、20の中等技術学校の強化、職業訓練を含む住民の能力強化を目指している（メガテックについては、第34章参照）。また、最も貧しい62の村を対象とした上下水整備、94の町村の農村電化などを中心とする村落開発も含まれている。第3の分野では、投資の促進、生産活動の促進に向けた能力開発と、中小零細企業向けのマイクロクレジットが中心となっている。

MCCによる北部地域開発は、日本政府が協力を進めてきているこの国の東部地域開発との共通点も少なくないが、MCCの場合、事前に16の指標により、政治経済のさまざまな側面に関する条件を満たすことを前提とした点は異なっている。欧米諸国の開発協力においては、どちらかというと、政治経済の制度の整備などを支援する、いわば「枠組み志向」のアプローチが見られるのに対し、日本の協力にあっては、具体的な協力案件を一定のビジョンを持ちつつ、1歩1歩進めていく、いわば「中身志向」アプローチが顕著であるが、このエルサルバドルの北部地域開発は、両者を併せ持つアプローチによるユニークな協力であると見ることもできる。

（細野昭雄）

14

SICA、メソアメリカ・プロジェクト、CAFTA

★中米統合のカギを握る★

中米では、1960年代から中米共同市場の形成に向けた動きが開始され、中米和平後には、中米統合機構（SICA）を結成して中米諸国の統合を推進する体制が整い、その後、メキシコ南部から中米、パナマに至るメソアメリカ地域を統合する計画がスタートし、さらに、中米諸国とドミニカ共和国が一体となって米国と自由貿易協定を結ぶなど、さまざまなイニシアティブを通じて、実質的統合が推進されてきた。そのプロセスにおいてエルサルバドルは積極的な役割を果たしてきた。

エルサルバドルをはじめとする中米諸国にとって、北米自由貿易協定（NAFTA）発足以来、メキシコと比較して米国市場への輸出が不利となっていることを回避するため、NAFTAと同等の内容の自由貿易協定（FTA）を米国と締結すること（NAFTAパリティの確保）が悲願であった（2022年7月にはNAFTAに代わって米国・メキシコ・カナダ協定（USMCA）が発効している）。

中米はすでに一般特恵制度（GSP）および環カリブ・イニシアティブ（CBI、通常、カリブ開発計画と訳されている。米国市場への中米・カリブ諸国からの特恵輸入制度）による特恵を享受していたが、それをNAFTA並みの内容の市場アクセスを保障するFTAに切り替えることが重要な目標となった。このために、中米およびドミニカ共和国と米国との自由貿易協定、DR－CAFTA（CAFTAと略称される）を締結することが中米諸国の優先的課題となり、その交渉の推進にエルサルバドルは重要な役割を果たした。

一方、米国はNAFTA並みかNAFTAよりも進んだFTAを、条件の整っている国に広げていくことにより、自由貿易圏を拡大していく方針を固め、その意味ではNAFTAよりも進んだ米国・チリFTAをCAFTAのベンチマークとしようとした経緯がある。その背景には、一方で、世界貿易の一層の自由化を意味する世界貿易機関（WTO）の交渉が難航し、他方、米国がかねてから推進してきた米州自由貿易地域（FTAA）構想もラテンアメリカの一部諸国の強い反対にあい進展せず、このため、米国にとっては、NAFTAより進んだ内容の中米とのFTAの早期合意の意義はより高いものとなった。

こうした背景のもと、米大統領選を控え、かつファスト・トラック（議会における一括審議で速やかに承認する）での批准のタイムリミットも考慮し、2003年内の基本合意に向けて最大限の努力が払われ、結局、同年12月のぎりぎりの時点（コスタリカは2004年1月）で合意に至った。これを受け、最初に批准し、CAFTAの実施に強い意欲を見せたのは、エルサルバドルであった。このあと、アナビルマ・デ・エスコバル副大統領は、CAFTAツアーと称して米国の主要都市を訪問、CAFTAのもとでの米国市場への有利な貿易アクセスにより、エルサルバドルへの投資がいかに有利であるかをアピールして回った。

ＣＡＦＴＡは、米国と中米の各国とが個々に、バイラテラルにＦＴＡを結ぶのではなく、中米地域（ドミニカ共和国を含む）全体とマルティラテラルにＦＴＡを結ぶものであり（これはＣＡＦＴＡの重要な特徴であり、ＣＡＦＴＡの協定の冒頭に謳われている）、ＣＡＦＴＡは中米地域統合を促す効果を有している。

中米における経済統合は、１９９３年に中米６カ国が中米経済統合条約（「グアテマラ議定書」）を調印したことに端を発する。同条約では、従来の中米での経済統合と異なり、地域ブロックとしての自由貿易地域への参入（自由貿易協定への参加）や通貨統合までを視野に入れて、共同市場よりも統合度の強い中米経済同盟の形成を目指すことに合意した点が重要であり、80年代の中米内戦で停滞していた中米経済統合の活性化を目指したものである。その後、域内貿易は拡大し、同時に金融、商業、航空等の部門における域内での国境を越えた投資が活発化した。

また、制度面では域内統一関税分類の発効や紛争解決メカニズムの統一、税関統合に向けた具体的措置（医薬品登録の相互承認、農牧分野の行政措置等）に一定の進展が見られている。

一方、ＣＡＦＴＡにより生じるビジネスチャンスを効果的に活かすためには、中米諸国がインフラの強化、労働者の能力向上などにより、一層の競争力の向上をはかることが必要である。この観点からは、ＳＩＣＡおよびその傘下の組織を通じての中米域内（中米諸国・ドミニカ共和国）の協力に加え、メキシコからコロンビアにいたる物流システムの強化をはじめとする競争力向上を含む経済社会発展のための協力にむけた取り組みとして、中米諸国及びメキシコ・コロンビアによるメソアメリカ統合・開発プロジェクト（メソアメリカ・プロジェクトと略称、従来プエブラ・パナマ計画と呼ばれており、ＰＰＰとして知られる。本章では以下ＰＭと略す。第９章参照）が推進されている。

ＰＭはもともとＰＰＰとして、２００１年にメキシコのフォックス大統領が提唱しスタートしたものであり、メソアメリカと呼ばれる地域の諸国（メキシコの9州と中米）の開発に向けた協力の推進を目指すものである。当初、事務局は設けられていなかったが、05年にエルサルバドルに執行事務局が創設された。また、06年にコロンビアが加盟した。

ＰＭには、社会開発や、環境、観光などの分野における協力も含まれているが、とくに注目されるのは、輸送、エネルギー、通信のインフラ分野での協力である。

なかでも、輸送イニシアティブ（従来の道路統合イニシアティブが、メソアメリカ輸送イニシアティブと呼ばれることとなった）が重要であり、そのなかの、メソアメリカ国際道路網（ＲＩＣＡＭ）は、ＰＭの代表的プロジェクトとなっている。そのうち、メソアメリカ統合コリダー（ＣＭＩ、パシフィックコリダー）は、３２４４キロを占める。一方、アトランティックコリダーは、メキシコのコアツァコアルコスからホンジュラスのコルテス港に至り、そこから、カリブ海を離れて、南に進み、太平洋側のラ・ウニオン港近くに至る１７４６キロのハイウェイである。

以上の道路のほか、エネルギー、通信を含むインフラ・プロジェクトは、中米における、物流・ロジスティックの発展・効率化、エネルギーのより低コストでの安定供給、通信の効率化などを可能にし、ＣＡＦＴＡで実現した、貿易投資の機会を発揮するための中米のインフラの競争力強化を可能にすると考えられる。

以上のように、ＣＡＦＴＡの発効、ＰＭの進展、中米統合の新たな動きは、全体として、相乗効果を発揮しつつ、中米諸国の競争力を強めることを可能にし、輸出の拡大や、外国投資の増加を通じて、中米の社会経済発展を大きく進めることが期待される。とくに、エルサルバドルは、CAFTAの実現に積極的な役割を果たしたが、SICA本部、PMの執行事務局が置かれている国として、引き続き重要な役割を果たすことが期待される。おりから、新装成ったエルサルバドル外務省のすぐ横の好立地にSICAの新しい本部が建設された。斬新なデザインのこのビルは、期待されている中米統合の新たな進展を象徴するものとなろう。

（細野昭雄）

II

内戦から復興へ

15

内戦の激化

★中米紛争の勃発★

中米の混迷はまず隣国ニカラグアで起こった。親子3代にわたって中米でも最も悪名高い軍事独裁政権を続けてきたソモサ政権は1936年以降40年以上の長きにわたり、政治・軍事のみならず経済界でも多くの独占企業を有し絶大な勢力を誇っていた。78年はじめ、政府に批判的な新聞『ラ・プレンサ』紙の社主が政府の手先とみられるグループに殺害された。そしてその年の夏、左翼ゲリラのサンディニスタ民族解放戦線（FSLN）に国会議員が拘束されるという事件が起こった。この事件はソモサ政権が身代金を支払って一応解決したが、強権政治で知られた政権下で起きた事件だけに当時の中米諸国には衝撃が走った。そして翌79年、FSLNに加え民衆、経済界ともに反政府運動を展開し、ついに7月にソモサ政権は倒され、その後の選挙で左派のオルテガ政権が誕生した。

エルサルバドルではその3カ月後の79年10月、2人の将校によるクーデターでロメロ政権はあっけなく倒された。そして米国からの独自路線を保ちながら強権政治を続けるグアテマラでも、ゲリラとの内戦状態が激しくなり、10数年にわたりニカラグア、エルサルバドル、グアテマラの3カ国が世界の火薬庫といわれる内戦状態に入っていった。世界的にみると、79年はじめ、イランでそれまでの親米のパーレビ王朝がシーア派のアヤトラ・ホメイニによって倒されるというイスラム革命が起き、同年末にはアフガニスタンでソ連による侵攻が始まっている。地域紛争が多発した時代である。

エルサルバドルではクーデター後革命評議会が発足、72年の大統領選に出たキリスト教民主党（PDC）のホセ・ナポレオン・ドゥアルテも亡命先のベネズエラから帰国し、この評議会に加わった。評議会は最大の課題である農地改革をはじめ富裕層と結びついた政治の打破、過激左派との和解などを打ち出したが、ガルシア国防相など軍の右派に阻止され、十分な改革には踏み込めなかった。

1982年、憲法制定のため国会議員選挙が行われた。この選挙ではPDCは過半数をとれず、依然保守軍事的な勢力が根強く、極右といわれるダビッソン（退役軍人）が急遽結成した国民共和同盟（ARENA）がキリスト教民主党に次ぐ第2党にまで勢力を伸ばした。しかし米国の介入もありPDCを政権に留め、憲法制定への道を拓いていった。

一方、反政府ゲリラのFPL、ERP、FARNなどはファラブンド・マルティ民族解放戦線（FMLN）を結成し、政府軍と内戦状態に入った。カーター政権から代わったレーガン政権は、軍事的な直接介入はしなかったものの50人規模の軍事顧問団をエルサルバドルに送り込み、新政権の擁護に入った。強い米国を標榜するレーガン政権としては、中米を自国の裏庭と考えている状況から考えて当然の行動であったのであろう。米国はまた、キューバ、ソ連の援助を受けていたニカラグアのサンディニスタ政権を倒すため反政府ゲリラを支援し、経済封鎖（同国への小麦の輸出禁止、砂糖の輸入を90％削減など）を行ったほか、港湾破壊活動なども行ったといわれる。

エルサルバドルでは米国の援助にもかかわらず内戦状態は長期化した。その理由としては政府軍の地方指揮官に有能な人物が少なかったこと、こうした混乱期に起こりがちなことであるが、軍部の一部に私腹を肥やす者がいたこと、またゲリラ側はいったん捕えた政府軍の兵士を即座に解放し、政府軍の一般兵士の戦闘意欲を失わせる戦術に出たことなどが指摘されている。もともと政府軍の一般兵士の大半は貧困層出身であり、その軍と結びついているのが米国と富裕層であることを考えると、同じ民族間での内戦の目標が明確ではなかったこともあろう。このため一時は北部を中心に国土の30％がゲリラの支配下になったといわれる。この泥沼的内戦状態を逃れるため、人口の実に10％を超える約60万人が海外に逃避した。

一方、ゲリラに対抗して極右の活動が横行し、常に民衆の立場で活動しノーベル平和賞の候補者の1人ともいわれていたサンサルバドルのロメロ大司教が、ミサの最中に極右に殺害される事件まで起こった。中南米ではカソリック教会が民衆の立場に立って軍事政権と戦う「解放の神学」の流れもあり、かつカソリックが国民の大半を占めるこの国では予想外の大事件となった。その後、穏健派のPDCのドゥアルテ氏が大統領に選ばれ、国会においても同党が過半数を占めたが、内戦状況を打開できず、経済的困窮も深まっていったため次第に民衆の支持を失い、再び右派のARENAが政権を握ることになった。

中米における紛争の激化に伴い、これを調停しようという動きがメキシコを中心に始まった。メキシコ自身が中米からの難民の流入などの影響を受けていたこともあり、1982年、ロペス・ポルティーヨ大統領がベネズエラ、コロンビア、パナマに呼びかけ4カ国で停戦の働きかけを始めた。最初の4カ国外相会議がパナマのコンタドーラ島で開催されたのでコンタドーラグループといわれる。この会議のきっかけはホンジュラスとニカラグアが戦争を始めるという憶測が流れたためで、会議は急遽開催された。そしてその後は中米での内戦停止を働きかけるものに変わっていった。コンタドーラグループは中米5カ国の外相あるいは首脳が加わり、停戦を働きかけていった。こうした働きかけが現実の停戦にどう結びついたのかについては評価が分かれるところであるが、ゲリラ側、政府軍とも長年の泥沼的戦いに疲弊してきたという側面も大きいのではなかろうか。紆余曲折を経て政府とゲリラとの和平合意ができたのは1992年、メキシコシティにおいてである。ロメロ政権崩壊後、実に13年ものあいだ内戦状態が続いたのである。この合意でFMLNも合法政党として認められ、その後国会では最大の野党勢力となった。しかし内戦が収まってもエルサルバドルの抱える富の偏在、貧富の格差、民主化の推進などの問題が解消されたわけではない。

隣国ニカラグアではオルテガ政権が10年近く続いた後、選挙によりビオレタ・チャモロ（殺害されたラ・プレンサの社主の未亡人）政権が誕生したが、再びオルテガ政権に戻るという大きな振幅を繰り返している。エルサルバドルにおいても、内包する社会経済的問題を抱えたままの状況を考えると、民衆の立場に立った改革を地道な努力で続けていく以外安定化の道はない。混乱の火種を抱えながらの道が続くのではなかろうか。

（鈴木孝和）

＊参考文献
アルバート・フィッシュロー他（経済団体連合会事務局監訳）『ラテンアメリカ――潜在能力とリスク』時事通信社、１９８５年
長倉洋海『内戦――エルサルバドルの民衆』晩聲社、１９８３年
フィリップ・ベリマン（後藤政子訳）『解放の神学とラテンアメリカ』同文舘出版、１９８９年

16

内戦の一部始終

★国内の3分の1を「支配」していたFMLN★

筆者がはじめてエルサルバドルを訪れたのは、1979年8月のことであった。大学3年生の夏休みを利用した、バックパック旅行だった。ロサンゼルスから48時間バスに揺られてメキシコシティにたどり着き、そこからさらにバスで中米に入った。あのころの中米の混乱ぶりを考えると、ずいぶん無謀な旅程だったと思う。

このとき、サンサルバドルの町は騒然としていた。政府は統治能力を失っていて、政治外交上は無政府状態といってよかった。日本大使館は日系企業インシンカ社の幹部役員の連続誘拐事件のあとで、事実上閉鎖されていた。大使館を閉鎖していたのは日本だけではなかった。何しろ一時期エルサルバドルでは誘拐が一種のビジネスのようになっていて、身代金を出せそうな人間は手当たりしだいにターゲットにされた。真相は定かではないが、こんなエピソードもある。スイスの大使はわざと運転手の振りをして外交官ナンバーの高級車を運転し、後部座席に運転手が座っていた。一種のカモフラージュである。すると誘拐犯はなんと運転手（大使）を最初に殺してしまったというのである。この類の逸話は枚挙に遑（いとま）がないほどたくさんある。

エルサルバドルはラテンアメリカ諸国のなかでは最初に、青年海外協力隊の派遣取極を結んだ国だった（第58章参照）。多いときには60～70人の隊員が滞在した。スポーツや芸術など各方面の活動は、現地でもなかなか評判がよかった。この青年海外協力隊も治安の悪化が原因で、撤退を余儀なくされた。隊員のうちの何人かは、サルバドル人と結婚し、現地に滞在していた。あのころエルサルバドルにいた、いわゆる在留邦人はせいぜい20人ほどで、その大多数が協力隊出身者だった。唯一操業を続けていた日系の繊維企業ユサ社（第63章参照）でさえ、近隣のグアテマラやコスタリカから時折関係者が来る程度であった。かくしてまるで人が寄り付かない国になってしまった。「中米の日本」と呼ばれ、文字通りの親日国であったエルサルバドルの、変わりはてた姿だった。

数日間サンサルバドルの町を散策して、次の目的地であるニカラグアに向かったが、このときのエルサルバドルの印象は筆者には強烈なものだった。まず町の美しさに魅了された。ブーゲンビリアの花が、町のあちこちの庭先に咲き乱れていた。町全体がかもし出す活気にも圧倒された。車も少なくて、空気は透き通り、太陽が光り輝いていた。太平洋岸の港町アカフトラにも、数少ない在留邦人の方に連れて行っていただいたが、あれほど美しい海岸線の道路を走ったことはそれまでになかった。

サンサルバドルの市街地ではデモやそれを鎮圧しようとする軍の発砲事件が毎日のように起きていた。でも一旅行者には正直なところ、この国の美しさや人びとのたくましく生きていく姿のほうが、政治経済の難しい問題よりは、よほどインパクトがあった。そして念願かなって１９８４年から85年の1年間、今度は旅行者としてではなく、仕事先としてエルサルバドルに滞在することができた。

筆者が勤務していたのは、国連開発計画（ＵＮＤＰ）のサンサルバドル事務所であった。事務所は市内の高級住宅地であるエスカロンにあり、大通りに面していた。着任してしばらくすると、顔なじみになった清掃係が、筆者の部屋で話し込むようになった。筆者の仕事はＵＮＤＰの実施中のプロジェクトのモニターであったが、内戦中ということもあり、ほとんど開店休業状態で、情報収集（新聞や雑誌が主たる媒体であった）がおもな仕事だった。暇だと思われたのかもしれない。筆者はもともとはホンジュラスの国連事務所にいたのだが、1年間そこに勤務したあと、エルサルバドルに移動することにした。筆者の前任者はベルギー人の女性で、彼女がいなくなってから誰も希望者がいなくて、長い間ポストは空いていた。そこで希望したところ、すんなりと決まった。

内戦で破壊された橋

さて清掃係の話は、筆者の世間知らずの甘さを１８０度回転させるのに十分だった。事務所の周りの映画館、レストラン、ガソリンスタンドなどはどれも軒並み爆弾テロの被害にあっている。事務所にもこれまで数回手榴弾が投げ込まれて、車両が爆破された。幸いまだ負傷者は出ていない、というのである。爆弾といっても、それほど強力なものではなかったようで、威嚇的な意味もあったようである。筆者は当時まだ夢多き26、27歳の若さで、仕事が楽しくて仕方がなかったし、楽天的な性格からか、自分がテロの犠牲になるのではないかと深刻に悩んだことはなかった。

こんなこともあった。事務所に爆弾を仕掛けたという匿名電話があり、全員が避難した。軍の特殊部隊がやってきて、事務所をかなり念入りに探知機で捜索した。安全が確認されて一同職場に戻った。しかしいつもは快活な秘書が、顔面蒼白で身を震わせている。あとで聞いてみると、彼女の話は次のようなものであった。彼女はベリーズ出身でよく帰国する。ある日搭乗予定の飛行機に、爆弾を仕掛けたという脅迫電話があった。サンサルバドル郊外にある国際空港で足止めをされ、国連事務所のときと同じような探知機で検査し、何も見つからなかったので、そのままベリーズの国際空港に向かった。ところがベリーズはイギリス軍が治安維持に当たっていて、念のため再度機体を検査した。すると何と預け入れ荷物のなかから、時限爆弾が発見されたというのである。この話を聞いたときは筆者も少なからぬショックを受けた。ただなぜか自分がテロの犠牲になるという実感はまったくなかった。不思議なものである。

このころである。本書の編著者である細野昭雄教授（当時筑波大学で教鞭をとられていて、2003～07年は在エルサルバドル日本大使）がホンジュラスに出張された帰路、半日ほどエルサルバドルに滞在された。国連事務所にも立ち寄っていただいたが、国連の旗も、エンブレムもない建物がずいぶんと印象に残ったようである。後年「あれは大変な時期だったですね」と幾度となく感想を述べられた。ただそこで毎日生活している者にとっては、すべてが日常のことで、格段の思いはなかった、というのが率直な感想である。

左派ゲリラ組織ＦＭＬＮの戦闘員は時期によっても変化するが、大体６０００～７０００人くらいと推定されていた。おもな活動拠点は、国内第３の都市であるサンミゲルの周辺と北部のモラサン地域、サンサルバドル近郊にあるグアサパ山周辺、ホンジュラスとの国境のチャラテナンゴなどであった。ＦＭＬＮは国内の３分の１を支配下に置いていると主張していた。内戦中はこの数字は誇張ではないかと疑っていたが、考えてみるとあながち的外れではない。支配下という言葉を、自由に行動できると解釈すると、たしかにＦＭＬＮは首都サンサルバドルの中心部を含めて、かなり自由に行き来していた。１９８５年６月には、市内有数の繁華街であるソナロッサにＦＭＬＮの分派であるＰＲＴＣ（中米労働者革命党）がトラックで乗りつけ、米国の海兵隊員４人を含む13人が殺害された。ソナロッサは筆者の住んでいたアパートから車で５分くらいのところで、よく出入りしていた。ちょうどこの日も知人とコーヒーでも飲みに行こうかと話していたところだった。間一髪で難を逃れた。事務所の同僚は事件のあったテーブルのすぐ隣にいて、ともかく台所のほうに逃げ込んで助かった、と興奮気味に話してくれた。続く７月には市内にある厳重な警備体制下にある刑務所を４００人のゲリラが急襲し、政治犯13人を含む１０４人の囚人が脱走した。

何の表示もない国連事務所の外観

89年11月にはＦＭＬＮによる大攻勢があり、市内の至るところでゲリラが自由に闊歩し、市街戦を繰り広げた。犠牲者は２０００人にのぼった。このとき市内にある中米大学（ＵＣ

A）構内に政府軍部隊が入り、エルサルバドルを代表する知識人で、イエズス会の神父でもあった6人を殺害した。この事件は発足したばかりのクリスティアーニ政権に大変な痛手を与えた。ある意味で、92年1月の和平合意が成立する、間接的なきっかけとなったのもこの事件であろう。

というのも、それまで政府とFMLNとの間には何度か和平対話が持たれて、話し合いによる内戦解決の糸口を探そうとする雰囲気はあった。しかし軍部は和平合意そのものには反対しないものの、軍の削減や軍機構の再編成にはかたくなな態度を見せ、なかなかまとまらなかった。UCAの虐殺事件は弁解のしようのない、軍の犯行を明るみに出したことで、譲歩せざるを得ないところまで追い込まれてしまった。政府軍の首脳陣がこの事件に関与していたことは、和平合意が成立したあとに、国連による平和維持活動（PKO）の一環として真相究明委員会が設置され、その調査の結果明らかにされたものである。

政府軍はもともと人権侵害の責で、国際世論から非難されていた。81年のモラサン県のモソテという村の虐殺事件では、村のほぼ全員を殺戮した。その手法は残忍極まりなく、母親の目の前で子どもを銃剣で殺したといわれている。その首謀者は対ゲリラ戦の主力部隊とされた、陸軍アトラカトル大隊と目されている。軍だけではなくて準軍事組織の一部にも、残忍な手口で殺戮を繰り返したグループがあり、国民からは恐怖の目で見られていた。大虐殺（第41章参照）の伝統は、残念ながら一部の軍人に受け継がれていたのである。サンサルバドル市内の遺体安置所には連日、むごたらしい傷を負った多数の遺体が運ばれていた。そのうちの少数は、ゲリラによる犯行であった。犠牲者の大多数は、死の部隊と呼ばれていた、一部軍人の関与する右派のテログループの犯行によるものであった。

かくして、12年間の内戦中の犠牲者は7万5000人から8万人にも及んだ。その大部分はおそらく、地方に居住していた農民であろう。ゲリラをかくまっているという嫌疑のある村を、政府軍は徹底的に破壊しつくしたのである。そのいくつかは、ナパーム弾の影響で植物が育成せず、建物は今でも廃墟のまま残されている。92年3月、筆者は約1カ月間和平合意直後のエルサルバドルで現地調査をした。合計4カ所のゲリラ集結地区に行き、多くの元ゲリラ兵やその家族たちと話をすることができた。彼らの態度は本当に屈託がなくてじつに明るかった。この若者たちが実際に戦闘に参加していたのだろうか、と思うくらいごく普通の人びとであった。

かりに戦争がなくて、彼らがより生産的な活動に従事できていたら、エルサルバドルはずっと発展していたことは間違いない。彼らが武装闘争に参加した理由の一部は、FMLNのプロパガンダのせいであったかもしれない。しかし彼らが体を張って戦った大きな理由は、貧困、旧体制の社会的な不正義に対する怒り、閉塞した社会状況などだったと思う。内戦が終結してすでに30年余りがたった。元ゲリラたちが現在どんな思いで暮らしているのか。知りたいところである。

（田中　高）

＊参考文献
田中高「エルサルバドル――内戦の背景と現状」『ラテンアメリカ・レポート』第2巻第4号、1985年
田中高「和平合意後のエルサルバドル――ゲリラ集結地区を訪ねて」『外交フォーラム』第45号、1992年6月

17

内戦・災害からの復興

★迅速かつ効果的な日本の協力★

1992年の和平合意によりエルサルバドルに平和が戻ったが、戦争の傷跡は大きく、復興は決して容易ではなかった。

まず、エネルギー、輸送などのインフラの被害が大きかった。送電網は、度重なるゲリラ側の送電塔の破壊で寸断された。高圧線の送電網を支える鉄塔の破壊は比較的簡単にできるが、停電で真っ暗になるため市民へのショックは大きい。このため、送電網の破壊はゲリラの格好の標的であった。大きな鉄塔でも、基礎に近い部分を2カ所破壊するだけで鉄塔は倒れる。しかも、長い送電網を常に警備することは至難のわざである。送電網が1度破壊されると、しばらく電力供給が麻痺し、市民生活や産業への影響は大きい。

当時、エルサルバドルには2400余りの高圧線鉄塔があったが、その破壊は3200回に及んだとされ、戦略的な場所にあった鉄塔は30回にも及ぶ破壊が行われたという。また、発電所、変電所なども襲撃された。1980年から90年の期間のこれら破壊の復旧コストは6300万ドルに達するとされる（本章は、日本・エルサルバドル修好70周年を記念して作成されたドキュメンタリー映画『エルサルバドルの復興』に際して収集された資料に基づいている）。

電力とならんで被害の大きかったのは、道路網である。これも、破壊しやすく市民生活への影響の大きい橋の破壊が中心であり、その結果、幹線道路網が寸断された。この目的は、諸地域を分断し、孤立させることだった。エルサルバドル最大の河川、レンパ川にかかるプエンテ・デ・オロ（直訳すると「金の橋」）の破壊はその象徴的なものであった。これによって、エルサルバドル東部との交通・輸送は大きく妨げられることとなり、生産活動への影響も大きかった。

平和が戻ってから、6年後の1998年には、エルサルバドルをハリケーン・ミッチが襲った。全国的に被害を受けたが、農村地帯がとくに大きかった。被災者は8万人を超えた。道路網も土砂崩れなどで破壊され、15を超える重要な橋が壊され、通行不能となったところも多い。ハリケーン・ミッチの被害による道路の修復に2億6000万ドルの費用がかかったとされる。

ハリケーン被害からの復興がようやく軌道に乗った3年後の2001年1月13日、マグニチュード7の大地震が全国を襲った。サンタテクラ市では、大規模ながけ崩れで200を超える家屋が土砂に埋まり、多数の死者を出した。このほか、全国で日干し煉瓦（アドベ）で造られた家などが倒壊した。さらに信じがたいことが起こる。地震の復興に本格的にとりかかろうとしていた矢先、1月の地震から、ちょうど1カ月後の2月13日に2回目の地震（マグニチュード6・6）が襲った。2月の地震も学校が倒壊するなど多くの悲劇を生んだ。この2回の地震は、多くの余震が続いた。

日本は、内戦からの復興や、災害からの復興に多大の援助を行ってきた。内戦からの復興では、送電網や送電所、変電所の整備に円借款が供与された。エルサルバドルはこのプロジェクトにより、中

サンタテクラ市で地震により地滑りが起きた現場を掘り起こす救助隊員たち　（ロイター＝共同提供）

米で最も近代的な電力送配電システムを有する国になったという。2001年の地震の際にも、電力供給は影響を受けることはなかった。道路では、10の橋を無償で建設するとともに、円借款によりエルサルバドルで最大の橋プエンテ・デ・オロを含む2つの橋の建設、道路の建設などを行って、復興を支援した。洪水や地震に強い橋が造られたほか、道路の建設には集中豪雨の多いこの国の気候を考慮し、表面に水が溜まって車がスリップしない表面の排水性の高い舗装が行われている。

ハリケーンと地震の緊急時には、日本から緊急援助隊が派遣されるとともに、ハリケーンからの復興には4800万ドル、地震の復興には2300万ドルの協力が、それぞれ行われた。ホセ・アンヘル・キロス公共事業大臣（当時）は、「日本の援助は、最も早く、かつ効果的なものであった」と回想している。

さらに、これらの災害のあと、耐震住宅プロジェクト（第30章参照）や、コミュニティ防災プロジェクトのような技術協力がスタートし、また、防災の情報の分析、気象・地震観測などを行っている環境省傘下のエルサルバドル国土研究所（SNET）に対しても技術協力を行ってきた。SNETに対しては、地震、火山活動などの分野の専門職員の研修なども行われている。

また、国土計画の策定や、センサスの実施をはじめとする多目的に利用できる、詳細なデジタルマップの整備にも協力が行われてきた。これは、2007年の人口・住居センサスに利用され、さらに続いて行われた農牧センサスにも活用された。デジタルマップは、ハザードマップなど、防災の目的でも利用が可能である。

以上のようなインフラ建設の分野を中心とする、内戦や災害からの復興支援のほか、日本は、内戦後の復興のなかで非常に重要な、さまざまな社会分野でも支援を行ってきた。とくに重要であったのは教育への支援である。エルサルバドルでは、内戦中、ゲリラ支配地区には、中央政府からの教員の派遣や、予算の支出が思うに任せぬようになったが、学校での教育が中断されないよう、住民が立ち上がって、力を合わせ教員の代理をしたり、学校の修理などにあたった。これを受け継ぐ形で、エルサルバドルの山岳地帯などで、住民参加型学校運営（SBM）として定着したのが、エルサルバドルのEDUCOと呼ばれるユニークな制度である。

日本は、無償資金協力や、「草の根・人間の安全保障」協力のスキームにより、多数の学校を建設したり増改築を行ってきた。さらに、近年では、算数教育の向上に向けた支援も行われている。

保健分野の復興支援として特筆すべきは、2001年の地震で大きな被害を受けた、首都サンサルバドルにあるロサレス病院の一部建て替えである。手術棟の新築や、医療設備の供与が無償資金協力によって2006年に行われた。「無償卒業」となったエルサルバドルでの、これが事実上最後の無償資金協力となった。

（細野昭雄）

日本の対中米協力とエルサルバドル

コラム1

細野昭雄

エルサルバドルの復興への協力は、内戦後の中米への日本の協力の中で重要な意義を有していた。和平の実現後に日本が積極的に協力を行う意向があることをはじめて表明したのは、第20章にある通り、倉成外相の「暁（あかつき）演説」であった。倉成外相は、1987年に中米諸国のエスキプラスⅡ合意（グアテマラ合意）が行われた直後にグアテマラを訪問し、「真の中米和平達成の暁には、わが国としてもこの地域の復興開発にできる限り援助をする用意がある」と述べた。エスキプラスⅡ合意は、コスタリカのオスカル・アリアス大統領の中米の内戦の終結に関する提案を中米諸国が受け入れるという、極めて重要な合意であり、その直後の訪問でのこの演説と、日本の協力をコミットするというメッセージの意義は極めて大きかった。

翌1988年には、この演説の主旨に沿って、東京で「中米人造りセミナー」が開催された。この年から中米の産業人材育成の拠点をコスタリカに建設するプロジェクトの準備が開始され、1992年に中米域内産業技術育成センター（CEFOF）が発足する（建物の完成は1993年）。ここを拠点にコスタリカはもとより中米諸国の産業人材育成のための協力が、長期にわたって進められてきた（詳細は、峯陽一（2023）、第3章、第4節142〜157頁参照）。このような中米地域に対する広域的協力は、その後多くの分野に広がっている。

こうした、中米全体への協力が行われる一方、エルサルバドルを「中核国」と位置づけ、復興のための協力が推進されたことも注目される。1992年はじめに外務省中南米局長に就任した寺田輝介氏が次のように回想している。「中南米局としてエルサルバドルを選んだのは、（中略）エルサルバドルに対して「２つのＤ」を適用することによって、ニカラグア、グアテマラ、コスタリカ等々に好影響を及ぼすと考えたからでした。それゆえ、エルサルバドルをわれわれの援助をうける中核国と位置付けたのです」（寺田輝介（２０２０）第２章）。「２つのＤ」とは、民主化を助けるというDemocracyのＤと、国の再生、いわば経済発展をするためのDevelopmentのＤからなる方針で、それは、１９９２年３月の、世界銀行主催のエルサルバドル支援会議の場で、日本政府としての対エルサルバドル援助を発表する際に表明された。これは、同年１月16日のエルサルバドルの和平合意を受けて開催された重要な会議であった。

　このエルサルバドルへの支援のプロセスは、和平合意後速やかに行われたミルナ・リエバノ・デ・マルケス経済企画（ＭＩＰＬＡＮ）大臣の日本への招待とともに開始されたといってよい。第19章で書かれているように、リエバノ（ＭＩＰＬＡＮ）大臣はＦＵＳＡＤＥＳの出身で、92年４月に発表された「国家再建計画」の策定を主導した人であった（ＦＵＳＡＤＥＳについては第11章参照）。和平後の復興の基本文書となるこの計画策定作業をクリスティアーニ大統領は、ほとんどリエバノ大臣に任せていた。日本政府は、和平協定の下での復興を担当する大臣としてのリエバノ大臣を重視し、招待するとともに、渡辺外務大臣との会見を実現した。そのあと、92年５月には在エルサルバドル日本大使館の再開、７月の経済協力ミッションの派遣と現地調査、それを踏まえての、９月の寺田中南米局長のエルサルバドル訪問とクリスティアーニ大統領との会見などが、和平合意から半年あまりで、矢継ぎ早に行われた。

　クリスティアーニ大統領との会見では、２つのメッセージが伝えられたという。「１つは、「２つのＤ」を実現するために、日本政府は貴国に対する経済援助を真剣に考えていること。2つ目は国連の枠組みの中で和平協定を完全に守ることが大事であるとのメッセージであった」。つまり、「メッセージの狙いは、日本は「2つのD」を政策としています。ただ単に経済協力するのみならず、民主化への復帰をお手伝いいたします。エルサルバドルの場合には、国連の仲介によって和平が成立しました。その和平合意を守ってください、こういうメッセージでした」と寺田氏は回想している（寺田輝介（2020）第2章）。

なお、上記のプロセスの開始より、1年ほど前の1991年4月にコスタリカで、中米民主主義・開発のためのパートナーシップ（Partnership for Democracy and Development in Central America, PDD）の設立会合が開催された。1993年3月には、東京でPDD特別会合が主催された。この会議における演説で、渡辺外相は、「2つのD」を対中米外交の軸においていることを強調した。この会議を東京で開催した背景として、寺田氏は次のように述べている。「日本としても「2つのD」を打ち上げておりますし、PDDもまったく同じように、民主主義と経済開発ということをスローガンにしています。そこで和平定着というのは、民主主義の再出発であると同時に、経済開発を伴わない限り和平はうまく定着しないという認識、つまり民主主義と経済開発は車の両輪であること、この重要性を再確認したいと思ったのです」（寺田輝介（2020）第2章）。

1993年7月には、宮澤総理とクリントン大統領の間で日米コモンアジェンダが合意された（PDDと日米コモンアジェンダに関しては、第20章参照）。

＊参考文献
寺田輝介『外交回想録――竹下外交・ペルー日本大使館公邸占拠事件・朝鮮半島問題』吉田書店、２０２０年
峯陽一『開発協力のオーラル・ヒストリー――危機を超えて』東京大学出版会、２０２３年

18

エルサルバドル和平合意

★順調な復興再建、課題は経済社会面の民主化★

1992年1月、メキシコシティのチャプルテペック城で、エルサルバドル和平合意が調印された。おそらく世界中で発生した内戦のなかでも、この和平合意ほど締結後順調に進んだ例は稀有であろう。武装闘争を話し合いで解決し、和平後の復興再建が順調に推移しているという意味で、成功例といって過言ではない。履行開始後30年余りが経とうとしているが、今日のエルサルバドルの繁栄の土台となったのは、この和平合意であることは間違いない。本章ではどのようなプロセスを経て成立したのか、合意の内容、実施上の問題点、現時点での課題などについて紹介したい。

和平合意と聞くと、武装闘争の当事者がある日どこかに集まり、長たらしい文章にかしこまった調印式で署名して終わり、というイメージを思い浮かべる方が多いかもしれない。しかし実際には合意事項が成立するまでには、双方の白熱した議論が戦わされ、主張が対立して平行線に終わったこともたびたびであった。さらに会場は世界中に広がった。ジュネーブ（90年4月）、カラカス（90年5月）、サンホセ（90年9月）、メキシコ（91年2月）、ニューヨーク（91年9月）などである。それぞれ合意した内容を積み上げ、集大成したものが、和平合意文書である。交渉にはペレス・デ・クエヤル国連事務総長の特別代表として、アルバロ・デ・ソトが出席した。第1章「軍」、第2章「国家文民警察」、第3章「司法制度」、第4章「選挙制度」、第5章「経済・社会問題」、第6章「FMLNの政治参加」第7章「武装闘争の停止」、「付属文書」より構成されている。

話し合いによる内戦解決への取り組みは、84年10月8日、当時のキリスト教民主党（PDC）のホセ・ナポレオン・ドゥアルテ大統領が国連総会で、FMLNとの和平対話を提案したことがきっかけとなった。当時サンサルバドルに在勤していた筆者は、町を包んだ和平機運の盛り上がりの熱気を、今でも昨日のことのように思い出す。しかし現実に和平合意が成立するには、その後実に8年間の歳月を要した。

89年6月、ARENAのアルフレド・クリスティアーニが大統領に就任した。その直後の11月、FMLNはおそらく一か八かの最終攻勢に打って出た。この最後の戦闘こそが、双方の厭戦ムードを一気に高めて、合意へと向かわせる端緒となった。軍事的には、FMLNは首都をほぼ自由に動き回り、大統領官邸にまで攻め込んだ。政府軍は何とか持ちこたえた。このとき、市内にある中米大学（UCA）構内で政府軍部隊によるイエズス会神父6名とその料理人母子の計8名を殺害する惨劇が発生した。

国際世論はクリスティアーニ政権を強く非難し、和平合意に強硬に反対してきた軍部は、次第に追い詰められていくのである。その矛先は膨大な軍事援助を供与する米国にも向けられた。89年は冷戦が終結する年でもあった。90年8月、旧ソ連外務省のゲラシモフ情報局長がエルサルバドルを訪問し、「軍事紛争の解決は話し合いによる」というメッセージを送った。かくして内戦の当事者は外堀を埋められた形となったのである。

内戦終結の過程で、国連の果たした役割も大きい。平和維持のための特別な組織であるエルサルバドル監視団（ONUSAL）が組織され、停戦や選挙の監視に活躍した。国内では国家権力の暫時的な移譲を実行するための組織である、国家和平強化委員会（COPAZ）が立ち上がった。停戦と同時に軍の浄化、国家文民警察（PNC）、司法制度、選挙制度、FMLNの政治参加、経済社会改革などが進められた。この間国連平和維持活動としてはじめて、真相究明委員会が置かれ、内戦中の人権侵害の調査が、衆人環視のもとで開始された。この結果、先述のUCAにおける殺害事件の内実が暴露された。驚いたことに、軍高官の指示のもとに犯行が実行に移されたのである。弁解の余地のない、軍の蛮行であった。

和平合意は、治安部隊を中心とする軍および準軍事組織、警察の組織改革を中心的な課題としていた。実際87年には5万5000人であった兵力は、1万6000人弱にまで縮小した。さらに創設されたPNCは従来、軍組織の一部であった警察を分離させ、独立した。メンバーにはFMLNの戦闘員も参加した。FMLNは「恩赦」などの法律上の手続きを経て、合法政党として政治活動に復帰することになった。これにより武力による衝突は、投票箱に主舞台を移すことになった。

エルサルバドルの民主化を一気に促進したのはこの和平合意であったし、政治構造にもかなりの変化が現れた。気になるのは経済のほうである。貧困と富の偏在、所得格差が内戦発生の主因であったことは周知の事実である。和平合意のなかでは、経済・社会問題として農業問題、構造調整のコスト補塡、地域開発、国家再建計画などの項目が挙がっている。

当時世界銀行、米州開発銀行などの国際金融機関はしきりに、いわゆるネオリベラリズム（新自由主義とも呼ばれている）型の市場経済の導入を世界中で促していた。具体的には、政府の財政支出の削減（補助金のカット、公共料金の引き上げなど）と徴税強化（付加価値税や消費税などの間接税）、国営・公営企業の民営化、貿易の自由化（輸入制限、関税、輸出補助金の軽減）、外国投資の促進などである。

世界銀行は、積極的に和平合意後の国家再建に深くかかわった。元戦闘員への土地譲渡プロジェクト、ＰＮＣへの資金融資、地域コミュニティの参加型教育プロジェクト（ＥＤＵＣＯ）への資金提供など広範囲に及ぶ。しかしここで強調しておきたいのは、そうしたプロジェクトへの資金提供だけではなく、国家再建計画を通して、ネオリベラリズムの諸策を実施したことである。たとえば政府は付加価値税（ＩＶＡ）をかなり急いで実施した。その背景にはコンディショナリティと呼称される、国際金融機関による融資のための条件があったと指摘されている。国連開発計画（ＵＮＤＰ）のエルサルバドル事務所はこれを「あまりにも性急かつ行き過ぎたもの」というコメントを出している。同じ国連機関のなかでも、和平合意後の復興支援については、アプローチに「温度差」のあることが明らかとなった。世界銀行はこうした批判に対して、90年の消費者物価上昇率は24％だったが、96年には1桁にまで下落したと成果を誇っている。

ネオリベラリズムが国家再建期のエルサルバドル経済に与えた影響を評価するためには、より詳細な検討が必要であるが、ここでは次の点を指摘しておきたい。まずこの国が70年代後半から、戦争経済体制にあったことである。政府は軍事予算に多くを支出し、企業活動は低迷。国家による経済活動への強い介入（79年には銀行国有化、外国貿易の国家管理、農地改革の実施）があった。さらに国営、公営企業が経済活動の主役となり、政府財政の負担となっていた。ちなみにこうした企業のトップには、退役軍人が就任する場合が多く、代表的なものとして、国営電信公社（ＡＮＴＥＬ）、港湾空港公社（ＣＥＰＡ）、サルバドル社会保険庁（ＩＳＳＳ）、リオ・レンパ水力委員会（国営電力会社）などがある。

このような公営企業の大部分は和平後株式が売却され、民営化された。国営銀行も民営資本となった。戦争経済体制を「民主化」した原動力は、戦争から平和への移行であり、強大な軍部の既得権を剝奪したのは、世界中を吹き荒れた新自由主義的な経済改革だった。ネオリベラリズムは昨今、貧困層の増大、所得格差の拡大、経済至上主義による人間性の軽視など、評価は芳しくない。ただエルサルバドルについてみるならば、増税や政府補助金の削減のように市民生活にマイナスの影響もあったが、戦争経済から脱却する重要なステップボードになった面のあることも指摘しておきたい。

12年間の内戦で、エルサルバドル国民が払った犠牲は筆舌に尽くし難い。映画『イノセント・ボイス』（第55章参照）に描かれるように、内戦中に幼児期を過ごした人びとが今なお抱える心理的トラウマ、傷病兵、土地の帰属問題など未解決の課題を挙げればきりがない。しかしながら和平合意こそが、武装ゲリラ組織であったＦＭＬＮの政治活動の合法化をもたらしたし、建国以来の政治社会構造上の「ガン」ともいえた軍と準軍事組織の民主化を可能にした。ここしばらくは、このような民主化の動きが反転することはないであろう。

和平合意スタートからおよそ30年余りが過ぎた今、政治面での左派（ＦＭＬＮ）の躍進が顕著となってきた。本書でも各所で触れているように２００９年６月には、ＦＭＬＮのフネス政権、

2014年にはサンチェス＝セレン政権が発足した。民主化はそこまで進んでいる。それとは対照的に、国民生活での所得格差、貧困問題は依然としてエルサルバドルが早急に解決しなければならない問題である。

和平合意の第5章「経済・社会問題」では、その大半が、戦闘地帯で帰属が明瞭でない土地の所有権の譲渡（FMLNが実効的に支配していた土地、ゲリラ戦闘員などが実質的に居住し、農業を営んでいた土地など）の問題を指摘している。消費者保護や対話集会の開催、国家再建計画について触れてはいる。

エルサルバドルに重く突きつけられた課題は何といっても、経済社会面での民主化であろう。

（田中　高）

19

急ピッチで進んだ経済再建

★ドル経済・自由貿易圏・市場経済化を急ぐ新自由主義経済政策★

1992年1月に和平合意が締結されると、エルサルバドル政府は急ピッチで経済再建への取り組みをスタートした。12年間の内戦による人的な損害は犠牲者7万5000人から8万人と推定されている。さらに経済的な損害は約50億ドル、国外避難民は100万人を超えると推計されていた。国内の至るところが戦場となった結果、とくに農業部門の落ち込みは激しかった。農地改革の履行は部分的に未完結な状態のまま放置され、和平合意後の帰還兵・元ゲリラメンバーへの土地分配の問題があり、土地所有の権利上の手続きの不備も重なり混乱していた。経済活動は全般的にかなり低下していて、早急の対応が必要であった。

89年6月に政権の座についたクリスティアーニ大統領は、90年には内戦後の国家開発を見越した「経済社会開発計画：1989～94年」を発表した。当時は行政府内に経済企画省（MIPLAN）という機構が存在し、こうした経済計画や国際機関、外国政府との経済協力の窓口となっていた。MIPLANが中心となって作成したこの文書では明確に、市場経済重視などの新自由主義的な一連の政策を国家目標とすると述べている。

ＭＩＰＬＡＮはその後、92年4月に「国家再建計画：１９９２～97年」（以下再建計画と略）の最終版となる第4版を発表する。それまでエルサルバドルの歴代政府は通常、在任期間5年間の政府の経済社会目標を、経済社会計画として発表してきた。従来の慣習からは「再建計画」は異例であった。その理由はもちろん和平合意が成立したことにある。エルサルバドル政府は緊急に、国際機関や西側ドナー諸国に、国家再建計画を明示し、具体的な援助の内容、資金協力の金額を提示する必要に迫られたのである。

この作業を指揮したのは、エルサルバドル経済社会開発財団（ＦＵＳＡＤＥＳ）出身のミルナ・リエバノ・デ・マルケス大臣であった。また実際にこの作業に当たったのは、外国人のコンサルタントを含むエコノミストたちで、彼ら（ほとんどは女性だったが）の多くは、じつは国連開発計画（ＵＮＤＰ）の特別プロジェクトに雇用された人たちであった。「再建計画」の作成は、当時のＭＩＰＬＡＮの人材だけでは到底まとめることのできないほど、難しい作業であった。というのは、ＦＭＬＮの社会復帰の問題などは、従来の政府機関ではまったく取り扱ったことのない、新事態であったからである。おそらくエルサルバドルの公務員にとっては未曾有の経験であったに違いない。

国際世論や国内のメディアは難航する政府とＦＭＬＮとの和平交渉については詳細に報じていた。軍部の対応、ＦＭＬＮの出席者のコメントやコミュニケについては、じつに多くの時間とエネルギーを費してフォローしていた。しかし肝心の和平締結後の国家再建については、ほとんど世間に知られることもなく、大統領官邸に程近いＭＩＰＬＡＮのオフィスで着々と進められていたのである。大変地味な作業であった。「再建計画」は何回か改訂されていて、徐々にＮＧＯ（非政府機関）の参加促進なども盛り込まれた。国民のより広範な参加を視野に入れるものへと変化した。「再建計画」は国際金融機関などから高い評価を受けることになった。国際機関や西側先進国のドナーから比較的順調に復興資金が還流した理由の1つは、この「再建計画」の出来にあったと思う。

クリスティアーニ大統領はこの作業をほとんどリエバノ大臣に任せていた。彼女はまだ30歳代の若さだったと思うが、じつに精力的にこの作業に取り組んだ。その後風の便りでは、米州開発銀行（ＩＤＢ）の要職に就かれたようである。エルサルバドルではしばしば、傑出した女性の逸材が現れるが、彼女などはその典型的な例であろう。

「再建計画」では再建の局面を第1（緊急局面）、第2（中期局面）の2つに分けて、それぞれに必要なプロジェクトと実施に要する費用を明示していた。全体の費用は14億２８００万ドルであった。そのかなりの部分を、国際機関や外国からの借款、援助に頼っていた。何しろ和平合意が成立した時点で、国内避難民は1万２０００世帯、キャンプ生活中の元ＦＭＬＮ戦闘員とその家族や関係者は2万６０００人、戦闘地域に居住していた貧困農民は80万人に達していた。和平合意発効と同時にＦＭＬＮ関係者は武装解除され、生活の糧を失ったわけで、彼らの衣食住を確保するだけでも大変な作業であった。日本政府もこのときは元ゲリラ戦闘員への緊急援助として30万ドルを拠出したが、国際社会のそうした動きがなければ、あれほどスムーズに物事は進まなかったであろう。

クリスティアーニ政権が94年に任期を終えると、ＡＲＥＮＡのカルデロン＝ソルが大統領に就任した。同じ政党の出身であるから、経済政策には一貫性が保たれると思いがちであるが、実際は必ずしもそうではなかった。クリスティアーニ政権の最大の政治目標は内戦解決であり、再建のための経済政策そのものには必ずしも十分な配慮がなされたわけではなかった。それどころではなかった、というのが実情であろう。

カルデロン＝ソル政権になると、市場経済に基づく経済政策へと急速に傾斜した。ドル経済への移行、関税の引き下げによる貿易の自由化、付加価値税の引き上げ、行政改革などが提案された。当時世界中で試みられていた、いわゆる新自由主義政策に沿った動きである。行政改革はすぐに実行に移され、たとえばＭＩＰＬＡＮは95年には消滅してしまった。作業の一部は、政府機関である国家開発委員会（ＣＮＤ）に移管されることとなった。

経済計画の作成から政府がいわば手を引いたのには、次のような背景がある。97年3月に国会議員・地方首長選挙が実施された。結果は野党ＦＭＬＮの予想以上の善戦であった。国会議員数ではＡＲＥＮＡとわずかに1議席の差に迫った。さらに政治的にも重要なポストであるサンサルバドル市長にＦＭＬＮのエクトル・シルバが当選した。かくして内政は保革伯仲の状態となり、国会での審議には多大のエネルギーを要することとなった。

こういう時代状況では中長期の経済開発計画の策定が困難になってくる。ＡＲＥＮＡとＦＭＬＮでは、経済政策ではたしかに共通する面はあるが、基本的な考え方は相違している。前者は資本家や経営者、地主的な発想で物事をみるし、後者はやはり生活者の視点である。そして穏健になったとはいえ、イデオロギー的には社会主義の発想に近い立場をとる。

かくしてカルデロン＝ソル政権は97年5月には、政治的な思惑もあり、国民各層の声をより反映

表19－1　エルサルバドル主要経済指標

年	2020	2021	2022
国内総生産（10億ドル）	24.93	29.45	32.49
1人当たり国内総生産（ドル）	3962	4664	5127
国内総生産成長率（%）	－7.9	11.2	2.6
郷里送金（100万ドル）	5930	7579	7819

出典：世界銀行（https://www.worldbank.org/en/country/elsalvador）、エルサルバドル中央銀行（https://estadisticas.bcr.gov.sv/）

しやすくした、国家開発計画を作成するための諮問委員会的な性格の、国家開発委員会（CND）を設置することとなった。委員長（長官）には中立的な立場のサンドラ・デ・バラサ氏が就任した。5人の委員にはかつて軍民評議会政権時代に教育大臣を務め、軍部の弾圧のため亡命を余儀なくされ、その後左派ゲリラに同調していた、サルバドル・サマヨア氏なども参加している。委員会のメンバーには、実業界出身者や学術関係者なども含まれていて、バランスのとれた構成となっている。

CNDは98年1月には「国家計画の基本」という文書を作成し、エルサルバドルの国造りをいかに進めるべきであるかを提案している。政治面では民主化の促進、政府の権限の地方分権化、行政単位の再編成、経済面では発展を優先すべき分野の策定、金融機関の整備、中小企業振興などを謳っている。CNDは地方分権や住民の参加にかなり熱心で、エルサルバドルの新しい政治の流れを生み出すことに取り組んでいる。

ここで和平合意後から近年に至るまでの、経済の実績を見ておこう。GDP（国内総生産）の伸び率は、1992年から95年までは、海外からの投資や援助が順調だったこともあり、年率4～5％台と比較的好調であった。しかし2000年代初めになると1～2％台に低下する。その後は年度により変動はあるものの、低成長ではあるが比較的安定した実績であったが、リーマンショックにより２００９年マイナス２・１％を経験した。２０１０年代からは２％台の成長率を維持していたが、コロナ禍の影響もあり２０２０年は実にマイナス７・９％という低い水準を記録した。

エルサルバドル経済を見るうえ注視すべきは、財政赤字の動向であろう。公的債務の対ＧＤＰ比はＩＭＦ（国際通貨基金）の推計によると２０１６〜18年は60％台であったが、21年には85％とかなり悪化した。政府はＩＭＦとの融資交渉を行っているが、ビットコインを法定通貨にしている点にＩＭＦは難色を示している。このため財政赤字の打開策として、民間の運営する年金資金に短期国債を引き受けさせるなど、過渡的な対策に追われている。ＯＥＣＤ（経済協力開発機構）が輸出信用のデータをもとに作成しているカントリーリスク指標（数値が小さいほど良い）では、エルサルバドルは７で、グアテマラ４、ホンジュラス５よりも低い評価で、ニカラグアと同水準である。

このようにマクロ数字で見るとエルサルバドル経済は、潜在能力を十分に発揮しているとは言いがたい。しかし国内の幹線道路、港湾施設の整備などは進んでいる。格差の大きさを表す指標であるジニ係数も、かなり改善している（数値が小さいほど望ましく、１９９８年０・55から２０２１年０・39）。国内の治安を回復し、新規の海外投資を呼び込むことに成功すれば、勤勉な国民性と中米地峡の真ん中に位置するという地の利を生かして、成長軌道に乗せることは十分可能ではなかろうか。

（田中　高）

20

和平後の復興をめぐる国際協調の軌跡

★共同歩調をとる日米の援助協力★

中米紛争は1987年8月に、域内の5カ国（グアテマラ、エルサルバドル、ホンジュラス、ニカラグア、コスタリカ）の大統領が、和平合意（エスキプラスⅡ）に署名したのち、急速に鎮静化した。合意後、米国を中心とする国際社会は、域内の復興のために精力的に活動した。なかでも日本と米国の対中米協力は、12年間に及ぶ内戦中の「空白」の時間を埋め合わせるように、短時間に集中的に実施され、効果を上げた。

もともと中米への復興援助は、ある意味で紛争当事国でもあった米国が単一で行うにはバランスを欠いており、ヨーロッパ、ラテンアメリカ、日本などが応分の協力を協調して実施する必要があった。しかしながら欧州連合（EU）には米国の対中米外交路線と距離を置く姿勢もみられ、米国としては日本への期待を高めた。おりしも日本はこのころは空前のバブル経済を謳歌しており、財政的にも余裕があった。

さらに中米和平合意直後の87年9月、倉成外務大臣がグアテマラを訪問し、「真の中米和平達成の暁（あかつき）には、わが国としてもこの地域の復興開発にできる限り援助をする用意がある」（「暁演説」と呼ばれる）と発言し、政府としてのコミットメントを明確に示した。現職の外務大臣が中米の地を踏むこと自体はじめてで、当時の中米復興への意気込みを、強く感じる出来事であった。

和平後の復興援助に一定の役割を果たした組織として、米国のテリー・サンフォード上院議員（ノースカロライナ州、民主党）が主宰した「中米の復興と開発のための国際委員会」（サンフォード委員会）がある。サンフォード委員会は超党派のいわゆる任意団体で、米国、ヨーロッパ、ラテンアメリカ、日本などの政治家、実業家、学識経験者、政府関係者など約50名が参加した。これには加茂雄三、細野昭雄などがメンバーとして参加した。

サンフォード委員会は中米地峡の復興のために国際社会がなすべき役割について精力的に議論し、その成果を報告書として公表した。そのなかで、以後10年間は継続して援助することが必要であること。域外からの非正規勢力への軍事援助を停止すること。国際社会が協調して、復興協力をしなければならないと指摘している。

サンフォード委員会は援助実施団体というわけではなく、国際社会のあるべき対中米援助の方向性を、バランスのとれた視点から提言し、その役割を終えた。こうしたイニシアティブが政策面で生かされたのが、次に述べる日米コモンアジェンダ、民主開発パートナーシップ（ＰＤＤ）であろう。

日米コモンアジェンダは１９９３年7月、宮澤総理とクリントン大統領との間で合意された、地球規模の問題に取り組むための覚書である。正式の名称は「日米の新たなパートナーシップのための枠組みに関する共同声明」である。このなかで両国が共同して取り組む課題として、①保健と人間開発の促進、②人類社会の安定に対する挑戦への対応、③地球環境の保全、④科学技術の進歩の４分野を、重点として挙げている。

上述のように時期的にも中米復興の国際協調の必要性が叫ばれていたこともあり、コモンアジェンダは日本の対中米復興協力の重要な指針となった。外務省の資料では、コモンアジェンダの枠組みのなかで、市民社会と民主化の分野（96年に追加）において、エルサルバドルへの支援を第1号として紹介している。

その内容は96年7～8月東京にて、「エルサルバドル、民主化と市民社会セミナー」を開催。与野党の有力政治家を日本に招き、日本の司法制度、警察などの施設を見学した。筆者は99年2月、日本の経済協力評価のミッションのメンバーとしてエルサルバドルを訪問したが、参加者へのヒアリングで、「セミナーで印象に残っているのは、日本の交番だった」「与野党の政治家が一緒に行動したことで、お互いのことをよりよく理解するようになった」といった意見を聞いた。

この時期、日本の援助政策が大きな転換点にあったことにも触れておく必要がある。92年6月、いわゆるODA大綱が閣議了解された。日本のODAの基本政策・理念が示され、このなかで「人づくり」「良い統治」「民主化の促進」などの言葉が使われた。中米復興はこうした国の援助政策とも合致した。94年12月には中米地域への経済協力をハイレベルの視点から検討するための、中米経済協力総合調査団（団長は紛争時代に外務省中南米局長だった、枝村純郎元ロシア大使）が派遣され、本格的な取り組みがスタートした。

PDDは90年に米国が発表した対中米復興協力のためのフォーラムで、日本はこれに積極的に関与した。コモンアジェンダとPDDは必ずしも別々に実施されたわけではなく、両者の枠組みは重なり合う部分もある。かくして選挙監視への支援、民主化セミナー、治安・警察関係者のセミナー、専門家の派遣などが実施されたのである。

日米の対中米、なかんずく対エルサルバドル援助がどれだけ共同歩調をとったものであったかは、98年と99年の援助実績をみれば一目瞭然であろう。98年の開発援助委員会（DAC）諸国の援助総額1億5440万ドルのうち、日本はトップドナーで4070万ドル。米国は4000万ドルで、日米で全体の約50％を占めている。99年の援助総額は1億7370万ドルで、日本が5300万ドル、米国が4940万ドルとなっている。

エルサルバドルにとっては、米国の影響が歴史的にもあまりにも強く、軍事援助に象徴されるように、時として「内政干渉」ととられるものであった。これに対して、日本は地理的にも離れていて、相対的に中立的な立場で援助をすることが可能であった。そのため日本の援助の現地での受け止め方は、おおむね好意的であった。近年日本の援助額は年により変動しているが、減少傾向にあるものの、主要ドナー国としての日本の役割には、依然として大きなものがあるといえよう。

（田中　高）

21

1994年選挙と日本のPKO参加

★内戦終結と社会再建の出発点に立ち会って★

1994年の3、4月、内戦終結から社会再建への第1歩となる歴史的な選挙がエルサルバドルで実施された。これまでの章でもふれられている通り、エルサルバドルでは70年代末から92年1月の和平合意に至るまでの約12年間、人口540万（内戦終結時）の国にあって7万5000人もの死者を出す激しい内戦が繰り広げられてきた。1994年選挙はその内戦が終結した後に行われるはじめての選挙であり、紛争の一方の当事者であったファラブンド・マルティ民族解放戦線（FMLN）が、武器を捨て、政党に衣替えし、大統領、国会議員、市長・市議会議員の候補者をはじめて立てて臨んだのである。したがって、この選挙の勝利者が誰になるかもさることながら、まずは選挙そのものが安全かつ公正に行われ、FMLNの政治参加が達成され、新しい国づくりのための政治的土台が整えられるかが、重要な政治的焦点となっていた。

この選挙の行方を国際社会も固唾を呑んで見守った。エルサルバドルではすでに1991年7月から、国連平和維持活動（PKO）の1つとして設置されていた「国連エルサルバドル監視団（ONUSAL）」が和平プロセス全体の監視と検証を行っていた。国連は和平プロセスの成否を決定づけるともいえるこの選挙の当日、世界中から集められた約９００人の選挙監視員を国内の全投票所（3月の第1次投票で３５５カ所、4月の大統領選決選投票で３７８カ所）に配置し、その監視に当たった。

ＯＮＵＳＡＬの役割について少し紹介しておきたいが、その前にそもそもＰＫＯとは何か、簡単にでもふれておいたほうがよいであろう。ＰＫＯの活動内容は国際情勢の変化に応じて歴史的に少しずつ変わってきているが、当時主流であったのは、紛争当事者間で和平合意が成立した後、その状況を維持するために、紛争当事者の同意のもと、多国籍の要員で構成される監視団が中立的かつ非強制の原則のもとで和平プロセスの監視・検証を行うことであった。和平合意においては一般に停戦の遵守や武装解除などが取り決められるが、くだけた言い方をすれば、つい昨日まで殺し合いをしていた相手のことを信用して馬鹿正直に武装解除などを進めてよいものか、当事者にしてみれば心配の種は尽きない。しかし国連の派遣する中立かつ多国籍の軍事監視員や部隊が見守るなかであれば、安心して武器も廃棄できるし兵士の除隊も進められるということになるのである。文民の要員からなる選挙監視にも同じ理屈が働いている。つまり中立かつ多国籍の監視員が選挙プロセスを監視していることで、選挙の公正性は担保されやすくなるし、安心して選挙に参加できるというわけである。

ＯＮＵＳＡＬは1991年5月の安保理決議に基づいて設置され、統括責任者の事務総長特別代表以下、軍事、警察、人権、選挙の4部門（これに管理部門を加えて機構上は5部門）で構成されていた。軍事部門の任務は停戦や兵力引き離し、兵器の廃棄、ＦＭＬＮの軍事機構の解体などがきちんと行われているかを検証することであった。警察部門は和平プロセスが進行している間の治安維持のほか、旧警察の警察官と武装解除した元FMLN戦闘員とで構成される新しい警察機構の設立の支援などを行った。人権部門の設置は国連のPKO史上でも初の試みであったが、その任務は内戦下で横行していた人権侵害を抑止するための監視をし、必要と判断される場合には当事者への勧告を行うことであった。そして選挙部門はエルサルバドル選挙管理当局のとる措置や有権者登録、選挙運動などの一連のプロセスを監視するとともに、選挙当日には全投票所で投開票プロセスを監視し、選挙の公正性を検証した。

ところでこの1994年のエルサルバドル選挙は、日本にとっても次の点で大きなかかわりのあるものとなった。いわゆるPKO協力法（正式名称「国際連合平和維持活動等に対する協力に関する法律」）の枠組みで、ONUSALに15人の選挙監視員を派遣したのである。

日本による国連PKOへの参加は、当時はPKO協力法の施行（1992年8月）からまだあまり日が経っておらず、この法律に基づくPKOへの要員の派遣もアンゴラ、カンボジア、モザンビークに次いで4例目にすぎなかった。しかもエルサルバドル選挙前年の1993年には、カンボジアPKOで国連ボランティアの日本人青年が殺害される事件、PKO協力法により派遣されていた日本人警察官が襲撃・殺傷される事件が立て続けに発生しており、自衛隊の参加に関する是非論も絡み、PKO協力のあり方をめぐって国内にさまざま議論が噴出していた。こうしたなかで行われたエルサルバドルへの選挙監視員派遣は、日本の対ラテンアメリカ関係においても、従来型の経済協力中心の外交から政治・安全保障分野での人的協力へと活動の幅を広げる大きな転換点であったといえる（なお、今世紀に入ってからPKOは武器使用をともなうこともある市民の保護に踏み込むようになり、日本のPKO参加の機会は減っている)。

話をエルサルバドルに戻すと、選挙は、結論からいえば成功裡に終わり、エルサルバドルにとっては社会再建のための重要な一里塚が築かれることになった。国連にとってもエルサルバドルでの活動はPKOの模範的な成功事例となり、また日本にとっても平和協力活動の貴重な現場体験となった。

選挙結果は表21－1、表21－2の通りである。まず大統領選挙に関しては、与党国民共和同盟(ARENA)のアルマンド・カルデロン＝ソルが3月の選挙で約49%を獲得して首位に立ったが、当選の要件である過半数の得票に届かず、4月の決選投票で勝利をつかんだ。対するFMLN、民主連合(CD)、国民革命運動(MNR)3党の連合が推したルベン・サモラは、敗れはしたものの第2位と健闘し、FMLNは決選投票に持ち込んだことをもって1つの政治的勝利としている。国会議員選挙(定数84)では、ARENAが現有と同数の39議席を維持する一方、FMLNは初参加ながら21議席を獲得して第2党に躍進した。

筆者はこの選挙の際、PKO協力法に基づく選挙監視員の1人として現地に派遣された。はじめて訪れるエルサルバドルの街には生々しい内戦の痕跡も見られたが(たとえば首都には、砲撃で窓ガラスが砕けた無人のビルなどがあった)、停戦合意自体はしっかり守られており、紛争の再発を懸念させるような雰囲気はまったくなかった。むしろ、行き交う人びとで溢れている、ごく日常的な街の光景に驚いたほどである。

選挙当日は、第2の都市であるサンタアナに配属され、町の中心部にある学校の校庭に設けられた投票所でウルグアイやペルーなどから来た監視員とともに監視作業に従事した。任務内容は、一言で

表21－1　エルサルバドル大統領選挙（1994年）

候補者（政党）	第1回投票	決選投票		ONUSALによるサンプル調査
	%	得票数	%	%
A. カルデロン＝ソル（ARENA）	49.03	818,264	68.35	67.88
R. サモラ（FMLN＝CD＝MNR）	24.90	378,980	31.65	32.12
F. チャベス（PDC）	16.36	—	—	—
その他（4人）	9.71	—	—	—
合計	100.00	1,197,244	100.00	100.00

注：ONUSALによるサンプル調査（クイック・カウント）は投票所全378カ所中294カ所で実施
出典：国連資料（http://www.un.org/Depts/dpko/dpko/co_mission/onusalbackgr2.html）

表21－2　エルサルバドル国会議員選挙（1994年）

	獲得議席	改選前との増減
ARENA	39	±0
FMLN	21	＋21
PDC（キリスト教民主党）	18	－8
PCN（国民融和党）	4	－5
CD（民主連合）	1	－7
MU（統一運動）	1	+1
MAC（キリスト教真正運動）	0	－1
UDN（国民民主連合）	0	－1
計	84	

出典：国連資料（http://www.un.org/Depts/dpko/dpko/co_mission/onusalbackgr2.html）

いえば、選挙が公正・円滑に行われているかをチェックし、ONUSALに報告することである。監視作業は夜明け前から深夜に及び、しかも投票所が屋外にあったため日中の日差しが強く、足が棒になってたいへん疲れたが、投票にやってくる人びとや選挙管理委員会のスタッフ、政党の立会人の真剣な表情からは和平への熱意が十分に伝わり、その現場に立ち会う機会を得られたことには感謝に似た気持ちを覚えた。選挙が大きな混乱もなく終わったことにも、正直なところ安堵した。

監視作業の1つにクイック・カウントと呼ばれるサンプル調査があった。1会場でいくつかある投票箱のうちの1つの開票作業に立ち会い、その集計結果をONUSALに報告するのである。もし監視団が集めるこのデータと選管当局の公式発表との間に齟齬がなければ、選挙の公正性が証明され、選ばれた代表のレジティマシー（正統性）が国内においても、また対外的にも確立されるというわけである。サンプル調査の結果は表21－1の通りであった。いずれの政治勢力も、全面的に選挙結果を受け入れた。紛争終結後の新しい国づくりの礎が築かれた瞬間であった。

（浦部浩之）

＊参考文献

浦部浩之「エルサルバドル和平と日本のPKO参加」『地理』39巻12号、古今書院、1994年

22

エルサルバドル革命博物館

★ゲリラ活動から観光へ★

エルサルバドル現代史に大きな影を落としているのが、1970年代後半から92年の和平合意までの10年以上にわたる内戦である。国内的には約7万5000人が命を落とした反政府左翼ゲリラとそれに対する政府軍の戦いであったが、当時の国際関係からいえば、コミュニズム活動を支援するソ連陣営、そしてその勢力の拡大を阻むアメリカという、朝鮮半島やベトナムなどと同様、冷戦の代理戦争であった。中米では、エルサルバドルの他、グアテマラやニカラグアもまた同時期に内戦を経験し中米危機と称されたが、エルサルバドルでは92年の政府と左翼ゲリラによる和平合意締結をもって、内戦が終了した。一般に、世界の平和構築の現場では、内戦終了後の帰還兵の社会復帰は大きな課題となるが、エルサルバドルでは、左翼ゲリラとして政府に敵対したファラブンド・マルティ民族解放戦線（FMLN）が合法的な政党FMLNとして生まれ変わることが認められ、多くの左翼ゲリラ活動家が政治家に転身した。それにより国内政治および社会の安定が達成され、戦後復興、経済成長を経験し、2007年には和平合意15周年を祝うに至った。和平合意から現在に至るまでの間、FMLNは地方自治運営を通じて政党としての経験を貯え、09年1月の国会議員選挙では国会第1党となる議席を獲得し（84議席中35議席）、そして同年3月の大統領選挙では、ついにフネスFMLN大統領候補がアビラARENA（与党）候補を僅差で下し、6月以降FMLN政権を樹立するなど、FMLNは政権与党を務めるまでに進化を遂げている。

ロランド・カセレス氏、49歳。エルサルバドル北東部のモラサン県北部、ホンジュラスとの国境付近に位置する海抜1220メートルのペルキン市に住むサルバドル人男性である。モラサン県を含むエルサルバドル東部は、首都から離れており、相対的に経済社会発展が停滞、貧困に窮する地域であった。内戦時には左翼ゲリラが同地域の農民を巻き込み、反政府活動を積極的に展開した。ペルキン市はその拠点であった。貧しい農家に生まれたカセレス氏は、14歳のときにFMLNに参加した。貧困の解決のための体制の変革を目指し、エルサルバドル東部を中心に左翼ゲリラ活動を指揮したが、1992年、働き盛りの33歳のとき、エルサルバドルは和平合意を迎えた。

エルサルバドル内戦の帰還兵の社会復帰は、国連エルサルバドル監視団（ONUSAL）やその他ドナーの支援を通じて、さまざまな選択肢が用意された。政治家に転身する者、農業に復帰する者、手に職を付けるために外国で職業訓練を受ける者、戦後復興に伴い雇用が生じた首都に職を求める者など、元FMLN活動家の社会復帰は多様であった。しかし、カセレス氏を含む16名の帰還兵は、内戦で命を落とした仲間を忘れないために、そして内戦の歴史を後世に伝えるために、左翼ゲリラの拠点であったペルキンの地でゲリラ活動の真実をより多くの人に知ってもらう活動、つまり博物館の建設を試みた。博物館を開館するにも資金がない、ノウハウがない、何よりも博物館に行ったことがないという、ないない尽くしのスタートであったが、「展示に値するゲリラ活動の写真は７万５０００枚以上、さらに１１０時間以上のドキュメンタリー映像もある。開館にあたり、政府や国際機関からの支援はまったく受けなかったが、われわれは10年以上もゲリラ兵として山岳地帯に身を潜めて生きてきたから、生き延びる術（すべ）は十分心得ていた」とカセレス氏は述べている。

１９９２年12月13日、和平合意からわずか11カ月後、ＦＭＬＮの拠点であったモラサン県ペルキン市にエルサルバドル革命博物館（Museo de Revolución Salvadoreña）が開館した。エルサルバドルの戦後復興と同様、博物館も拡張を続け、現在では、５つの展示室と１つの講堂を有する観光施設となっている。展示室ではＦＭＬＮに関する貴重な写真や文書が展示されるほか、内戦時にＦＭＬＮがその思想を広く流布したラジオ放送局（Radio ww）のスタジオも当時のまま公開されている。講堂では、今はガイドとして働く元ＦＭＬＮ活動家が、内戦時代の実体験を披露する。２００７年の来訪者は５万１９２２名、１日平均約１３８名、ピーク月には８０００名以上の来訪があった。エルサルバドルの公立、私立高校の約80％の生徒が自国の歴史を学ぶために訪れ、また来訪者の15～20％は外国人旅行者である。入館料は低額に抑えられ、サルバドル人は25セント（エルサルバドルでは01年より米ドルが通用）、外国人は50セントである。07年の年収は約１万４４３０ドル、月収は約１２００ドル。そこから維持管理費を差し引くと、館長以下13名の「学芸員」の収入源としては決して十分とはいえないが、いまだ経済開発が停滞するエルサルバドル東部山岳地帯のペルキン市にあっては、なかなかのビジネスである。また周辺には同博物館を訪問する観光客を目当てとした宿泊施設、レストランなども次々にオープンし、観光資源に乏しいエルサルバドルにおいては、ペルキン市は有望な観光地として

エルサルバドル革命博物館正面入り口

博物館内の左翼ゲリラ活動に関する展示

認識されつつある。

カセレス氏は、「エルサルバドルの貧しい農民の声を代弁するために参加したＦＭＬＮ、そして死んだ仲間を誇りに思う気持ちには変わりないが、政党となった現在のＦＭＬＮは別物である。自分は、内戦を戦った貧しい農民の存在を多くの人に知ってもらい、そして今なお心の傷を負う多くの人びととその苦しみを共有し合う場として、この博物館を継続していきたい。来訪者のなかには、ＦＭＬＮによる被害を受けた人びともいる。元ＦＭＬＮ活動家であるわれわれは激しく罵倒されることもあるが、そういった人びとに対しても誠意を持って接することがわれわれの責務であると考える」という。

内戦後17年、政党としての経験を着実に蓄積しつつあるＦＭＬＮは、09年総選挙の結果、政権与党、国会第1党にまで成長し、いよいよその真価が問われることとなる。その一方で、モラサン県の山岳部にひっそりとたたずむエルサルバドル革命博物館は、かつての「ＦＭＬＮ」の純粋な思いを体現する数少ない媒体として、20世紀の人類が経験した国際政治の現実を、21世紀を生きるわれわれに突きつけている。

（塚本剛志）

23

2009年大統領選挙監視員

★国内外から4000人以上が参加★

2009年3月15日、エルサルバドルでは与党国民共和同盟（ARENA）のアビラ候補と野党ファラブンド・マルティ国民解放戦線（FMLN、一般的には「民族解放戦線」と訳されるが、本章では最近の歴史学や政治学の動向をもとに「国民解放戦線」とする）が擁立するフネス候補の一騎打ちとなる大統領（5年任期）選挙が行われた。この際、日本から外務省事務官1名と私が選挙監視員として派遣されたほか、日本大使館から加来至誠大使をはじめ5名、国際協力機構（JICA）現地事務所から2名が同様に選挙監視業務を行った。同国で選挙監視を行うには、必ず同国の最高選挙管理委員会（TSE）に登録する必要があるが、今回の選挙のために登録した国内外の選挙監視員は4000人以上と報道されており、実際、当日、投票センターには多くの選挙監視員の姿が見られ、その関心の高さがうかがえた。

今回、私は、大使館の塚本剛志書記官（当時）とともに米州機構（OAS）選挙監視団の「有志監視員」として、同国中央海岸部に位置するラ・リベルタ県のサンホセ・ビジャヌエバ市とサラゴサ市の2つの投票センターを担当するOAS選挙監視員リタ・ソリス氏に同行して選挙監視業務を行った。サラゴサ市は、私が1994年に国連エルサルバドル監視団（ONUSAL）選挙監視員として派遣された場所でもあった。

全国14県262市に開設された461カ所の投票センターに9543もの投票受付委員会（JRV：450名分の有権者名簿ごとに1つ設置される投票窓口で、担当する投票箱を管理し、開票と集計も行う）があるなかで、OAS選挙監視団は総勢98名とそれほど大きい規模のものではなかったが、米州地域の各国選挙における実績と確立された監視手法などから、その存在感は非常に大きかった。今回のOAS監視員の任務は、選挙当日未明に各自が担当するサンプリング対象であるJRVに赴き、1日を通して計3回の定時定点監視をするとともに他の投票センターも巡回し、5種類の監視報告書を完成させるというものであった。

3月15日午前4時50分ごろ、私たちは首都サンサルバドルの宿泊先ホテルを出発し、5時20分ごろにサンホセ・ビジャヌエバ市の投票センターに着いた。18のJRVがある投票センター全体の様子をチェックしたあと、一般有権者の投票が始まる7時までに定点監視対象のJRVが適切に設置されるかを監視した。同国の選挙では、相争う政党代表者がJRVを構成することが定められているため、2党が争う今回の選挙では、各JRVは委員長、書記と2名の委員の合計4名を、各政党から2名ずつ選任する形がとられた。まる1日投票を受け付けることになるため、トイレや食事時などの交代要員もあらかじめ選任されていたほか、JRVの業務を監視する役割を与えられた政党立会人がおり、今回はこれも各政党から2名ずつ選任されていた。JRV構成員は、TSEから配布されるJRVキットに必要なものが間違いなく揃っていること、投票箱のなかに何も入っていないことなどを互いに確認しながらJRVの設置を行い、自分たちの投票を済ませてから、JRVを開くことになっていた。このようなJRVの構成と役割は、基本的に1994年の選挙と同じであった。最近の変化としてとくに目を引いたのは、統一身分証明書（DUI：2001年に導入）の登録情報を基に作成される有権者名簿が採用されることになった2004年の大統領選挙以降、国民は有権者登録を選挙のたびに行う必要がなくなったことと、TSEがJRVに配布する有権者名簿に顔写真が載るようになったことである。

有権者は、自分の名前が載っている名簿を担当しているJRVに行き、DUIを渡して本人であることを確認してもらい、当該選挙で争う政党・政党連合のマークが印刷された投票用紙を受け取る。投票台にて、支持する政党のマークに×印を付けてから投票箱に投函したのち、二重投票を防ぐための特殊インクを親指に付けてもらい、DUIを返還されることになる。これに関連して、今回TSEは、1月の国会議員・市長選挙のあとOAS選挙監視団から改善勧告されていた投票用紙記入時の秘密確保策として、手元を隠すためのカーテンを投票台に付けたが、これは、狭い会場での苦肉の策として評価できるものであった。

サンホセ・ビジャヌエバ市の投票センターにおける定時定点監視を終えたあと、サラゴサ市の投票センターに行き、32のJRVを3名で手分けして巡回し、問題がなかったかどうかを確認した。11時半ごろにサンホセ・ビジャヌエバ市に戻り、定点監視対象のJRVの2回目の監視を済ませたあと、投票終了予定時刻である午後5時からの定点監視までの間、サンホセ・ビジャヌエバ市とサラゴサ市の投票センターを往復して他のJRVの巡回監視を行った。その後、投票終了直前に監視対象のJR

サンホセ・ビジャヌエバ市の投票センター内で（左端が筆者）

Vに戻って最後の定点監視を行い、開票から集計、そして選挙結果報告書が作成されてその副票を政党立会人が受け取り、正票をTSEの回収係が回収するまでの全過程を3名で見守った。

それまで何か問題が起きても冷静な話し合いで解決を図ってきた各JRVの構成員たちであったが、じつは、この開票集計作業の間だけは、投票センター全体に非常に緊張した空気が流れ、各所で無効票か否かをめぐる激しい口論が聞こえた。私は、そのたびに現場に駆けつけ、他の国内外の選挙監視員とともにその存在をアピールすることを心がけた。ONUSALでの2回の経験では、これほど緊迫した口論には遭遇しておらず、今回の選挙の緊張感の高さを実感する時間でもあった。このような白熱した選挙においては、国際選挙監視員の存在自体が、投開票過程における対立や問題の解決に際して、暴力に訴えることなく自制が働くように静かなプレッシャーとなっていた印象を強く受けた。

OAS選挙監視員は、定点監視終了後も、投票用紙現物や選挙結果報告書の他の複写分などが市選挙管理委員会（JE

M）に返却されるとともに、各ＪＲＶの選挙結果報告書がＴＳＥにファックス送信されるまで、現場に残るよう要請されていた。私たち2名は、「有志監視員」として独自の安全基準ぎりぎりまでソリス氏に同行したが、選挙結果如何によっては、暴動等によって宿泊先に戻ることができなくなる危険性も排除できなかったため、午後7時半近くに一足先に現場を後にした。

幸い、ＴＳＥによる開票速報でもＦＭＬＮが僅差ではあったがずっとリードを維持し、早い時間にフネス候補による勝利宣言が行われ、それから1時間半ほど経過した午後10時ごろには、ＡＲＥＮＡのアビラ候補も敗北を認めるなど、選挙手続きとその結果を双方が尊重することが早々に明らかになった。ただ、選挙監視員も、エルサルバドル国民自身も、何か起こるのではないかという不安や、無事に終わらせたいという思いで、最後まで緊張感を持って推移を見守っていたことも事実である。国民に過剰な恐怖を植え付ける悪質なネガティブ・キャンペーンを行っていたという批判もあったＡＲＥＮＡが自党に不利な結果を素直に受け入れるのか、逆に、ＦＭＬＮがリードを守れずに逆転敗北ということになった場合、どんな事態になるのか、まだ不安が残る面もあったからである。

しかしながら、今回、エルサルバドル国民は、重大な不正や違反行為もなく、国際選挙監視団からも高い評価を得る形で選挙を終え、民主的手続きに従って行政権力の交代を実現する道筋を開いたことで、同国における民主制の成熟度を示す歴史的な1歩を踏み出したことは間違いないであろう。

末尾ながら、筆者の派遣に際してお世話になった関係諸氏にお礼申し上げるとともに、本稿の内容が筆者自身の個人的な見解を反映したものであることを明記しておく。

（中川智彦）

III

社会の姿

24

14家族(カトルセファミリア)は存在するのか

――★大土地所有から、金融・マキラドーラ・不動産・サービスへと変わる業態★――

エルサルバドル内戦が激しかったころ、内戦の原因の1つは14家族（スペイン語でカトルセファミリア）にあるといわれた。ニカラグアのソモサ独裁政権とのアナロジーで、エルサルバドルの経済と政治の実権を、わずか14家族が支配していて、内戦はその歪んだ構造を変革しようとする動きである、と一部の人びとは説明しようとした。左派ゲリラ勢力は一時期、14家族は悪であり、内戦はその悪者をやっつける正義の戦いであると主張し、武装闘争を正当化しようとしたのである。

はたして14家族なるものは存在するのか。答えは否である。14家族を裏付けるような客観的なデータは存在しない。具体的な家族名も明らかではない。14家族は単なる俗説である。おそらく国内が14の行政上の県に区分されているので、そこから由来していると考えられている。しかし一部の富裕層がこの国の経済的な実権を握ってきたのは、まぎれもない事実である。ではそうした富裕層はどんな人びとで、どのくらいの数の家族なのであろうか。

エルサルバドルの富裕層（オリガルキーあるいはブルジョアジーといった難しい言葉で表現することもある）についての、最も広範で詳細な研究を行ったのは、エドゥアルド・コリンドレスという学者である。彼が１９７７年に中米大学（ＵＣＡ）出版局から出した『エルサルバドルのブルジョアジーの経済的基盤』は、おそらくこのテーマについての基本文献であろう。当時の利用しうる一次資料を駆使した労作で、筆者の知る限りこの本以上に、富裕層の実態について詳細に調査・分析している刊行物は他に見当たらない。

とはいえ、コリンドレスの調査方法はある意味で至極単純なものであった。エルサルバドルの経済史を、輸出作物と土地所有構造、土地利用の様態、農業金融、農業所得とその分配構造、農業関連の生産組合や融資組合、繊維産業のような軽工業の同業者組合などの沿革と設立からの役員氏名、比較的規模の大きな民間企業の株主とその持ち株比率、貿易の構造など多方面にわたって、一次資料を中心に渉猟したのである。人力作戦といえなくもない。総ページ数は２５３である。

筆者はこの本には思い出がある。というのは本の存在を知り、四方八方手を尽くして入手しようとしたが結局できなかった。仕方なくＵＣＡにある図書館に出向いて借りることにした。コリンドレスの名前は、左翼知識人を代表するものであった。司書のベテランの婦人は、内戦中に外国人、それも東洋人がこの本を借りにきたのがよほど珍しかったのであろう。いろいろ話しかけてきた。日本人だとわかると、日本貿易振興機構（ＪＥＴＲＯ）のサンサルバドル事務所が撤退するときに、大量の文献を寄付してもらったこと。いつになったらこの戦争は終わるのだろうか。コリンドレスの本は危険だから、用心しなさい。今は本当にひどい時代になってしまって、などなど。そうした会話が、ごく自然に出てくる状況だった。

さてこの本を見ると、エルサルバドルの富裕層の顔ぶれがだいたいわかる。コーヒー農園の大土地所有者一族は、コーヒー輸出業者の組合にも名前を連ねている。農業向けの融資銀行の株式を所有しているのも、ほぼ同じメンバーである。一例として代表的な富裕層出身で、1989年から94年まで大統領を務めたクリスティアーニ一族を見てみよう。

クリスティアーニ家はもともとはイタリア系の移民である。コーヒー農園からスタートした。国内の大地主のリストでは4455ヘクタールを所有して上位から9番目の広さである（80年代に大規模な農地改革があり、現在は大土地所有制はかなり改善され、極端な大地主は存在しない）。コリンドレスによると、クリスティアーニ家は72年から73年に綿花7万9000キンタル（1キンタル＝46キロ）を生産した。73年から74年には5万7500キンタルのコーヒーを輸出し、サトウキビを5万1000トン生産している。これ以外にも穀物の生産に携わっていた。さらに一族は農業関係の企業、プラスチック製造業、薬品製造と販売会社その他の会社を所有・経営し、いわば一種のコングロマリットを形成していたのである。

クリスティアーニ家の場合、金融業に進んだものはほとんど見当たらない。他方、内戦勃発直前の主要な銀行の経営陣には、この国を代表する富裕層の名前が頻繁に出てくる。大手銀行のバンコ・サルバドレーニョの頭取はギロラである。役員名簿にはギロラ一族の名前やヒルの姓が出てくる。バンコ・デ・コメルシオの場合は、頭取がドゥエーニャスで、役員にはヒルやレガラードの姓が見える。これ以外にも、マガーニャ、エスカランテ、ソル、アルファーロ、パロモといった姓がいたるところに出てくる。こうした人びとの多くの先祖はほぼ間違いなく、コーヒー大農園主であり、軍事政権が発足する以前は、大統領も輩出していた。かつて60年代から70年代の輸入代替工業化の時期に、富裕層のなかで新旧の利害対立があり、亀裂が生じたという指摘があった。伝統的なコーヒー生産の土地所有に根付いた富裕層と、比較的新しくコーヒーの加工業に参入したグループとの間に対立があるとする分析もあった。またサトウキビや綿花などの、新しい輸出作物の生産者と既成の富裕層との利害対立などがあったことは事実である。とくに綿花については、都市の中間層が多数参入したこともあり、コーヒー生産で富を築いてきた既成の富裕層とは、一線を画していた。

しかし、だからといって、富裕層の既得権が脅かされていたとは思えない。旧来の富裕層はがっちり富とそれのもたらす政治的な影響力を握っていたのではなかろうか。先に紹介したコリンドレスの研究を見ると、少なくとも内戦が勃発する直前の70年代初頭では、依然として旧来の富裕層が農業、金融、軽工業の主要部門を支配していた様子がうかがえる。

さて当初の疑問に戻ると、こうした伝統的な富裕層と考えられる家族はどのくらいにのぼるのであろうか。通説ではだいたい２００から２５０家族と考えられている。しかしいうまでもなく家族のメンバーは幾何級数的に増加する。したがって蓄積された財産もしだいに細くなっていくはずである。そうした富裕層の経済的な苦境を象徴するような事件も発覚し、エルサルバドル社会に動揺を与えた。その概要は次のようである。１９９７年、信用組合の一種であるＦＩＮＳＥＰＲＯ＝ＩＮＳＥＰＲＯの２３００万ドルという巨額の預金の不正流用が明らかとなった。金額が大きかったことだけではなくて、この金融機関を経営していたのが、エルサルバドルの富裕層を代表するヒル一族のひとりであるロベルト・マティエス・ヒルであったことから、一気に関心が高まった。彼が麻薬の不正資金洗浄にもかかわっていたという噂も流れた。このスキャンダルはやがて金融検査庁の長官や、政府高官も巻き込む汚職事件に発展した。ヒル一族の名前はエルサルバドルでは一種のブランドのようなもので、彼の名前を信用して預金していた人びとも多かったのである。カソリック教会も相当の金額を預けていた。事件の発端はファミリー企業の赤字を埋めるために、預金を流用したことにあったようである。もとはといえば、金銭的にかなり行き詰っていたうえでの犯行とする説が有力である。この事件で、ヒル家の名声は凋落した。またマティエスが与党国民共和同盟（ARENA）の幹部であったことから、ARENAの体質を厳しく指摘する声も聞かれた。

伝統的な富裕層はたしかに存在する。彼らの経済活動が、内戦後のネオリベラリズムと呼ばれる市場重視の経済政策のなかで、どのようにして続けられているのか。現代では以前のような、大土地所有に帰属する形での、富の増進はそれほど行われてはいないであろう。むしろ金融業やマキラドーラ（輸出向け加工業）、不動産、サービス業などに資本を集中しているのではなかろうか。コリンドレスのあとに続く研究者の続編を期待したいものである。

（田中　高）

＊参考文献

Colindres, Eduardo, *Fundamentos Económicos de la Burguesía Salvadoreña*, UCA Editores, 1977.

25

企業家の挑戦

★国際競争と改革への対応★

エルサルバドルの企業家は中米で最も進歩的、革新的といわれる。1993年に中米経済統合一般条約が刷新されて以降、国際競争と産業再編にいち早く対応し、国全体の競争力の観点から政府の協力者として改革を推進し、中米を1つのビジネス・プラットフォームとして生産要素の機動的配置に取り組む姿が、近隣諸国を抜きん出ていたからである。本章では、エルサルバドルの企業家の革新性はどこに由来するのか。本章では、移民創業者たちの商工業的原動力、専門経営者教育と政策研究を通じた競争的革新マインドの涵養、そして新自由主義下のビジネス展開、という3つの側面に焦点をあてて検討したい。

移民創業者たち

企業家の列伝と国の経済史の対応関係はつねに興味深いものであるが、本章では19～20世紀の変わり目に欧米諸国やパレスティナから渡来した移民創業者とその家族がとりわけ重要な位置を占める。彼らはモノカルチャー経済にイノベーションと商工業的原動力を与えた。そして後述するように、専門経営者教育と政策研究の推進者として、競争的革新マインドを涵養していくのである。

エルサルバドルは1871～1927年の自由主義改革期を通じて、コーヒーを中心とする商業営利的農業の拡大と国際市場への編入を遂げた。改革の一環として、1872年に移民の誘致が始まった。1889年に英国からエルサルバドルに渡り、コーヒー農園主の娘と結婚したジェイムス・ヒルは、1910年に高品質豆として需要ポテンシャルの高いアラビカ・ブルボン種を導入し、国内での栽培普及に努めた。今日もエルサルバドル産コーヒーの約7割を占め、国際的な評価が高い伝統品種である。同じく1889年にコロンビアより移住したラファエル・アルバレスは、1893年にエルサルバドルではじめて果肉除去機を導入し、1928年に当時としては世界最大級、最先端の近代的な精製工場（beneficio）を建設した。

そこから、コーヒーの実の精製と輸出を得意とする商社が台頭し、力を持つようになった。1896年に移住したユダヤ系のデ・ソラやイタリア系のクリスティアーニらがこの分野で頭角をあらわした。農園主はたいてい自前の精製工場を所有しているが、品質のばらつきを少なくして1つのブランドに集約すれば、商業用コーヒーとして流通させやすくすることができる。農園主と加工輸出商社の関係は、ワイン産業におけるドメーヌとネゴシアンのそれに近いと考えてよいだろう。エルサルバドルは1970年代に輸出量で世界第3位、生産性で世界第1位のコーヒー産出国となるが、当時国内で栽培されるコーヒーの6割の精製と8割の輸出が、今日のUNEXやCOEXなどを代表する42の事業主によって行われていた。

ジェフリー・ペイジは『コーヒーと権力（Coffee and Power）』のなかで、コーヒー部門の移民創業者とその家族を、植民地時代からの有力者や伝統的農園主（藍染料の輸出で栄えたギロラ家や、今日なお「砂糖男爵」の異名をとるレガラード＝ドゥエーニャス家など）と区別して、「進歩的家族」と呼んだ。彼らがコーヒー部門の近代化と商工部門への多角投資を推進することで、労働抑圧的な農業形態からの脱却が促され、そのことが内戦の終結と民主化に有利な土壌を提供したと考えたのである。

　非農業部門の発展と国際化に貢献したグループを挙げておこう。中米全域で輸入車販売やホテル、不動産開発事業などを展開するポマ（ＰＯＭＡ）グループの原点は、１９１６年にスペインより移住した機械工のバルトロメ・ポマにさかのぼる。2代目のルイスは、１９５３年にまだ国際的な知名度が低かったトヨタ自動車に注目し、世界で2番目の輸入販売契約を結んだ慧眼の持ち主であった。アグリサル（AGRISAL）グループは、１９０６年にグアテマラ出身の会計士ラファエル・メサ＝アヤウが設立したビール会社を中核に、農産加工ラインや、ホテル・テナント事業、輸入車販売などに多角化した。創業者の娘ロサとドイツ系の移民の血を引く3代目のロベルト・ムライ＝メサが現在、家長としてグループを率いている。１９２０年にサンフランシスコから移住したリカルド・クリエテは、東部ウスルタン県の農園主の娘と結婚してコーヒーと綿花を手掛けた後、１９６１年にタカ（ＴＡＣＡ）航空の株式を取得した。70年代まで旅客機3機と貨物機2機を所有するに過ぎなかった同社は、米国への出稼ぎ労働者の増加を背景に、飛躍的成長を遂げた。3代目のロベルト・クリエテは89年にグアテマラのＡＶＩＡＴＥＣＡ航空、92年にコスタリカのＬＡＣＳＡ航空とニカラグアのＮＩＣＡ航空を傘下に統合して、タカ（ＴＡＣＡ）（現在のアビアンカ・エルサルバドル）グループを創設した。

　他方で異彩を放っているのが、パレスティナ出身のアラブ系移民創業者たちである。一説によると、国境管理が手薄な英領ホンジュラス（現在のベリーズ）からメキシコに渡ろうとしていたという。欧米からの移民の青年たちが植民地時代からの有力者に娘の結婚相手として有望視され、ファミリー・ビジネスのパートナーとして社会上昇を果たすことが多かったのに対し、アラブ系の移民は異質なエスニック小集団を形成した。彼らは雑貨店や床屋といった零細・家内企業から出発して、小売、流通、メディアなどの分野で足場を築いた。アラブ系を代表するシマン（ＳＩＭＡＮ）グループは、デパートを中核事業としながら繊維、製紙、建設、金融部門などに多角投資して成長を遂げた。

競争的革新マインドの涵養

１９６０年代の中米共同市場の発足を契機として、前述の経済エリートたちは、専門経営者教育と政策研究の推進者となる。このとき、最大の貿易相手国でもある米国の知識協力を過小評価することはできない。ケネディ政権の国務省顧問に就任した経済学者のウォルト・ロストウは、米国国際開発庁（ＵＳＡＩＤ）の資金を活用して、中米にハーバード大学経営大学院の提携校を設立することを提案した。米国企業のパートナーとして地域の工業化を推進する経済エリートを育成すること、「価値観の変化をともなった経済発展」を通じて民主化を推進する経済エリートを育成することが、遠回りにみえても戦略的に（第2、第3のキューバの出現を防ぐうえでも）有効と考えられたからである。

中米側のキーパーソンとなったのは、共同市場のアイディアに賛同し、これに先立って米国ユニリーバ社との合弁会社ＵＮＩＳＯＬＡを立ち上げていたエルサルバドルのフランシスコ・デ・ソラである。デ・ソラとその呼びかけに応じた近隣諸国の企業家の小グループは、１９６３年12月に中米経営大学院（ＩＮＣＡＥ）設立委員会を発足し、69年にニカラグア・キャンパスの完成に漕ぎつけた。

こうして始まった企業経営者の専門教育は、まだ萌芽的だった中米の商工業の国際展開を後押しし、その成功モデルを作り出した。なかでも特筆されるのが、エルサルバドルのタオル製造会社イラサル（ＨＩＬＡＳＡＬ）である。71年にＩＮＣＡＥで経営学修士号（ＭＢＡ）を取得したリカルド・サグレラは父の家業を一新し、同国を代表する輸出企業に発展させた。製品の品質・デザインの向上とニッチ市場の開拓を通じてヨーロッパ、メキシコ、そして米国市場への進出を果たしたのである。ちなみに、同社が製造するカラフルなイラストのプリントタオルは、空港などで購入することのできるエルサルバドルの土産物としても人気である。ＨＩＬＡＳＡＬのケースはハーバード大学経営大学院に教材として採用され、中米の企業社会でも広く知られるところとなった。

内戦に突入すると、ＩＮＣＡＥは国外に避難した創業者一族に代わって企業の采配を振る人材を輩出した。外部の専門経営者を登用する必要に迫られたファミリービジネスが、これを契機に組織・経営改革に着手することも少なくなかったという。左派ゲリラによる企業家の誘拐・殺害が相次いだエルサルバドルでは、とくにその傾向が顕著であった。家督相続人に対する教育熱も高まり、「ＭＢＡあるいはそれに匹敵する学位を持たない息子には、ファミリービジネスの経営権を継承しない」ことを公言するシマン・グループのような例もあらわれた。

企業家に対する米国の知識協力は経営学の枠を越えて、政策研究にも及んだ。自由貿易と「小さな政府」を推進する民間企業のためのイニシアティブである。１９８３年に実業界がＵＳＡＩＤの支援を受けて設立したエルサルバドル経済社会開発財団（ＦＵＳＡＤＥＳ）がその拠点となった。米国政府は、キリスト教民主党のドゥアルテ政権（1984～89年）が農地改革や銀行国有化などの諸改革と、輸入代替工業化モデルを維持する方針を明らかにすると、FUSADESを通じて農産品多様化プログラム（DIVAGRO）をはじめとする産業育成支援を実施するようになった。大統領選挙を翌年に控えた88年には、米国大使館に隣接する土地にFUSADESビルを建設した。1988～2003年の間に、チリのピノチェト政権に経済運営を指南したことでも知られるシカゴ大学のアーノルド・ハーバーガー教授や、その教え子にあたるチリ人経済学者のセバスチャン・エドワーズ、そしてリカルド・ハウスマンを筆頭とするハーバード大学大学院ケネディスクールの研究チームが、いずれも大統領選挙の前年に派遣されて次期政権への政策提言レポートを監修した。

受け手側の意思と責任も強かった。FUSADES発足の翌84年には、178名の企業家が私財を投じて研究員の常勤化やスタッフの増員といった組織の強化拡充を図った。このとき協力した理事ならびに発足メンバーが、前節で紹介したコーヒーエリートの「進歩的家族」ならびにアラブ系を含む商工エリートたちである。89年に政権の座に就いたクリスティアーニ大統領もその1人であった。DIVAGROの局長を務めていたFUSADES総裁のアントニオ・カブラレスが農牧大臣に就任したほか、16名がFUSADESより政権入りした。同大統領はまた、ハーバード大学交渉学研究所の所長で「原則立脚型交渉」の提唱者として知られるロジャー・フィッシャー教授のアドバイスを受けながら、和平交渉を推進した。

党派政治とアカデミズム、アカデミズムと社会行動主義の間で財団やシンクタンクの役割を厳密に定義することは難しいが、経済エリートはしばしば「知識アクター」として政策形成に参加するようになった。ＦＵＳＡＤＥＳは企業家たちが決定する研究テーマにそって科学技術政策や司法制度改革などの政策提言を行い、その後の政権にも一定の影響力を保持した。そして、かつて極右政党といわれた国民共和同盟（ＡＲＥＮＡ）の穏健化を促し、政権4代にわたる長期支配を可能にしたのである。この間、民営化や自由貿易、ドル化の推進といった市場原理と財政規律の強化において、中米のみならず、ラテンアメリカ諸国全体の先頭集団を走ってきたといっても過言ではない。

新自由主義下のビジネス展開

経済の自由化が進むにつれて、ファミリービジネスにとって国際競争と産業再編が身近なものになった。２００１年にエルサルバドルのアグリサル（ＡＧＲＩＳＡＬ）グループが「メサ家の宝石」と謳われた中核事業のビール会社（La Constancia）をサウス・アフリカン・ブリュワリーズ（ＳＡＢ）に売却したことは、象徴的な出来事としてメディアにも大きく取り上げられた。ほどなくしてブラジルのAmBevが進出し、ＳＡＢが米国のミラーと、AmBevがベルギーに本社を置くインターブリューとそれぞれ合併したことで、中米ビール市場はＳＡＢミラーとInBevによるシェア争いの様相を呈した。それまで各国企業がそれぞれの国内で独占的だった市場である。ＳＡＢミラーはアグリサル・グループと合弁会社BevCoを設立し、ニカラグアやホンジュラスのビール会社を傘下に統合した。このほか、通信部門を二分するようになったスペイン・テレフォニカとメキシコのAmérica Móvilや、米国のウォルマートの進出、最近ではシティバンクやＨＳＢＣ等大手金融機関による中米各国の銀行の買収が記憶に新しい。とはいえ、中米企業は必ずしも一方的に買収される受動的な立場ではなさそうだ。中米各国の企業家が協力して地域事業を構築すれば、規模の経済性によって域外からみた投資インセンティブや、外資との交渉力を高めることができる。銀行にしろ、スーパーマーケットにしろ、世界戦略を展開する多国籍企業とのジョイントベンチャーや、最終的な売却を視野に入れつつ、その呼び水としてまず域内の企業・経営統合を推進しているところがある。

ベンチマークとなったのは、民営化後の通信部門である。1997年に地域の通信事業会社として設立されたメソアメリカ・テレコムは、スペイン・テレフォニカの中米進出を後押しした。98年6月に両社はテレフォニカ・セントロアメリカを設立し、エルサルバドルとグアテマラに参入した。中米側には各国の人脈や情報の提供を含め、地域事業の孵化器的な役割が期待されていたようである。スペイン・テレフォニカは通信オペレータとしてインフラ面を、メソアメリカ・テレコムは周辺事業の特定や政策ロビーイングを担当した。両者の関係は2001年にスペイン・テレフォニカが大規模な組織的再編を行い、中米事業がスペイン本国の移動体通信事業会社テレフォニカ・モビレスの直轄下に置かれてからもしばらく続いた。その後、メソアメリカ・テレコムは解散し、出資者は株式交換制度によってスペイン・テレフォニカの株を手にしたという。スペイン・テレフォニカの中米進出は同社にとって移動体通信分野の世界戦略を見直す契機となり、ひいてはGSM方式の世界規格化を促したともいわれる。

ここで強調しておきたいのは、企業の地域・国際戦略やジョイントベンチャーが、同じ学問規律や政策志向性を共有する経済エリートのネットワークから生じることがしばしばあった、という点である。彼らはファミリービジネスの経営改革に前向きで、国際的なビジネス戦略の調整と一体化を助ける方向で働く。そして企業だけでなく、政府や学識者と協力して、地域レベルで政策アイディアを注入する。キーパーソンの1人として、中米の有力企業家たちに最も信頼されるアドバイザーとして知られるハリー・ストラチャンに焦点をあてよう。プロテスタント宣教師の家に生まれ、14歳までコスタリカで過ごしたストラチャンは、ハーバード大学で博士号を取得後、1970年代の創成期のINCAEで教鞭をとった。その後、ベイン・アンド・カンパニー（マッキンゼー、ボストン・コンサルティングとともに世界三大戦略コンサルティング会社に数えられる）の一員となってからも、INCAE時代の同僚や学生を含む中米の企業家たちと親交を持ち続けた。エルサルバドルではポマ・グループ3代目のリカルド・ポマらに協力して経営大学（ESEN）の設立を指導した。「企業の社会的責任（CSR）」の推進者でもある。そして97年、満を持してコンサルティング・投資会社のメソアメリカをコスタリカで設立するのである。メソアメリカのコンサルティング部門は前述のアグリサル・グループとSABミラーのほか、シマン・グループとパナマの第1地峡銀行（BANITSMO）グループなど、数多くの合併・買収を手掛けてきた。投資部門にはエルサルバドルのリカルド・ポマのほか、コスタリカのロドルフォ・ヒメネスやパナマのスタンレー・モッタ、グアテマラのファン・ルイス・ボッシュら名だたる企業家たちが出資しているという。前述のメソアメリカ・テレコムはここから生まれたのである。

アレクサンダー・セゴビアによると、2005年の時点で地域・国際展開する中米の主要経済グループの数はエルサルバドル10、グアテマラ6、ニカラグア4、コスタリカ4、ホンジュラス2、パナマ2である。エルサルバドルの企業家が国際競争と産業再編にいち早く対応できた理由の1つとして、大学やシンクタンクを結節点とする新しいタイプの地域の経済人脈に埋め込まれている度合いが強かったことが挙げられるのではないだろうか。それは彼らが専門経営者教育と政策研究の推進者として、強い意志と責任を持っていたことの表れでもある。

（笛田千容）

＊参考文献

Cabot Lodge, George, "El nacimiento del INCAE: Un punto de vista de Harvard," *Revista INCAE*, Vol. VIII, No. 1, 1994.

Paige, Jeffery, *Coffee and Power: Revolution and the Rise of Democracy in Central America*, Harvard University Press, Cambridge, 1997.

Paniagua, Carlos, "El bloque empresarial hegemónico salvadreño," *Estudios centroamericanos (ECA)* 645-646, julio-agosto, 2002.

Peñate, Oscar Martínes, y María Elena Sánchez, *El Salvador diccionario*, Editorial Nuevo Enfoque, San Salvador, 2004.

Quant, Roger, *A Business School's Impact: the Case of INCAE in Central America*, INCAE, San José, 1998.

Rosa, Herman, *AID y las transformaciones globales en El Salvador: el papel de la política de asistencia económica de los Estados Unidos desde 1980*, CRIES, Managua, 1993.

Segovia, *Alexander, Integración real y grupos de poder económico en América Central: Implicaciones para el desarrollo y la Democracia de la Región*, Fundación Friedrich Ebert, San José, 2005.

Useem, Michael, "Alfredo Cristiani Ends El Salvador's Civil War," *The Leadership Moment: Nine True Stories of Triumph and Disaster and Their Lessons for Us All*, Three Rivers Press, New York, 1999. Revised version.

26

内戦後の財界

★金融資本の交代と商人の台頭★

第24章で述べられているように、エルサルバドルの伝統的富裕層・企業家層は、土地所有や家族の紐帯を源泉とする特権的地位と排他性によって特徴づけられてきた。彼らは内戦を経て、和平のための取り組みと市場経済化が進展するなかで、どのような変革を迫られたのだろうか。本章では、①コーヒー・エリートと金融資本の交代、②郷里送金と商業・サービス業の拡大、③同族企業グループの国際化と経営改革、という3点に絞って見ていくことにする。

1970年代まで国の実権を握っていたコーヒー・エリートには、大きく分けて2つのグループが存在したと言われる。1つは、独立初期までに藍染料やバルサモ（樹液）の輸出で財をなし、19世紀半ばから急速にコーヒーの栽培地を拡大した大農園主のグループである。もう1つは、自社の農園のみならず他社の農園から委託されたコーヒーの実の精製と輸出を行う加工輸出会社のグループである。コーヒー栽培に適しているのは冷涼で肥沃な高台の土地だが、1910年代までにそのような栽培地のフロンティアは消滅し、土地所有にもとづく社会階層の上昇移動は限界を迎えていた。そのため、19世紀末以降に欧州などから移住した後発のグループは近代的な精製設備を導入し、大規模でも品質が高くばらつきの少ないコーヒー豆を売りにして輸出市場の拡大を目指した。エルサルバドルは1970年代にコーヒーの輸出量で世界第3位を記録するが、当時国内で生産されるコーヒー全体の6割の精製と8割の輸出が、後者のグループによって行われていた。

エルサルバドルの和平プロセスは、コーヒー加工輸出会社を中心とするグループが財界の利益を代表する政党ARENAの主導権を握ったことで進展した側面がある。土地改革によって農園が細分化されても、収穫したコーヒーの実を一手に買い取ることができれば、加工輸出会社が被る不利益は農園主に比べて少ない。その分、左派に対していくらか寛容になれる。実際、1984年の民政移管によって成立したキリスト教民主党政権下において、ARENAはコーヒー農家が加工輸出会社に支払う委託料について定めた法案の成立を条件に、政府の農地改革案を受け入れた。1989年に同党から大統領に就任したクリスティアーニ氏は、党内の極右派に最大限の配慮を見せつつも、内戦の土壌となった経済社会問題に目を向けることを約束し、FMLNとの和平交渉を再開した。争点の1つはゲリラに占拠された農園をどうするかであったが、政府はそれらの土地の所有権をゲリラ側に認め、元の持ち主には賠償金を支払うことに同意した。

クリスティアーニ政権が目指した産業振興政策は、加工輸出会社がコーヒー部門の再活性化を主導するかたちで農村部の雇用を確保しつつ、それと並行して非伝統的農産加工や軽工業部門の輸出拡大を目指すものであった。そのことは、再民営化後の銀行経営にも表れている。前章で述べられているように、キリスト教民主党政権によって国有化される前の銀行の所有者は、植民地時代に遡る大農園主のファミリーメンバーを中心としていた。それに対し、再民営化後の銀行を取得したのは、バルドッキ、クリスティアーニ、ベリスメリス、シマンなど、コーヒー加工輸出や商工部門のエリートである。これらの銀行はまずコーヒー加工輸出会社に融資を行い、加工輸出会社がコーヒー農家に対する小規模融資を仲介する。政府によるコーヒー農家への融資支援策も、政府系の開発銀行ではなく、民間銀行から加工輸出会社を通じて行われた（ただし、これにはコーヒー生産者支援というよりむしろ銀行の自己資本比率の改善につながったとの批判もある）。

その後、財界の中心性はコーヒー部門内における新旧勢力の交代にとどまらず、非農業部門へとシフトする。コーヒーの国際価格の下降変動にともない再活性化のインセンティブが低下したせいもあるが、最大の要因は在外（おもに在米）家族による郷里送金の拡大である。相次ぐショッピングセンターの建設に象徴される旺盛な消費意欲を背景に、デパートや家電量販店、スーパーマーケット、輸入車販売、不動産開発などを展開する企業グループが飛躍を遂げた。１９９３年の為替レートの固定（1ドル＝8・75コロン）から２００1年の通貨統合法（ドル化）に至る一連の為替・通貨政策は、平価切下げを嫌う彼らの意向を反映したものと言われており、クリスティアーニ政権が描いていた輸出振興のシナリオは見直しを迫られることになる。フローレス政権期（１９９９～２００４年）以降は、コーヒー部門に中核事業を持たない企業グループの代表がＡＲＥＮＡの幹部会（ＣＯＥＮＡ）に名を連ねるようになった。

貿易・投資のグローバル化にともない、外資との提携によって資源制約を乗り越え、新たな成長を遂げようとする企業も現れた。たとえば、２００３年にシュワルツ・デパートが倒産したことでシマン・グループの独占状態になりかけた総合小売部門では、ポマ・グループがメキシコのカルソと、アグリサル・グループがホンジュラスのカリオンと資本提携を結んだことで、外資を巻き込んだ再編が起きた。独占市場だったビールや豚肉も同様に、ブラジルやメキシコの企業が進出してきた。そうしたなか、まず企業ありきで組織と経営体系を確立し、そのうえで創業者一族との関係を捉え直すようなファミリービジネスの経営改革も進行している。寡占化の手段が巧妙化しただけで、富の偏在の本質的な構造は変わらないという見方もあるが、家族の紐帯よりも経営やマネジメントの戦略など、能力主義が強まったことは間違いなさそうである。

（笛田千容）

＊参考文献

Albiac, María, "Los ricos más ricos de El Salvador," *Estudios Centroamericanos (ECA)* 612, 1999.

Paige, Jeffery, *Coffee and Power: Revolution and the rise of Democracy in Central America*, Cambridge, Harvard University Press, 1997.

Pniagua, Carlos, "El bloque empresarial hegemónico salvadoreño," *Estudios Centroamericanos (ECA)* 645-646, 2002.

Segovia, Alexander, *Transformación estructural y reforma económica en El Salvador*, *Guatemala*, F&G Editores, 2002.

27

アミーゴを泣かせない

★持続可能(サステイナブル)なコーヒー作りに取り組む★

1978年5月、僕もお世話になっていた日本の進出企業の社長、松本不二雄さんが反政府ゲリラに誘拐され、10月に遺体となって発見された。痛ましい出来事だった。そしてこの事件を機に、在留邦人が一斉に引き揚げ始めた。翌79年10月には軍事クーデターが勃発し、ロメロ大統領は亡命、革命評議会政権が発足したが、政権内での抗争が激化し、ほとんど無政府状態に近かった。

80年3月には、軍部の批判をしていたオスカル・ロメロ大司教がサンサルバドル中心街の大聖堂でミサをしている最中に狙撃された。惨事は大司教の葬儀にも起きた。僕はテレビの画面で見たのだが、8万人の参列者に、突然どこからかバズーカ砲からの発射と思われる砲弾の閃光が走り、国会議事堂上部で爆発した。参列者のなかに紛れ込んでいたゲリラが、政府軍兵士に向かって機関銃を撃っている。待機していた政府軍がそれに応戦して、多くの人びとが亡くなった。あまりの出来事に、僕はテレビの前に釘付けにされ、動くことができなかった。

家のすぐ前でゲリラと政府軍の銃撃戦が始まったときは、断続して鳴り続ける機関銃の乾いた発射音以外何も聞こえない。

数分後、大型車両の走行音が聞こえた。政府軍の増援部隊が到着したのだろう。あっという間に銃撃戦が終わった。恐る恐る窓から外を見てみると、双方の兵士の死体が転がっている道路上に、緊張の面持ちで鋭い眼を光らせて周囲を警戒している若い政府軍の兵士が散開している。

毎日銃声と爆弾の音が続く戒厳令下での生活だったが、国立コーヒー研究所での研究生活が楽しかったことと、感覚が麻痺してしまったためか、僕は内戦中も意外と平気で暮らしていた。そんなか、81年3月、サンサルバドルの市街を散歩しているときに、警察官を狙ったテロに巻き込まれた。昼下がり、何気なく道路を見ると疾走してくるトラックの助手席の窓から機関銃が突き出されており、テロだ！と思わず地面に伏せた途端、掃射が始まった。ほんの1メートルほど離れたところにいた警察官は、別の方向を見ていたのか逃げ遅れ、伏せようと屈んだ彼の胸に弾丸が撃ち込まれ、ヘルメットが後ろに吹っ飛んでいくのが視界に入った。

トラックは走り去り数秒後に静寂は戻ったが、伏せている僕の目の前の地面を流れる鮮血を追うと、そこには呼吸のたびに胸からおびただしい血を噴き出させ、手足をかすかに痙攣させている警察官が倒れていた。そして大きく3回ほど深呼吸してから、まったく動かなくなってしまった。僕はその場から急いで立ち去るために、片膝をついて壁に手を掛けた。そのとき、自分の背中の30センチほど上の壁に銃弾の跡が続いているのを見て、たとえようのない恐怖心が全身を駆け巡り、腰が抜けてへたり込んでしまった。面倒に巻き込まれないために、力を振り絞って自分の車まで歩き、自宅の駐車場に辿り着いたときには、どこを走ってきたのかまったく記憶がなかった。両手が強張り、ハンドルから指を離すのにひと苦労だった。

第27章
アミーゴを泣かせない

エルサルバドルでは、危険を察知し生き抜く力を自然に身に付けた。常に周囲に注意を払い、周りにいる人間を確認する。今でもあの当時の癖が抜けず、喫茶店やレストランに入っても、周囲が見渡せる席に座り、絶対入口に背を向けることができない。これまで世界中を旅していて1度も災難にあうことなくやってこられたのも、あの時代の経験が無意識のうちに生きているのだろう。僕の身元引受人になってくれたベネケ駐日大使も1980年、何者かによって射殺され、その後兄弟のようにしていた大親友は誘拐され、いまだにその消息はつかめない。

そのころ僕は青年海外協力隊員だった女性と結婚し、1児をもうけていたが、研究所の勉強の傍ら、通訳のアルバイトなどをして生計を立てていた。しかし実験を担当していた東南部の農場が、左派ゲリラの制圧下に入ってしまい、地方への出張ができなくなってしまった。僕は何としてもコーヒーの勉強を続けたかったが、妻とも相談し、やむなく家族はいったん日本に帰国し、僕は情勢が好転するまでエルサルバドルの近くでなんとか半年くらい頑張ることにした。

1981年4月末、家族と別れロサンゼルスに一時的に疎開し、日本人の経営するタコス屋で働いて生活した。疎開して5カ月後に、その後の僕の人生を大きく変える人物に出会った。それはUCCコーヒーの創業者上島忠雄さんだ。静岡の焙煎業者の息子が、コーヒーの産地にのめり込んで勘当されロスにいるという噂を聞き、わざわざ訪ねてきてくれたのである。そしてUCC初の直営農園となる、ジャマイカの農園開発を任されることになった。

ジャマイカのブルーマウンテン農園のあとはハワイの北コナ地区での開発を担当し、米国政府の最優秀農園に選ばれるという光栄に浴した。インドネシアのスマトラ島では、マンデリン・コーヒー農園開発に参加した。そして1999年8月、ついにエルサルバドルの国立コーヒー研究所ではじめてその名前を知り、いつかは訪れてみたいと夢見ていた幻の品種ブルボン・ポワントゥの生まれ故郷、インド洋の小島、フランス海外県レウニオン島を訪問することができた。そして絶滅したとされていたブルボン・ポワントゥを地元の人びとの協力で発見し、フランス本国政府の援助でこの島にコーヒー産業を復活させた。

2007年11月、長年お世話になったUCCを退職し、現在は「誰も泣かない」「アミーゴ（友人）を泣かせない」コーヒーを作り続ける活動に取り組んでいる。

コーヒーは日陰で育つ数少ない農作物だ。森林の保護や再生をするとき、植樹しただけでは地元の人びとは食べていけない。コーヒーを一緒に植えることで、コーヒーが換金作物となり、現地の住民が生活の糧を得られるのだ。他方コーヒー生産に携わる農民の賃金は低く、粗末な建物に寝泊まりする。大中規模の農園主は安泰かといえば、決してそうではない。国際商品であるコーヒーは、相場に大きく左右される。以前は、霜や干ばつによる天災のつど、価格に振り回されてきた。しかし最近では、ファンドの介入というコーヒー業界がいまだかつて経験したことのない人災で、天国と地獄を見る羽目に陥った。価格が上がれば生産国は喜ぶが、簡単に価格を上げることはできない消費国側のコーヒー業者は泣く。そして価格暴騰の後に控えるのは過剰生産による大暴落だ。消費国側は、過去の損失を埋められるチャンスであり、生産国にとっては生産コストさえ賄えない地獄がやってくる。相場の乱高下は、人権にも環境にも悪影響を及ぼす。

品質の良いコーヒーを作れば、それなりの価格が保証される。また環境と人権を守りながら生産さ

第27章

アミーゴを泣かせない

収穫後のコーヒーチェリー（コーヒーの実）を選別する人びと。アウワチャパン県アパネカのモンテカルロス農園にて

れるコーヒーの価値を認め、正当な対価を払う環境作りをしなければならない。それに対し生産者は、常に品質向上に努める義務がある。

1975年6月にブラジルを襲った20世紀最悪の霜害は、一夜にして世界のコーヒーを変えてしまった。当時エルサルバドルではCOSCAFE（コーヒー院）が、コーヒー産業を司っていた。6月といえば中米のコーヒー生産国は、前年後半から収穫したコーヒーのほとんどの契約を済ませていた。しかし当時のCOSCAFE総支配人ファジャ・カセレスは、その年のはじめにブラジルの霜を予測し、コーヒー業者に輸出することを許可せずに大量の在庫を抱えさせて大博打を打ち、見事に的中しエルサルバドルは独り勝ちだった。しかしその好景気を享受したのは、富裕層の農園主のみで貧富の格差は拡がっていった。そしてすでに始まっていた独裁政権に対する反政府運動に拍車が掛かった。79年のクーデター後行われた農地解放も、富裕層を疲弊させるだけに終わり、土地をもらった農民たちは有効活用する経験も知識も指導もないまま貧しい生活を強いられた。

現在エルサルバドルのサステイナブルに取り組むコーヒー園は、他国よりも圧倒的に多いし今でも増加傾向だ。これは、あの内戦がもたらした結果を、身をもって知っているコーヒー関係者が、あの時代を「アンサステイナブル＝持続不可能」だったと認識しているからだろう。誰も泣かないコーヒーとは、生産国だけの問題ではなく、消費国のコーヒー関係者、そして一般消費者も含まれる。

僕が今こうした問題と格闘するのは、10代の終わりに単身エルサルバドルにわたり、たくさんの人びとの力を借りながら、コーヒーの生産を現場で学び、価格の乱高下に翻弄される生産者の姿、政治的な混乱、悲惨な内戦、環境破壊の様子などを肌身で体験したことがあると思う。また焙煎業者の家に生まれたことで、消費国の現状も子どものころから自分の目で見てきたことも大きな理由だ。

コーヒーマンとしての人生を「生産者と消費者がずっと笑顔でいられるサプライ・チェーンの構築」に貢献したいと考えている。

（川島良彰）

28

国営教育文化テレビ局（カナル10（ディエス））

★エルサルバドル版『プロジェクトX』の誕生★

伝統的に日本に対する愛着を持つことから、「中米の日本」を自称し、そして日本の経験から多くを学ぼうとするサルバドル人は決して少なくない。相対的に狭小な国土、限りある資源といったエルサルバドルと類似する条件を克服し、第二次世界大戦後に世界第2位の経済大国にまで変貌を遂げた日本の戦後復興、経済社会開発の経験をエルサルバドルに導入しようとした人物の1人として、ワルテル・ベネケ（1930～80年）を忘れることはできない。

ベネケは、1960年代から70年代にかけてエルサルバドル大使として日本に在勤し、その後、教育大臣を務めた人物である。とくに、教育大臣時代には、日本在勤中に感銘を受けた日本の教育制度にならった制度のいくつかの導入に成功し、そのうちの1つが、国営教育文化テレビ局（「カナル10」、10チャンネルの意）の開設である。

ベネケが、テレビを通じたメディア教育構想のインスピレーションを受け、そして国営教育文化テレビ局の模範となったのが、いうまでもなくNHK教育テレビである。ベネケは、日本在勤時代に、NHK教育テレビを知り、メディアが社会に行使しうる影響力の大きさ、そして高いレベルの教育の広範囲の普及の重要性を強く認識した。そして、エルサルバドルにおいても国民一般にメディアを通じた教育機会を提供するべく奔走し、1963年に教育テレビ開設を検討する委員会を発足、そして66年にはイルマ・ランサス・デ・チャベスが初代局長に就任した。その後、独自に制作した教育番組を民放を通じて放送するなどの活動を開始し、71年に、現在まで継続する放送局をサンタテクラ市に構えた。以後、エルサルバドル唯一の国営テレビ局として、日本のNHK教育テレビと同様、教育および文化に関する幅広い番組を全土に放映している。日本もまた、平成3年度文化無償、平成13年度文化無償、および平成18年度に承認されたノンプロジェクト無償資金協力の見返り資金による資金協力などを通じ、同テレビ局にテレビカメラ、番組制作機材などの最先端機器を供与した。日本は、ベネケが日本滞在中に抱いたメディア教育の理想の実現のために、側面支援をしてきている。

ベネケの理想を体現した国営教育文化テレビ局と日本の緊密な関係の象徴として忘れてはならないのが、在エルサルバドル日本大使館、および国営教育文化テレビ局の連携のもと、2003年10月より毎週日曜夜8時から放送（毎週水曜夜10時から再放送）されている番組『プロジェクトX』がある。08年末の時点で、130回以上の放送が実現している。

番組タイトルの『プロジェクトX』は、NHK『プロジェクトX』に由来する。本番組は、当初、国際交流基金の「テレビ番組交流促進プログラム」にて同テレビ局に提供されたNHK『プロジェクトX』のスペイン語版を放映することから始まった。NHK『プロジェクトX』は、日本の戦後復興、および経済社会発展におけるさまざまなサクセスストーリーを紹介しているが、92年の和平合意以降、日本を目指し、国家再建設の過渡期にあったエルサルバドルにおいても、大きな反響を呼んだ。同番組は国営教育文化テレビ局を代表する看板番組となり、同局の試算では毎回平均して3万人が同番組を視聴しているとされる。放送回を重ねるにつれて、NHK『プロジェクトX』自体には限りがあるため、NHK『プロジェクトX』シリーズ以外にも、在エルサルバドル日本大使館が有するその他の広報ビデオ等を活用し、日本の政治、経済、社会、文化、などさまざまなテーマに関して日本を発信するメディア媒体として、放送が続けられている。

エルサルバドル版『プロジェクトX』がエルサルバドルで好評を博した理由としては、NHK『プロジェクトX』のストーリーが国家再建を夢見る多くのサルバドル人の共感を得たこと、家族でテレビに向かう日曜夜8時という時間枠を割り当てられたこと、教育に資するその他の優良ドキュメンタリー番組が少ないこと、などが考えられる。しかしながら、筆者は、同番組における、サルバドル人司会者、日本大使館員コメンテーターに加え、毎回、テーマに関連したサルバドル人ゲストが出演し、サルバドル人の視点から日本について語る番組スタイルが、多くのサルバドル人の共感を得ている最大の理由ではないかと考える。

エルサルバドル版『プロジェクトX』は、2003年10月、当時、在エルサルバドル大使を務めた細野昭雄氏のイニシアティブによってコンセプトが具体化され、放送が開始された。のべ100回以上に及ぶ番組の歴代ゲストとして、同氏の人脈を通じて、エルサルバドル政界、財界、文化界に大きな発言力を有する、まさにエルサルバドルの今、および未来を担う指導者、有識者など、錚々（そうそう）たるメンバーの出演が実現した。各ゲストは、日本を注意深く観察し、日本人の勤勉さ、日本企業の技術力、あるいは、日本人の友人との交流関係などに基づき、それぞれが感じる「日本」を語るのである。そして、毎週3万人に及ぶサルバドル人が、エルサルバドル各地で、それら語りを耳にし、地理的には遠く離れているが愛着を有する日本という国に対する理解をさらに深めるのである。

エルサルバドル版『プロジェクトX』は、一義的には、日本のさまざまな経験をエルサルバドルに紹介するという役割を果たしているが、それのみならず、日・エルサルバドルの伝統的な友好関係、そして相互理解の促進という重要な役割を担っている。パブリックディプロマシーの観点からいえば、対エルサルバドル日本外交のアセット（資産）といえよう。

（塚本剛志）

29

シャーガス病

★感染リスクは中南米で最高水準★

黙殺されてきた貧困層の病

シャーガス病は、１９０９年にブラジル人医師カルロス・シャーガスが発見した感染症で、サシガメ（吸血性カメムシ）を媒介して原虫トリパノソーマが人体内に侵入することで感染する。これまでのところ有効な予防薬は開発されていない。感染から約２カ月までの急性期の間に的確な対策がとられるならば、薬による治療が可能だが、そうでない場合、とりわけ乳幼児の間で高い死亡率がもたらされる。急性期を見逃すと、10年ないし20年の潜伏期間をへて心臓疾患や巨大結腸などが引き起こされるが、この慢性期に至るともはや効果的な治療法はない。心臓発作のような形での突然死が中南米の貧困層の間で、身内の死亡例としてしばしば語られるが、実際にはシャーガス病が原因であることが少なくない。感染ルートとしては、サシガメによる吸血後の排便による他に、輸血、妊娠・分娩、臓器移植等の例が確認されている。シャーガス病は中南米特有の病気ではあるものの、グローバリゼーションの進展による人や物の国際的移動、輸血、臓器移植の増大に伴い、欧米諸国や日本でも患者が増加傾向にある。国民の20％以上が米国を中心に国

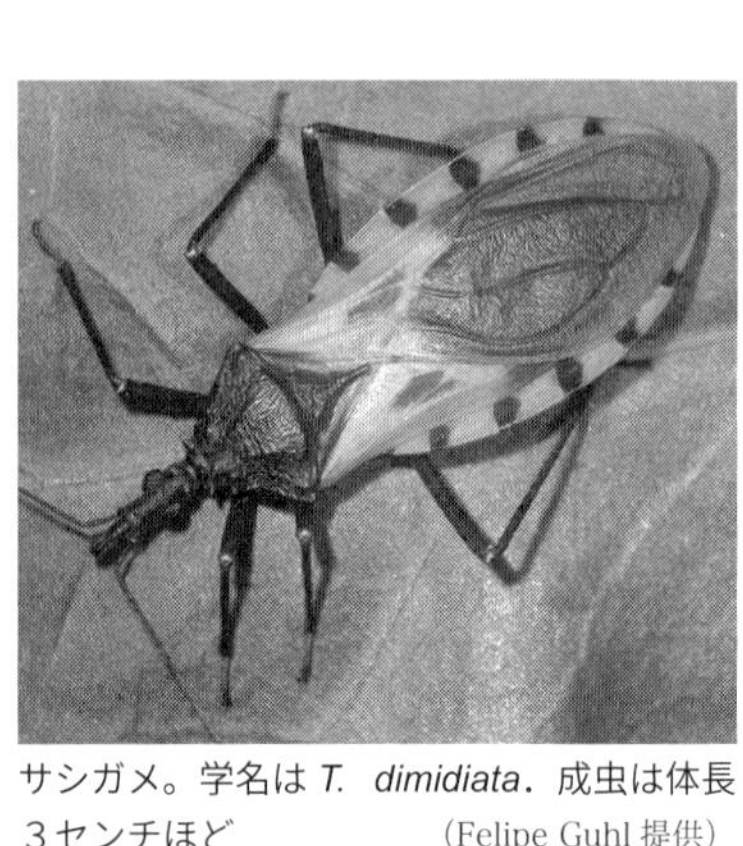
サシガメ。学名は *T. dimidiata*．成虫は体長3センチほど　（Felipe Guhl 提供）

外で暮らすエルサルバドルにとって、シャーガス病は国内に留まる問題ではない。

WHO（世界保健機関）の推計では、患者数は中南米全体で約2000万人、死亡数は年に2万人に及ぶ。エルサルバドルにおける有病率は約30人に1人の割合に達するとみられ、感染リスクは中南米諸国のなかで最も高い水準にある。シャーガス病の媒介虫であるサシガメは外来種と在来種に分かれる。エルサルバドルでは近年、高い感染リスクを持つ外来種（*R. prolixus*）が発見されていないが、隣国ホンジュラスには生息しており、人や物の往来も多いことから、油断はできない。他方、在来種（*T. dimidiata*）はどこでも見つかるといっても過言ではない。在来種の生息環境が、通常、農村貧困層の居住環境に合致していることから、この人びとの感染リスクがとても高い。これはサシガメが土壁やアドベ（日干しレンガ）、草葺き屋根といった農村貧困層特有の家屋を好んで生息する傾向があるためである。また、地域によってバラツキはあるものの、国内平均で5割を超える集落でサシガメが発見されている（図を参照）。在来種は日陰の多いコーヒー栽培地など集落周辺の生態にも適応でき、家畜や野生動物の血を吸って生き延びることができるため、サシガメの根絶は不可能である。

シャーガス病の感染率はエイズや結核、肝炎を上回る。また、シャーガス病がもたらす社会経済的コストをDALY（疾病による障害調整生命年）というWHOや世界銀行が採用している手法で計算して

土壁家屋（左）とその周辺（右）はサシガメ在来種の生息に最適である

みると、エイズのみならずマラリアやデング熱をも上回るという結果がでる。とりわけ貧困層の間では、世帯主が感染した場合には、その治療コストもしくは早期死亡が世帯全体にもたらす損失のために、子どもが早期退学と労働を強いられる結果、貧困が世代間で移転される可能性が高まる。児童が感染した場合には、運よく早期発見と適切な治療で急性期の死亡を免れたとしても、治療のためのさまざまなコストによる資産売却や借金、長期休学などの損失が、その後の人生に少なからぬ悪影響をもたらすことになる。したがって、シャーガス病の抑制を目的とした介入対策の費用便益は、住民啓発・殺虫剤散布・住居改善（トタン屋根と漆喰またはセメント壁）と生活改善からなる対策をどのように組み合わせても便益が費用を大きく上回り、効率がよいものとなる。

中南米諸国が本格的にシャーガス病対策に着手したのは、早期に対策が開始されたブラジルを除き、南米南部諸国で１９９１年、エルサルバドルを含む中米諸国とアンデス諸国では１９９７年と、シャーガス病の発見から90年も遅れていた。エルサルバドルをはじめ中南米では感染症対策といえば、伝統的にはマラリアとデング熱、最近ではエイズである。シャーガス病の被害がきわめて深刻であるにもかかわらず、なぜこれほど黙殺され続けてきたのだろうか。21世紀になってＷＨＯは、エイズ・結核・マラリアからなる三大感染症以外の慢性的に流行している14の感染症をあわせてＮＴＤ（顧みられない熱帯病）と名づけ、世界的な対策にのりだした。シャーガス病もＮＴＤの1つだが、国際社会のみならず国内においても黙殺されてきた感染症の典型例といえる。

対策

マラリアやデング熱は、社会階層や居住地の違いを問わず、早急に対策が取られない場合、猛スピードで感染が拡大し、メディアも連日大きく報道することから、政府としても薬剤散布や治療など優先的な対策を迫られる。とくに貧富の格差の激しい中南米諸国にあって、首都の富裕層居住区に感染リスクが迫ろうものなら、猛烈な勢いで対策がとられることになる。エルサルバドルにおいてもマラリアに対しては、保健省の感染症対策局を中心に効果的な仕組みが制度化され、制圧に成功してきた。他方、シャーガス病に関しては、国民一般の認識不足、農村貧困層の病、長い潜伏期間、専門家の不足と内戦による大学での疫学教育の断絶などの複合的な要因が相まって、対策が大きく遅れた。一般に、感染リスクが貧困層に集中する場合、利益が見込まれないことから、民間市場においては治療手法や薬剤開発へのインセンティブは生まれにくい。また、政治体制が非民主的である場合、貧困層が自らの要求や権利を掲げることができたとしても、その声にメディアや政府が耳を傾けて、政策的に応答することは考えにくい。エルサルバドルにおけるシャーガス病の高リスク地域は貧困地区に合致し、先住民系の住民も多い。ホンジュラスやグアテマラも同様である。

20世紀末になって中米諸国が一致団結してシャーガス病対策に着手したという事実は、中米紛争の

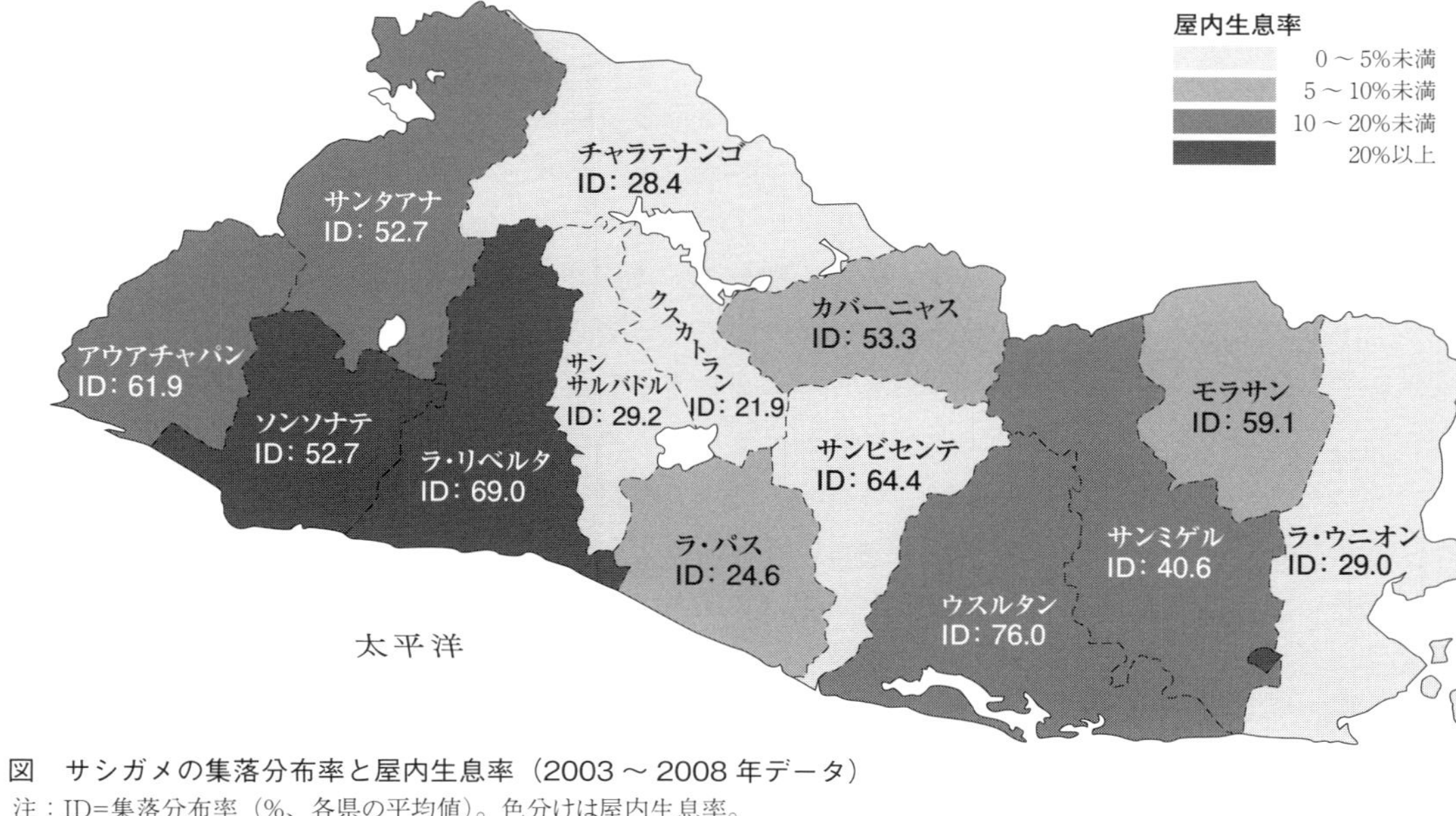

図　サシガメの集落分布率と屋内生息率（2003～2008年データ）
注：ID=集落分布率（%、各県の平均値）。色分けは屋内生息率。
出典：エルサルバドル保健省

終結と民主化により、貧困層の声と機会がある程度拡大したことの表れともいえるだろう。

日本の協力

中米イニシアティブにより米州保健機構（ＰＡＨＯ）の後ろ盾をもってシャーガス病対策が名目上は始動したものの、エルサルバドルでは感染症対策としてはほとんど未知の分野であるうえ、保健行政の分権化や民営化をめぐる政治的混乱の長期化、保健省の職員組合が待遇改善のないまま追加的な労働負担を拒否するなど抵抗したこともあって、対策は遅々として進まなかった。この状況下、紛争終結後の中米諸国に対するトップドナーであり、シャーガス病対策では経験がないものの、感染症分野の技術協力で実績を持つ日本が名乗りを上げた。２０００年のグアテマラを皮切りに、03年にエルサルバドル、ホンジュラス、さらにはパナマやニカラグアを含め、広域的にシャーガス病の感染中断を目標に掲げて協力が始まった。協力内容は、ＪＩＣＡ（国際協力機構）と日本大使館ががっちり手を組み、専門家や青年海外協力隊の派遣、機材供与、薬剤購入、住居改善など日本のＯＤＡの仕組みを総動員したものである。

エルサルバドルへの協力は第1フェーズ（西部3県、２００３年から07年）と第2フェーズ（東部４県、08年から10年）からなり、パイロット地区での協力成果を通して対策が全国的に浸透・定着する仕組みが設計された。筆者はこの仕組みの設計やモデル地区の選定、費用便益モデル、協力成果の評価などの短期専門家として一部協力した。対策としては、まず何よりもシャーガス病の実態調査と啓蒙活動、ついで薬剤散布が優先された。実態調査については、昆虫学にもとづくサシガメの生態調査が集落および住居を単位に行われ、西部3県におけるきわめて高い集落分布率・屋内生息率・原虫保有率が確認された。疫学分野ではサンプリング血清調査のほか、血液銀行における血清検査がほぼ100％実施され、この面でも高い陽性率が確認された。さらに、これまではマラリア対策を主として担ってきた地方保健事務所の媒介虫対策班や保健推進員へのシャーガス病対策に関する啓蒙・訓練が行われた結果、急性患者の早期発見が報告され始めた。以上のような初期の協力成果から驚くべき事実が判明した。エルサルバドルのような人口密度が高く、都市化が進んだ小国では、シャーガス病は貧困層の居住地区に限定された病ではなく、誰でも高い感染リスクを抱えており、都市の近代的な住宅の居住者からも患者が発生しているという実態である。極貧層と富裕層が背中合わせで居住しており、頻繁に人びとが移動して交わりあうような国では、どこに住んでいようが感染リスクから免れることはできないと考えたほうがよい。

エルサルバドルは中南米における新自由主義のモデル国であり、「小さな政府」の代表格として保健行政の民営化と分権化を促進してきたため、中央政府にあってシャーガス病を担う人物は、ほかの業務も兼任するたった2人の技官しかいなかった。この状況で、シャーガス病対策の仕組みと政策をまとめあげ、追加的な労働を渋る地方の現場技官らを説得して、薬剤散布から住民啓蒙、患者の発見・治療に至る手法の指導を行ったのが、青年海外協力隊出身の若き専門家、大田享子さんである。彼女の孤軍奮闘ぶりは住民はもとより、エルサルバドル政府高官からも高い評価を得ている。また、細野昭雄大使（当時）は、日本のシャーガス協力をエルサルバドル版「プロジェクトX」としてテレビ番組に編成し、大田専門家とともにテレビ出演してシャーガス病のリスクと対策を訴えるなど、協

対策用ポスター

力を惜しまなかった。さらに、感染症分野でエルサルバドルに派遣された青年海外協力隊員たちが、自らシャーガス病のリスクの高い地域に居住し、地元の技官や住民と生活をともにしながら、隊員ひとりひとりの個性を活かした啓蒙活動に取り組んだ。高リスク層が貧困層で非識字者や子どもであることを念頭に、紙芝居や演劇、歌、漫画アニメなど、住民の関心を引く効果的な教材開発を行った。また、2年間の任期中に学校訪問を通して児童・教員、保護者等、のべ1万人に啓蒙活動を行うという成果を上げた隊員もいる。以上のような貧困層の立場にたった日本特有の協力の結果、シャーガス病のリスクについて政府および国民の間で理解が進み、薬剤の散布要請が政府や市に多く寄せられるようになった。なかでも、小学6年生の教科書においてシャーガス病対策啓発情報が4ページにわたって採用されたことは、重要な成果であろう。

課題

シャーガス病対策の基本は、徹底した薬剤散布と住居・生活改善、行政と住民が協力しあう媒介虫監視の仕組み作りに尽きる。これに患者の早期発見・治療を組み合わせることができれば、感染を大幅に抑制し、中断に近づけることができる。第1フェーズの協力評価を通して、いくつかの課題が明らかとなった。媒介虫対策としては、在来種は根絶ができないため、各住居とその周辺に対する3回の薬剤散布を通して屋内生息率をゼロに近づけ、その後は住居改善と生活改善（整理整頓、清潔）に取り組み、屋内の再生息を阻止することが重要である。また、長期にわたって根気よくサシガメを探し、屋内で発見された場合には再度、薬剤散布をタイミングよく行う仕組みが必要とされる。だが、薬剤散布や住居改善には当然、コストがかかり、中央政府と市役所、住民の間で負担を共有する仕組みを地域に見合った形で制度化しなければならない。この点、国全体の経済開発と地域開発が進み、貧困世帯の所得と当該自治体の財政が豊かになることが最も効果的であろう。第1フェーズでは、自治体によっては散布員の日当が出ないなど、対策に消極的な事例が見られた。政権交代によるシャーガス病対策の政治化を抑制することも国際協力の重要な課題であろう。

疫学的には、なによりも地方の保健所や診療所の医師や看護師を訓練し、急性患者の早期発見と治療を万全に行うことが優先される。現状では、医学部の講義にシャーガス病が盛り込まれておらず、現場での訓練も実施されないなど、医師・看護師の知識は乏しく、貧困世帯の急性患者が何度も保健所に足を運ばざるをえないなど、多くの負担がかかっている。

これまでの政府の取り組みと日本の協力を通して、シャーガス病対策の基本は周知されつつあり、パイロット地区では感染リスクが大幅に低下するという成果が上がっている。今後は10年以内を目標に、点の成果を面に拡大し、持続的な仕組みを樹立することが求められている。

（狐崎知己）

30

自然災害への支援

"TAISHIN"と"BOSAI"

エルサルバドルは、日本とのさまざまな類似性から「中米の日本」と称され、日本への愛着を伝統的に有する、日本にとって大切な友好国の1つである。両国が有する多くの類似点の1つとして、地理的な制約、つまり自然環境への脆弱性（ぜいじゃくせい）が挙げられる。

エルサルバドルを含む中米地域（中米地峡とも呼ばれる）は、日本と同様、海底の地殻プレートの動きに大きな影響を受ける。太平洋側のココス・プレートとカリブ海側のカリブ・プレートの境目に中米地峡は位置し、エルサルバドルを含む中米諸国は、必然的に数多くの火山被害や大地震を経験している。また、毎年カリブ海域に発生するハリケーンの通過ルートにも位置し、豪雨、そしてそれに伴う洪水、地滑りなどの災害も多い。エルサルバドルは、地震、火山災害、風水害、土砂災害など、多様な自然災害を受けざるを得ない地理的環境にあるのである。たとえば、ここ数年では、1986年、および2001年に大地震の被害を受けているし、1998年にはハリケーン・ミッチ、2005年にはハリケーン・スタンによる甚大な風水害を受けるなど、自然災害は、国内経済社会開発の大きな足かせとなっている。

日本もまた、自然災害には脆弱な地理的環境にあるが、日本は被った被害から多くの教訓を抽出し、それらを踏まえた国家、社会、制度、体制を構築するなど、世界でも有数の防災体制、防災技術を確立した国であるといえる。そのような経験をもとに、日本はODAを通じて、同様の問題に直面する世界の開発途上国に対し、自然災害への対処をテーマとした資金協力、技術協力を実施している。

エルサルバドルに対しては、国際協力機構（JICA）を通じて、2003年12月より5年にわたり「耐震普及住宅の建築普及技術改善プロジェクト」、通称〝TAISHIN〟プロジェクトを実施した。エルサルバドルは、01年の大地震で、傾斜地の大規模な崩壊、家屋など建設物の倒壊、損壊など甚大な被害を被ったが、調査の結果、被災した住宅の約60％は、同国の最低雇用賃金の2倍にも満たない低い収入によって生活している貧困層の住宅群であることが判明した。したがって、低所得者向けの普及住宅における耐震性の改善をプロジェクト目標と位置づけ、具体的には、普及住宅の耐震性を正しく把握するための実験設備の供与、実験実施体制の整備、サルバドル人研究者・技術者の耐震技術の習得、耐震普及住宅モデルの完成などを構成内容として、本プロジェクトは実施された。その結果、耐震実験施設建設、実験技術の移転、低所得者層向け住宅として広く普及しているブロック・パネル、ソイル・セメント、アドベ（日干しレンガ）等の工法における耐震性を備えた普及住宅の建設技術が移転されたのである。

また、本プロジェクトにおける耐震性技術移転には、メキシコ人専門家が加わった。メキシコもまた、中米地域と同様、地震には脆弱な地理的環境にあるが、かつて日本がODAを通じて耐震技術の

耐震構造によるアドベ（日干しレンガ）工法のモデルハウス　（ＪＩＣＡエルサルバドル事務所提供）

指導を行い、それらを習得したメキシコ人の耐震技術専門家が育っている。本プロジェクトでは、それらメキシコ人専門家の知見を取り入れ、日本主導のもとで実現した、メキシコとエルサルバドル間の南南協力の良好な実践例である。日本において、長年にわたる、自然災害克服のための取り組みを通じて創出された高いレベルの耐震技術は、今では、〝ＴＡＩＳＨＩＮ〟というスペイン語として、エルサルバドル、そしてメキシコにおいても高く評価され、広く周知されるに至っている。

　さらに、日本政府は、同じくＪＩＣＡを通じて、２００７年5月より5年計画で、エルサルバドルおよび近隣中米諸国の防災機関の組織強化や制度の充実、コミュニティレベルの防災体制整備などのニーズに対応するため、「中米広域防災能力向上プロジェクト」、通称、〝ＢＯＳＡＩ〟プロジェクトを開始した。本プロジェクトは、中米統合機構（ＳＩＣＡ）傘下の中米防災センター（CEPREDENAC）を巻き込み、エルサルバドルのみならず、他の中米近隣国をも対象とした中米広域協力の1つとして、位置づけられる。

　本プロジェクトは、対象コミュニティや対象自治体の防災能力の向上を目指すとともに、中米各国内の防災関連機関、中米防災センター調整事務局のコミュニティ防災推進能力の強化等を目的とする。エルサルバドルでは、毎年パイロット自治体が定められ、火山灰土による地滑り、洪水と津波、地震、火山噴火などをテーマに、防災計画作成、防災マニュアルの作成、避難訓練の準備と実施、防災知識の普及、防災マップ作成、簡易警報システム構築、自治体職員に対する研修など、自治体レベルでの防災への適切な取り組み、関係者の能力強化、制度構築のための技術支援が実施されている。中米広域協力としての防災支援も、上述の〝TAISHIN〟と同様、〝BOSAI〟プロジェクトとして高く評価され、広く周知されるに至っている。

日本の国際貢献のあり方を考えたとき、防災支援は、自然災害被害の経験が乏しい他のドナー国には対処できないテーマであり、防災大国日本に、世界をリードする役割が期待される分野である。一般的に、エルサルバドルをはじめとする開発途上国の国内開発政策の優先順位としては、限られた予算は、まずは経済開発、社会開発に向けられるケースが多く、防災の必要性は理解するものの当面は国際協力に頼らざるを得ないのが多くの途上国の実情である。エルサルバドルのように、自然災害への脆弱性を有する開発途上国における防災への取り組みは、日本の経験を生かした支援が求められている分野であるといえよう。

（塚本剛志）

31

地方自治体のゴミ問題への取り組み支援

★「福岡方式」による廃棄物処分場と3R★

エルサルバドルは、近年、首都をはじめとする都市部への人口集中、生活スタイルの変化による消費の増大、経済構造の変化等により、ゴミの量が年々増加している。一方、他の開発途上国と同様、廃棄物管理に関する、組織、技術、財政が整っておらず、そして何よりも、住民の環境に対する意識はまだまだ十分ではない。その結果、適正に処理されないさまざまな廃棄物が引き起こす水質汚濁、大気汚染、土壌汚染による人間の健康や生態系への悪影響が懸念されている。

これら国内の状況、および国際的な環境への意識の高まりを反映し、エルサルバドルでは、1998年に環境基本法が制定され、2001年に固形廃棄物政策が策定された。そして、国内の不適切なゴミ捨て場所の撤去、ならびに環境衛生上、適切な廃棄物処分を実施することを政府の政策として決定した。しかしながら、各地でゴミ処理の責任を負う地方自治体（262の市がある）の多くは、小規模で予算、人員、技術に乏しく、その多くは適切な廃棄物管理を実施することができない。民間企業を含む企業の収集サービスを受ける人口比は6割程度（本プロジェクト開始以前）であり、収集や処分されないゴミは、近隣の谷間や河川へのオープンダンピング、つまりポイ捨てをすることでしか毎日排出されるゴミを処理するシステムがなかった。そのため、オープンダンピングによるゴミ堆積場付近の住民は、悪質な飲料水による消化器系疾患を患ったり、皮膚病、呼吸器疾患患者も現れた。エルサルバドル環境省も、オープンダンピングを閉鎖し、廃棄物処分を衛生埋め立て処分場に集約するよう地方自治体に指導してきたが、多くの自治体は迅速な対応ができず、自治体のゴミ問題に対するキャパシティ強化が急務とされた。

これを受けて、国際協力機構（ＪＩＣＡ）は、本ニーズに対応すべく準備を進め、２００５年より「地方自治体廃棄物総合管理プロジェクト」が開始された。本プロジェクトのパイロット地区として直接の裨益者となったのが、ラ・ウニオン県北部自治体組合（ＡＳＩＮＯＲＬＵ）である。ＡＳＩＮＯＲＬＵは、ラ・ウニオン県北部の9つの自治体からなる連合で、この9自治体の地域を対象に、総合的な廃棄物管理のための技術移転を実施した。具体的には、衛生上適切な廃棄物処分場建設、その建設、および運営のためのノウハウの蓄積、またＡＳＩＮＯＲＬＵに移転された技術を他の自治体へ伝播するための中央政府を取り込んだシステム作りなどが取り組まれた。ラ・ウニオン県が位置する東部地域は、80年代の内戦の影響から、エルサルバドル国内において経済社会発展が相対的に進んでおらず、日本が重点的に支援を行っている地域である。本プロジェクトもまた、日本が推進する東部地域開発のうちの1つと位置づけられる。

ＡＳＩＮＯＲＬＵのうちの一自治体であるサンタ・ロサ・デ・リマ市に、廃棄物処分場が建設された。本処分場は、福岡大学と福岡市の協力により開発された、準好気性埋め立て構造（「福岡方式」と呼ばれる）の環境衛生埋め立て施設である。エルサルバドル関係者が、本施設建設を通じて、「福岡方式」による埋め立て施設の建設、および運営維持管理手法を学び、エルサルバドル国内の他の地域への移転が期待される。

しかしながら、ゴミ処分場を建設しても、ゴミを出し続ければ、必然的にいっぱいになってしまう。ゴミ処分場がいっぱいになるたびに、日本のODAで2号目、3号目、と処分場を建設し続けることは、開発途上国の自助努力支援にはつながらない。したがって、本プロジェクトでは、排出されたゴミの適切な処分のみならず、ゴミを減らすための方策、つまりASINORLU地域におけるリサイクルの導入も積極的に取り組まれた。

そのための方法論として、「3R」が導入された。「R」は、reduce（減らす）、reuse（再利用する）、recycle（リサイクルする）を表し、スペイン語でも、reducir, reutilizar, recilclarと3つのRで表現される。本プロジェクトにおいても住民意識向上／環境教育の日本人専門家が派遣され、カウンターパート機関の1つであるエルサルバドル地方自治体開発庁（ISDEM）とともに、学校をベースとする3Rモデルプロジェクトを実施し、担当者への直接の技術指導および日本での研修が行われた。3Rモデルプロジェクトでは、ISDEMのカウンターパートたちが、対象地域の学校や自治体を訪問し、リサイクルの啓蒙活動を実施した。さらには、環境教育を専門とする青年海外協力隊（JOCV）も対象地域に派遣され、ASINORLUを廃棄物管理のモデル地区にしようとの取り組みが行われた。それらの支援を通じて、同地域には、ゴミのリサイクルを学校活動の一環として実施する学校も増え、子どもたちが熱心にリサイクルに取り組む姿を見て、親もまた、自分たちの日々の生活を顧みつつ、ゴミ問題、環境問題への新たな視座を獲得しつつある。

日本を含めた先進国でも、ゴミ問題は、依然として大きな課題である。環境への負担を軽減するハイテクによる廃棄物処理方法の導入は大きな効果を上げることは間違いないが、決してそれだけではゴミ問題は解決しないことも明らかである。最も大切なのは、地域に住む人びとのゴミ問題、環境問題に対する高い意識である。ゴミを減らそうとする意識（reduce）、ゴミをゴミとせず使い続けようとする意識（reuse）、そして、ゴミを面倒くさがらずにリサイクルしようとする意識（recycle）もまた、本プロジェクトがエルサルバドルに残した大きな成果であるといえよう。それが、本プロジェクトが、「地方自治体廃棄物『総合』管理プロジェクト」と銘打つゆえんである。

（塚本剛志）

32

中米麻薬回廊とマラス

★ギャング団「マラ・サルバトゥルチャ」★

グアテマラからエルサルバドル国境までは主要国道が3本走る。首都グアテマラ市から150キロ前後で行けるから、長距離ではない。首都から自動車で国境を目指せば、1日で往復が十分可能な距離である。

この主要国道が、エルサルバドルとグアテマラを結ぶだけでなく、ニカラグアやコスタリカからメキシコやアメリカ合衆国を目指して物資が運ばれる中米の大動脈となっている。道路は中米の大国グアテマラの名にふさわしく立派に舗装されていて、先進国の道路と見まがうほどである。

エルサルバドルとグアテマラの貿易は、2021年のグアテマラ中央銀行の統計によれば、エルサルバドルの対グアテマラ輸出は11億6000万ドル、輸入は17億3000万ドルと、エルサルバドルの輸入超過となっている。23年7月までの統計でも、エルサルバドルの入超傾向は変わっていない。輸出入の品目別では、エルサルバドルからグアテマラに薬品、抽出エキス、紙および段ボール、プラスティック製品が輸出され、グアテマラからは、電力、抽出エキス、薬品、繊維製品、油性製品を輸入している。また、グアテマラのスーパーマーケットに足を運べば、エルサルバドルで製造された缶詰、ティッシュペーパーといった日用品が数多く売られている。また、エルサルバドルには、グアテマラ資本の「ポジョ・カンペーロ」（ケンタッキーフライドチキンのような鶏肉のファストフード）が進出しており、両国の貿易投資関係が緊密であることがうかがえる。

中米諸国民は中米諸国を旅行するときにパスポートは不要である。身分証明書を国境で提示すれば国境は容易に通過できる。中米諸国間の交流が頻繁である証左として、グアテマラ市中でもエルサルバドルのナンバープレートを付けた自動車を頻繁に見かける。

グアテマラとの国境

しかし、中米諸国間で、人、物、サービスの移動が容易になり、その数と量が大きくなるにつれて増加しているのが、麻薬（コカイン）の密輸である。

コカインはペルーやボリビアで栽培されるコカの葉をコロンビアに運び、そこで精製されて世界中に輸出される。コロンビアで精製されるコカインの量は、国連によると２０１９年１１７３トン、密輸出されているコカインの輸出額は一説には30億ドルとも、70億ドルともいわれている。同国からはあらゆる方法で主要なコカイン市場である米国とヨーロッパ市場に密輸されている。その方法は、ヘリコプターや飛行機を使って中米諸国に輸送され、そこから米国に密輸される方法、太平洋に漁船で運び、洋上で取り引きをする方法、陸路のトラックのコンテナの上の波状の溝にコカインの袋を詰め込む方法など、ありとあらゆる方法が考えられている。最近では、麻薬マフィアたちはカリブ海で潜水艦を使ってコカインを運んでいる。コカインは中米諸国やカリブ海を経由するだけではない。コロンビアから南米のパラグアイやブラジルを経由して、最終市場に密輸される。

コロンビアで精製される毎年約1173トンのコカインのうち、約700トンが、エルサルバドルからグアテマラを通過しているのだ。そのルートは冒頭に書いた3本の国道である。エルサルバドルを経由してグアテマラに運ばれるコカインは、太平洋上ルート、太平洋岸陸路ルート、カリブ海経由ルート、ペテン県ルートで米国に運ばれている。麻薬密輸ルートが判明しているにもかかわらず、麻薬密輸取り締まりの成果が上がっていないのはなぜか。それは、グアテマラ治安当局の腐敗が激しく、また、モラルが低く、法律が未整備である、捜査機材が古いなどの理由がある。

この麻薬マフィアを強力に取り締まっているのは米国とメキシコである。米国は麻薬対策であるメリダ・イニシアティブによって、メキシコと中米諸国を支援し、軍事、警察の強化を支援している。具体的には、米国は麻薬密輸取り締まり用のヘリコプターの供与、警察官の訓練、武器管理と犯罪組織の取り締まり強化、中米諸国の治安当局間の情報交換への協力である。2006年から2012年までメキシコ大統領を務めたカルデロン元大統領が麻薬対策を強く推し進めた結果、メキシコの麻薬マフィアが触手を伸ばしたのが、治安維持能力の不十分なグアテマラである。エルサルバドルから流れ込むコカインをめぐり、グアテマラではロス・セタスと呼ばれるメキシコ麻薬マフィアが暗躍し、グアテマラの太平洋側の麻薬密輸の90％を支配するまでに勢力を伸ばしている。

では、グアテマラで麻薬密輸マフィアを組織しているのは誰か？　グアテマラでは2008年になって、急激に治安が悪化し、人口10万人当たりの殺人、誘拐の発生率は、それぞれ日本の47倍、25

倍を記録し、中南米でも最悪の治安状勢である。その治安悪化をもたらしているのが、「マラ・サルバトゥルチャ（Mara Salvatrucha 通称マラス）」と呼ばれるギャング団である。Maraはスペイン語のMarabunta（群衆、群れの意）に由来し、Truchaは「抜け目のない」の意味である。さしずめ「抜け目のないサルバドル人の群れ」とでも訳せよう。もともとロサンゼルスで生まれたこの犯罪組織は、殺人、麻薬密輸、強盗、傷害、誘拐を繰り返し、やがてホンジュラス人、グアテマラ人を仲間に入れて、いまや米国や中米諸国はもとより、カナダ、スペイン、イギリスにも悪名を馳せている。構成員数は10万人ともいわれている。彼らは身体にマラ・サルバトゥルチャのイニシアルであるＭＳを入れ墨し、１度ＭＳに加わると死なない限りは脱退できないという厳しい掟を守り、あらゆる悪事をはたらいているのである。マラスの構成員は、社会的にマージナルな貧困家庭の出身が多く、満足に学校も卒業していない。２００３年10月、エルサルバドルのフローレス大統領はマラス対策にはじめて乗り出し、以後の政権に引き継がれたが成果は上がっていない。貧富の格差、非識字率の高さといった社会格差が消えない限り、マラスも、マラスによる中米麻薬回廊もなくならないであろう。

１９８０年代から90年代にかけて、ラテンアメリカ諸国は軍事独裁政権や左翼政権から民主化を遂げた。これは大きな政治的進歩であり、高く評価されてよい。しかし、大統領を民主的に選出することになったものの、教育、保健医療サービス、土地所有、所得といった社会の細部はまだまだ民主化されておらず、大きな社会格差が存在する。とくに中米のエルサルバドル、グアテマラ、ホンジュラス、ニカラグアでは顕著である。この格差が解消されない限り、中米諸国においてはマラスが跋扈（ばっこ）し、中米麻薬回廊は存続するのではないか。

（上野　久）

33

プルデンシア・アヤラ
（1885～1936）

——★ラテンアメリカで最初に大統領選挙に立候補した女性★——

　１９３０年のこと、翌年1月に行われる大統領選挙にプルデンシア・アヤラが立候補した。女性である上に先住民、学歴なし、未婚の母という、何重もの差別と偏見を背負った人であったから、それは前代未聞の珍事で、新聞には彼女の先住民的容貌を揶揄した風刺画が掲載され、狂女と呼ばれて嘲笑の的となったことは想像に難くない。家父長制が色濃く残る１８８６年制定の当時の憲法は女性を完全に無視しており、訴訟や証言の権利もなく、子供を生むことと台所仕事だけがその役割とされていた。そんな常識に真っ向から挑戦し、戦う勇気の象徴として紳士だけに持つことが許される杖を握り、マチズモに凝り固まった公衆に立ち向かうプルデンシアの出現は、保守的な人々の神経を逆なでし、犯罪行為という者さえいた。

　だが当時第一級の知識人アルベルト・マスフェレールは自ら発行する新聞で、「彼女は時代を先取りし、女性も選挙で選ばれて高い地位に就く権利があるという、正義に基づく主張をしているのだ。彼女の選挙公約は単純明快かつ実践的で、他の真面目な候補者のそれと較べてもまったく引けを取らない」「我々は今、深刻な問題を突きつけられている。憲法を改正し

プルデンシア・アヤラ（1885〜1936）

て女性を市民として認めるか、あるいはこのまま長い昼寝をむさぼり続けるかのどちらかだ」と述べて彼女を擁護した。彼女が掲げた公約とは、女性に投票権を含む市民権を与えること、労働組合への支援と労働者の保護、公的教育の拡充、政治の透明性、公務員の清廉性、酒の消費と販売の制限、宗教の自由、非嫡出子の社会的認知などだ。

しかし一部では真剣な討議が行われたものの最高裁判所は、「法律は女性に市民権を認めていない以上、公職につくことはできない」として、立候補を退けた。だが彼女の挑戦は女性も公職に就く事を望み、その役割を果たす用意がある事を示す歴史的な事例となった。プルデンシアはその6年後に亡くなり、人々の記憶から消えていった。

1931年のその選挙は18年間も一族の間で政権をたらい回しにしてきたメレンデス＝キニョネス体制の終焉を告げる記念すべき自由選挙で、候補者は7人にも達した。選ばれたのは農業改革を主張し、女性や労働者から支持された民主派のアルトゥーロ・アラウホだったが、就任後9ケ月で副大統領マキシミリアーノ・エルナンデス将軍にクーデターで倒され、長い軍事政権が始まる。ようやく女性に投票権が与えられたのは20年後の1950年のことだ。

杖を持つプルデンシア・アヤラ

プルデンシア・アヤラは1885年、ソンソナテの先住民村ソンサカテで、アウレリア・アヤラを母として生まれた。父もメキシコ人先住民だ。大統領選挙に立候補した時、「私の母は銃を手にして独裁者エセタ大統領の軍と戦い、大佐の称号を授与された。祖国が危機にある時女性も戦った。正義ある戦いに参加することが女性の権利であるからには、同じように女性には選挙で選ばれて然るべき地位に就く権利もあるはずだ」と語り、母が独裁者を倒すために戦ったことを生涯の誇りとした（戦ったことは事実だが、大佐の称号を授与されたことは確認されていない）。

プルデンシア・アヤラ
帽子には国旗が刺繍されている

10歳で国内第2の都市サンタアナへ移り、コロンビア人女性が経営する学校に入るが、月謝を払えず2年で退学を余儀なくされる。12歳頃から未来を予見する『お告げ』の声を聞くようになったといい、サンタアナの地方紙のディレクターが彼女のことを『サンタアナの巫女』と呼んでその『お告げ』を新聞に掲載し始めた。１９１４年には、後に起こる米国の第一次世界大戦への参戦やドイツのカイゼルの失脚を予言した。他にもカード占いなどもしたが、本職は裁縫師で、それで生計をたて、未婚の母として男女の2児を育てた。

１９１３年（27歳）頃から当時盛んになり始めたフェミニズムや連邦主義に賛同する意見をエルサルバドルやグアテマラの新聞に発表し始める。その前年、米国のニカラグア侵攻が始まると、帝国主義に反対する中米の人々はそれに対抗するために5カ国が結束して戦おうと、１００年前の独立期に起こった連邦主義へと傾いていった。中でもエルサルバドルは伝統的に連邦主義志向の強い土地柄だ。他方、19世紀末から女性が教師をはじめ多様な分野へ進出するに従い、欧米の影響を受けたフェミニズム運動が活発となり、それと連邦主義が一体となった女性たちの活動が始まる。プルデンシアは新聞にその活動を鼓舞する意見を書き、あるいは機会あるごとに講演を行い、その運動の中で傑出した存在となる。そしてフェミニズム、反帝国主義、連邦主義を掲げ、文筆家、社会活動家、新聞報道と幅広い分野で活躍する中で、母親譲りの並外れた行動力も見せつけた。

REDENCION FEMENINA
Lanzara su Candidatura
Prudencia Ayala

Redención Femenina
Organo mensual político salvadoreño
COLABORADORES
DIRECTORA y REDACTORA PRUDENCIA AYALA
EDITORIAL
Programa de Gobierno

左：プルデンシア・アヤラが発刊した新聞　Redención Femenina（女性の救済）
右：選挙公約を掲載した Redención Femenina（女性の救済）

１９１９年のこと、ある市長を批判する記事を新聞に書いたため半年間投獄され、釈放されると今度は、若い友人で、やはり詩人・新聞記者のロサ・アメリア・グスマンを伴いグアテマラへ行く。連邦主義に対する人々の考えを知るためだ（ロサは後に前述のアラウホ元大統領の再婚相手となり、夫と共に精力的な政治活動を行った。女性投票権の獲得にも尽力し、１９５０年に初めて選出された３人の女性国会議員の１人となる）。

だがグアテマラの首都に着くや、20年来政権を握ってきた同国の独裁者エストラダ・カブレラ大統領により、彼を倒すクーデター計画に加わったとして、２人とも投獄される。33日間の厳しい獄中生活のあと、追放されて帰国するとすぐにこの時の体験を基に『Escible（知らせるべきこと）』（１９１９）を著し、続いて『不死、狂女の愛』（１９２５）、『文学のピエロの戦い』（１９２８）などの作品を上梓した。また１９２０年代の終わりには自ら新聞を発行して、女性の権利を主張し、あるいはニカラグアの革命家サンディーノを支持して米国のニカラグア介入を批判するなど、自身の政治的信条を発信した。1936年に51歳で亡くなるが、その前年にもマルティネス大統領に政治犯の釈放を求める公開状を新聞に掲載するなど最後まで政治への情熱を失わなかった。裁縫師として働きながら2児を育て、全くの独学でいかにしてこのような域にまで達することができたのか、プルデンシアの人生には未だ解明されていない部分が多いが、20世紀初頭のエルサルバドル、特にサンタアナには、このような女性を輩出する文化的土壌が確かに存在したのだ。

1996年のこと、すでに高齢になっていた彼女の息子が博物館（MUPI：Museo de la Palabra y la Imagen）の女流作家展の中に母の写真を見つけて驚き、彼とその妹がプルデンシアの遺した新聞の切り抜き、写真など多くの品を保管していることを伝えた。彼はその1週間後に亡くなったが、この時偶然発見された資料によって歴史の中から蘇ったプルデンシアは女性の権利が主張され始めた今日、改めてエルサルバドルが誇るフェミニズム運動のパイオニアとして脚光を浴びている。プルデンシアは狂女の望遠鏡で覗いた未来の世界を手元に手繰り寄せようとしたかのようだ。

（伊藤滋子）

参考文献
Prudencia Ayala, Trasmallo 4: Carlos Henríquez Consalvi： Museo de la Palabra y la Imagen
Escible：Prudencia Ayala: AmateVos, Museo de la Palabra y la Imagen

コラム2

サルバドル女性の社会進出

伊藤滋子

女性の社会進出が始まったのは、中米連邦が崩壊し実証主義の刺激を受けた新しい世代の自由主義者たちが主導権を握った１８７０年代からだ。

最初の大学卒業者は１８８９年、土木工学を学んだアントニア・ナバロだった。惜しくも若くして亡くなったため何の功績も残せなかったが、女性の大学教育に先鞭をつけた。

サルディバル大統領の妻サラ・ゲラは大統領夫人となった１８７６年から１９１１年に亡くなるまで、赤十字の導入、女性のための職業訓練学校、孤児院、乳児院、救急病院、今なお存続する養老院などの創設に尽した。

１８９４年、プルデンシア・アヤラの母、アウレリア・アヤラや彼女と共に独裁者エセタの軍と戦った女性たちのことは、「我々の側には度を越えた身の挺し方をした氏名不詳の英雄的な女性たちがいた」と、半ば揶揄されながらも軍誌に記されている。

ビクトリア・マガーニャはサンタアナの名家の出で、欧米の新聞、雑誌を購読して女性の市民権についての論議や欧米のフェミニズム運動の動向をサンタアナの新聞に定期的に掲載し、また女性教育と経済的自立の必要性を説く著作を出版した。高名な弁護士であった夫は「進め！　戦え！　恐れるな！　平等の栄光を勝ち取るまで」という詩を捧げて、彼女の知的活動を全面的に支援し、同時代の知識人たちからも「中米のフェミニズム運動の先頭に立って頂きたい」と激励されている。またサンタアナの他の女流作家などと共に女性中米連邦委員会を結成して、連邦活動にも熱を注いだ。

テレサ・マスフェレールは高名な兄アルベルトの著書の編纂者として知られるが、彼女が自国の実情に合わせて書いた『衛生概念』は教科書として使われ、アルコール依存症や連邦主義など幅広いテーマで講演している。１９１２年、労働者のための夜間学校の校長を引き受け、あるいは労働者組合が始めた『人民大学』の活動にも参加し、知識人の集まりである『アテネオ』創設時の唯一の女性メンバーだった。

19世紀末、教育の普及と共に一挙に増えた女性教師が男女平等と市民権を求める運動を加速させた。20世紀初頭には女性誌が発刊され、当時盛んになってきたアメリカの女性投票権運動の進捗状況などを伝えた。また政府は印刷や製本などの新しい技術を教える女子技術学校、看護婦学校、芸術学校を創設し、多くの女性を労働市場に送り出した。同時期、都市部では教職員、印刷工、会社員、靴職人などの労働組合が続々と結成され、１９３０年には全国に78の組合があった。裁縫師組合のように女性だけの組合もあり、サンミゲルで創設された『女性改革者クラブ』は上層部の女性の組合で、サンタアナの『女性の未来』は芸術家、金融業、貸家業など、自立して働く女性であれば誰でも参加できた。

さらに自然発生的な団結もあった。１９２１

1922 年 12 月 25 日クリスマスの虐殺
逃げまどう白い服の女性たちを写した唯一の写真。道路の両側には男性たちが立ってデモを見物していた

デモで殺された女性たちの埋葬に参加する人々

年、政府が小額貨幣の流通を禁止しようとした際には、直接的に被害を受ける市場の物売りの女性たちが真っ先に抗議運動を起こした。そしてデモの先頭に立つ数人が官憲に殺されたことから、そこに学生や労働者が加わり大きな騒ぎとなる。女性の一部は議会に突入してとうとう審議を中止させてしまった。

またその翌年には『クリスマスの虐殺』と呼ばれる弾圧事件が起こる。長期にわたり政権を独占してきたメレンデス＝キニョネス一族の専横を阻止しようとしたあらゆる階層の女性たち6000人が、アメリカの女性選挙権運動をまねて白い服を着用し、首都の中心街で反政府の大統領候補を支持するデモを行った。クリスマスの日に合わせて行われたその平和的な行進の上に、武装した政府の私兵や警官隊が襲いかかったのだ。厳しい言論統制で国内では報道されず死者数は不明、選挙には政府側の思惑どおりキニョネス元大統領が勝利し事態が変わることはなかったが、この一件は強い危機感を抱いた政府をこのように過激な弾圧に走らせたほど、女性の力が無視できない存在になっていたことの証しであった。プルデンシア・アヤラは決して突如として現れた存在ではなかったのだ。

＊参考文献

El alborotador de Centroamérica : Héctor Lindo Fuentes: UCA Editores 2019

1921 El Salvador en el año del centenario de la independencia: Héctor Lindo Fuentes :Editorial Delgado 2021

34

活躍する女性たち

★どんな困難にも辛抱強く立ち向かう★

エルサルバドルで活躍する女性は大勢いる。そのなかでも、フネス大統領夫人のバンダ・ピニャトさんから始めることとしたい。

首都サンサルバドルの高級住宅地の一角、サンベニート地区にブラジル大使館がある。その門をくぐって右側にある建物が、ブラジル研究センターだ。この所長を長く務めた後、最初の外国人のプリメラ・ダマ（ファースト・レディ）となったのがバンダ・ピニャトさん（以下バンダさんと略す）である。大統領となったマウリシオ・フネス氏との出会いは、大使館で行われた文化行事であったという。

バンダさんはブラジル人で、1989年ブラジルの大学を卒業、ブラジル労働者党（PT）の創立者の1人となった。当時から今日までルーラ大統領と非常に親しく、ルーラ大統領の選挙運動などに活発に参加してきた。ブラジルで、エルサルバドルのファラブンド・マルティ民族解放戦線（FMLN）関係者との交流があり、93年以来、エルサルバドルに在住、2003年に大使館内のブラジル研究センターの所長となった。ここで、エルサルバドルでのポルトガル語の普及、ブラジルとの文化交流などに尽力した。その活動を推進するためジャーナリストとの付き合いが増え、そのなかでフネス氏との出会いがあった。

これは、2人の交際の始まりを意味しただけでなく、フネス大統領のブラジル・コネクションの始まりをも意味していた。バンダさんは、大統領選挙中、フネス氏の政治プランの企画に参加したのか、というブラジルのジャーナリストのインタビューの質問にはっきりとイエスと答えている。「とくに社会分野でのアドバイスを行って参加しました。これは、私の25年間を超えるブラジルとエルサルバドルでの政治活動の経験に基づくものです。私の提案で受け入れられたものの1つに『女性の町』（シウダー・ムヘール）計画があります。これは、女性のための職業訓練、マイクロクレジット、法律や健康上の相談などを行うことのできる大きなセンターを作る構想です」。また、大統領夫人として何をするつもりかとの質問には、「これまでのように、ブラジルとエルサルバドルの関係の強化に努めたい」と答えている（以上『フォーリャ・デ・サンパウロ』紙ウェブサイト版、09年3月18日）。

フネス氏とバンダさんの付き合いは長かったが、結婚したのは、フネス氏が大統領候補となる少し前であった。すぐに息子のガブリエル君が生まれる。また、２００８年10月にエルサルバドル国籍を取得した。バンダさんは、選挙運動中、あまり表に現れず内助の功に徹したが、フネス氏がベネズエラよりもブラジルとの関係を重視していることを印象づける意味で、バンダさんの存在は重要であったとの見方もある。大統領選挙で勝利した5日後の２００９年3月20日に、フネス氏はバンダさんとともに、ブラジル、サンパウロに飛び、ここでルーラ大統領と会談している。２人はサンパウロにまだ2歳のガブリエル君を預けていた。

バンダさんの構想シウダー・ムヘールは実現し、国際的にも注目されている。このプロジェクトを中心に、エルサルバドルの女性の地位の向上、社会問題の解決に尽力したことが高く評価されている。

活躍するエルサルバドル女性は多く、選ぶのが難しいほどである。アナ・ビルマ・デ・エスコバル元副大統領は、エルサルバドル初の女性副大統領としてサカ前大統領とともに活躍した。アメリカンスクールで学び、一時期そこで教えていたこともあって英語が堪能であり、また、社会保険庁長官を務めるなど、経済の分野にも通じ、副大統領として、米国をはじめ、欧州諸国などを頻繁に訪問、外国投資の誘致などに努めた。とくに、中米とドミニカ共和国の米国とのFTA（CAFTA）発効後は、米国市場に無税でアクセスできるエルサルバドルの投資先としての魅力をアピール、行動する副大統領として活躍した。その活動を2人の女性が支えた。エルサルバドル投資振興公社（PROESA）のパトリシア・フィゲロア長官と、ジョランダ・デ・ガビディア経済大臣である。後に、それぞれ、エルサルバドルの初代在インド大使、中米経済統合事務局（SIECA、中米統合機構傘下の専門機関）の事務局長として活躍している。いずれも英語に堪能であるだけでなく、ワシントンの国際機関のスタッフのような仕事振りで、周囲も忙しい。

この3人は、いわば経済外交でのエルサルバドルの顔であったが、本来の外交でも女性の活躍が目立つ。フローレス政権下の外務大臣は、マリア・エウヘニア・ブリスエラ・デ・アビラ氏で、当時、チリのアルベアル外相、コロンビアのバルコ外相と並び称せられ、優れた女性外相であった。サカ政権下では、フランシスコ・ライネス氏が外相に就任するが、その辞任後は、再び女性のマリソル・アリゲタ外相が誕生した。国連本部では、エルサルバドルのカルメン・マリア・ガジャルド国連大使が活躍、国会の外交委員長も女性のミレーナ・エスカロン・デ・カルデロン議員が務めた。

エルサルバドルは、決して豊かな国ではないが、さまざまな工夫をして開発に取り組んできた。その一部を担ったのも女性であった。内戦中、この国の教育、とくに小学校は、戦闘地域では、中央の教育省の予算も届かず、教員の派遣もできなかった。山岳地帯に多いこうした状況の村落では、次第に住民による学校の運営が行われるようになり、長く続いた内戦の間に定着していった。この、まさに、住民参加型、草の根型の学校運営のシステムを制度化したのがＥＤＵＣＯと呼ばれる制度であるが、90年代、それを推進したのは、当時の教育大臣、セシリア・ガジャルド氏であり、その右腕がダルリン・メサ氏である。ＥＤＵＣＯは世界銀行などに高く評価され、東京大学の澤田康幸教授らにより日本にも紹介されている。この住民参加型、草の根型の学校運営システムは、ＳＢＭ（School-based management）と呼ばれ、今日アフリカ諸国をはじめとする多くの途上国に広く普及するに至っている。

ガジャルドは、サカ政権下で、社会問題担当大統領補佐官となり、ミレニアム開発目標の推進、とくに最貧困層を救うための「連帯ネットワーク」（スペイン語でレッド・ソリダリア、第3章参照）の推進に尽力した。

一方、メサ氏は、世銀コンサルタントを務めた後、サカ政権下で教育大臣に就任し、教育は政治に左右されない国家としての目標を持たなければならないとして「教育２０２１計画」を推進し、そのなかで一貫制の技術教育学校メガテックを新しい制度として導入した。メガテックは、ラ・ウニオン港建設をはじめ東部地域開発に伴って生ずる新たな産業人材のニーズに対応するために計画された技術専門学校で、新たな制度のもと、技術系高校と短大の課程を一貫して学べるようにし、ややもすれば不足しがちな、中間技術者を中心とする産業人材を育て、東部地域の発展を支えることを目指している。日本は、ノンプロジェクト無償資金協力の見返り資金により、メガテック・ラ・ウニオン校の新築工事を支援するとともに（従来あった学校の校舎の補修等はエルサルバドル政府が負担）、ＪＩＣＡの技術協力により、同校の教育への支援を行った。エルサルバドル政府は、これをメガテック第1号とし、全国に広げ、各地のニーズにあった産業人材の育成を目指した。

エルサルバドルは、内戦後疲弊した各地で、その実情に応じた地域開発を進めていくことが重要な課題となったが、このために、カルデロン＝ソル大統領によって設立された国家開発委員会（ＣＮＤ）の活動を強いリーダーシップで推し進めたのが、サンドラ・デ・バラッサ氏であった。財界を代表するフランシスコ・デ・ソラ氏、保守派のダビッド・エスコバル・ガリンド学長、左派のロベルト・ルビオ氏、同じく、サルバドル・サマヨア氏らの委員や、事務局にあって東部担当のロベルト・トゥルシオ氏ら、この国の重鎮たちのさまざまな意見をよく調整するとともに、全国を常に回り市民との集会を開いて、その地方の開発のあり方についてのコンセンサスを形成するという非常に困難な仕事を、長年にわたり辛抱強く行ってきた。各委員や事務局のサポートも重要であったが、サンドラ・デ・バラッサ氏の指導力が求心力となったことは、多くの人が認めるところである。その活躍は、今、日本が中心になって進める東部地域開発、米国の進める北部地域開発に実を結んでいるといえる。

他にも紹介したい女性は多い。内戦後の難しい時期に国会議長を務めたグロリア・サルゲーロ氏、困難な学内事情から難しい舵取りの連続であった高齢のマリア・イサベル・ロドリゲス・エルサルバドル国立大学元学長（フネス政権における保健大臣）、1度はサカ政権の副大統領の可能性も取りざたされた党人派で庶民的なシルビア・アギラル元総務大臣、ビオレタ・メンヒバル・サンサルバドル前市長など多士済済である。これらの女性に共通しているのは、いずれも、困難をものともせず、それに真剣に、辛抱強く立ち向かう姿であり、それは、エルサルバドル国民、とくに女性の共感を呼んだ。エルサルバドル女性は、地位の違い、境遇の違いはあっても、総じてこのような性格は共通しているといえよう。

（ソニア・フイカ、細野昭雄）

35

コロナ禍のエルサルバドル

★ブケレ政権下の緊急事態対応の様子★

グローバル化が進む現代において、人の移動は次第に自由化され、世界を身近に感じる世の中となった。しかし、状況というものは良くも悪くも一瞬にして変わるということを我々は身をもって知らされた。移動の自由を奪われ、世界を遠くに感じることとなった新型コロナウイルスによるパンデミックが起きたためだ。この世界的混乱が起きた当初、エルサルバドルに滞在していた筆者の視点から当時の様子をお伝えしたい。

２０２０年3月上旬、世界では新型コロナウイルス感染者の増加が騒がれていたものの、エルサルバドルでは普段と変わらない日常が続いていた。しかし、3月11日、エルサルバドル在住外国人を除くすべての外国人の入国規制が発出され、事態は変わり始めた。3月17日には全飲食店の店内営業中止命令が発令、翌18日に国内初の感染者が確認され、日に日に状況は変化していった。当時は毎晩のように大統領府からのテレビ中継番組が放送され、ブケレ大統領が国内外の状況を伝えていた。その様子はフェイスブックでも同時中継され、国中が大統領の発言に注目していた。

3月19日、国内商業施設の営業停止命令が発令され、3月21

日にはいよいよ国内全土を対象に完全自宅待機命令が発令された。この発令により、普段耳にしていた生活音が街から消え、人気の無い不気味な日々が始まった。スマートフォンの上部には常に「自宅待機してください」や「マスクを使用してください」と表示され、政府からは毎朝自宅待機に関するメッセージやブケレ大統領のテレビ中継番組情報が送られてきていた。当時、何よりも恐ろしかったのは、エルサルバドル人であろうと外国人であろうと、完全自宅待機命令に違反した者は、街を巡回する警察に逮捕され、新型コロナウイルス感染隔離センターに収容されることであった。そのため、多くの人が毎日怯えながら恐る恐る外の様子をうかがって生活を続けていたように記憶している。唯一外出が認められていたのは、食材をはじめとする生活必需品の購入と薬局への薬剤購入に出かけること、そして訪問介護や看護士の出勤であった。当時、自宅に引きこもって生活をしていた筆者にとって、自家用車で自宅近くのスーパーマーケットに出かけることは最大の娯楽であり、ストレス発散方法であったため、スーパーマーケットが遊園地にさえ感じていた。

しかし、遊園地のアトラクションにはルールがあるように、買い物に行くにもルールが課されていた。そのルールとは、①各家庭代表1名のみ外出可、②自家用車での移動（自家用車のない家庭はタクシーを利用、タクシー運転手と家族の代表1名のみが乗車可）、③買い物リストの持参、④身分証の持参、⑤入店時の検温及び靴の裏と手のアルコール消毒、⑥買い物後のレシート持参（街中を巡回する警察に検問された際に買い物のための外出であったことを示す証拠として提示）などである。外出制限措置開始当初は、前述のルールのみであったが、後に食材購入のための外出日も制限され、身分証番号の下1桁の番号によって外出日が定められ、入店時には身分証の提示が求められた。しかし、外出日が制限される

国内経済活動が再開され入店のためにルールに従って列を作る女性たち（筆者撮影）

と、外出可能日を逃すまいと人が押し寄せたため、制限される前よりも店内は混雑を極めていった。

3月に発令された完全自宅待機命令は、度重なる延長を繰り返し、6月14日に漸く解除され、政府による経済活動段階的再開プランが発表された。しかし、この再開プランの第1フェーズは完全自宅待機命令とほとんど変わらない内容であり、加えて、感染者が再度増加したため、同フェーズの対象期間は無期限となってしまい、またもや出口の見えない生活を強いられた。完全自宅待機命令解除から2か月が経過した8月24日、待ちに待った国内経済活動の再開が発表された。9月4日にはエルサルバドル国際空港でのトランジット利用が再開され、9月19日には約半年ぶりとなる商用便の運行が再開、2日後にはグアテマラ国境4か所及びホンジュラス国境2か所が開放され、徐々に日常が戻っていくのを肌で感じていた。

当時の国民の様子はどうだったかというと、完全自宅待機命令に違反したことで感染隔離センターに収容された人もいたが、全体的には老若男女問わず皆政府からの命令を忠実に守っていた。パンデミックに対する政府の対応については、迅速な措置を講じたと評する者もいれば、完全自宅待機命令期間にSNS上で同命令に反対するデモの実施を呼びかけ、数日間だけ毎晩8時になると、自動車のクラクションを数分間鳴らし続ける者もいた。

2019年6月に発足したばかりであったブケレ政権は、前述のような措置の他、緊急経済政策も打ち出し、それを受け国会は政府に対して緊急時の景気回復及び経済復興資金20億ドルと企業救済に向けた経済措置10億ドルの借入権限を承認した。政府はこの借入に向けて、世界銀行やIMF（国際通貨基金）、IDB（米州開発銀行）、BCIE（中米経済統合銀行）等からの資金調達にも力を入れ、国会承認プロセスを急ピッチに進めようとしていた。

日本との関係で言えば、2015年に署名済みの「災害復旧スタンド・バイ円借款」50億円を予算に組み込む予算改正法案が2020年4月に国会で承認され、新型コロナウイルス専門病院となる国内最大の「エルサルバドル病院」の緊急整備に充てられた。このエルサルバドル病院は、1965年に建設され、国際見本市や様々な展覧会の開催に使用され国民に親しまれてきたCIFCO（国際見本市コンベンションセンター）の建物を使用して設備を整えるものであった。他方で、オンライン授業が進められた学校教育に関しては、他国と同様に課題が残されていた。ネットワークアクセスの有無や通信量の問題等による教育格差が表面化され、国内主要紙は子どもたちの教育格差への懸念やネットワークを求めて木に登って授業を受ける子どもが存在することについて報じていた。

世界大会も開催されるほどサーフィンの地として有名なエルサルバドル。政府は、さらなる観光客を呼び込もうと「サーフシティ計画」を推し進めようとしたが、その矢先に新型コロナウイルスが脅威をもたらした。ポスト・パンデミックとなった今、如何にして甚大なコロナ禍の影響から回復していくのか注目したい。

（八角　香）

（本記載内容はすべて筆者自身の観点に基づく私見であり、外務省・日本国大使館の意見を代表するものではない。）

本章は、２０２１年7月31日付、日本ラテンアメリカ学会会報Ｎｏ・１３５の一部を編集したものである。

36

エルサルバドルの若者の姿

★ギャングに生きる若者と米国に生きる若者★

エルサルバドルと聞くと真っ先に何を思い浮かべるだろうか。おそらくその国名を知る人の多くが危険な国として認識しているだろう。では、なぜ危険なのか。それはギャング関連の殺人発生数が多く、治安の悪い国として知られているからだ。そのギャング集団として有名なのが米国にルーツをもつ「マラス（ＭＡＲＡＳ）」であり、２０１５年にはエルサルバドル最高裁判所によって、テロ組織として指定されている。マラスは、エルサルバドルの若者を語る上で避けられない存在だ。

現在はブケレ政権によるギャング取り締まりが強化されたため構成員は減少しているものの、２０２２年時点のエルサルバドルでは、人口約６３４万人に対し、国内のマラス構成員が約７万人と言われていたことから、90人に１人、人口の約１％の国民がマラスのメンバーであったと言える。その内、マラスに加入する年齢層は、11歳から25歳が大半を占めると言われ、彼らは若くして犯罪に手を染める。エルサルバドルの代表的なマラスは「ＭＳ－13（マラ・サルバトゥルーチャ）」、「18Ｒ（レボルシオナリオス）」、「18Ｓ（スレーニョス）」であり、これらの中にもさらに小グループが構成されている。そのほか「マオ・マオ」や

「ミラダ・ロカ」、「マラ・マキナ」といった土着の犯罪組織も存在する。
マラスによる犯罪の主な例としては、「みかじめ料」の徴収が挙げられる。これは、各組織が縄張りとして占拠する地域の商店や路線バス及び個人に、用心棒料や通行料を支払わせる恐喝行為だ。そして、犯罪を通じて得た資金をマネーロンダリングしている。さらに、青少年をマラスメンバーに引き込むリクルートを行っているが、拒否した者を殺害するケースもある。国内の報道によれば、最近ではSNSを活用してメキシコやグアテマラ、ホンジュラス等の犯罪組織に対する国境を越えた犯罪指示を行うなど、その手口は多様化している。

また、近年は殺人件数よりも行方不明者数の増加が問題視されている。そして、その失踪理由にもマラスが関与していることが多い。マラスの暴力から逃れるために自ら失踪する者も少なくなく、特に多いのは30歳以下の男性だ。そうした状況から、エルサルバドル検察庁は2013年に「Alerta Angel Desaparecido（行方不明の天使の警報）」という未成年の行方不明者捜索を目的としたポータルサイトを開設し、フリーダイヤルを通じて捜索願を常時受け付けている。

だが、このような措置も虚しく、行方不明者問題は解決するどころか、人権団体から政府の対応に疑問が投げかけられている。UCA（中米大学）の人権監視センター（OUDH）は、政府による行方不明者の失踪件数や捜索状況に関する報告に不可解な点があり、信憑性がないことを指摘している。また国内メディアは、ブケレ政権が現在実施している取組「ギャングとの戦い（Guerra Contra las Pandillas）」によってギャングとして刑務所に収容された若者の情報を政府がその家族に伝えていないため、家族が捜索願を提出し、行方不明者として数えられている可能性があると報じている。こうした政府の対応を見ても、実際には行方不明者や死者が報告数を上回ることは容易に想像でき、若者たちは危険に晒された環境にあると言える。

他方、そんなエルサルバドル国内の若者の状況とは対照的に、米国に居住するエルサルバドル人の若者が多く存在することも見過ごしてはならない。

エルサルバドル人米国居住者の中には、DACA（若年移民に対する国外強制退去の延期措置）またはTPS（一時的被保護資格）と呼ばれる資格を持って暮らしている人たちがいる。DACAとは、2012年に米国で導入された、幼少期に不法に米国へやってきた移住者に対する当面2年間の強制送還を猶予する措置であり、対象者は米国で「ドリーマー」と呼ばれている。彼らの中にはマラスの脅威から逃れるために国境を渡った者もいる。一方、TPSは、自国での自然災害や戦争を理由に一時的に米国での居住と就労資格を与える措置だ。アフガニスタン、ホンジュラス、ニカラグア、ネパール等、現在TPSの付与が認められている国は16か国に上る。エルサルバドルは、TPSを付与された最初の国であり、内戦時に米国に退避してきた移住者たちに対して1990年に初めて付与された。1992年に1度TPSの期限が切れたが、内戦後もエルサルバドル国内の状況は不安定であったため、1995年を期限として退去が免除された。その後も、1998年に中米を襲ったハリケーン・ミッチや、追い打ちをかけるように2001年にエルサルバドルで発生した2つの大地震を理由に度々退去が一時停止され、米国政府は、地震の被害に遭ったエルサルバドル人に対してもTPSを与えた。

その後も今日に至るまで何度も資格期限の延長を繰り返しており、エルサルバドル人TPS保持者

地方で開催された桃祭りで伝統舞踊を踊る若者たち（筆者撮影）

に関しては、２０２３年６月に施された期限延長により、現時点では手続き次第で２０２５年３月９日までＴＰＳ資格が有効とされている。米国は、２０２３年時点でエルサルバドル人のＤＡＣＡ保持者は2万２５６０人、ＴＰＳ保持者は約23万９０００人いると報告している。これらの資格を幼少期に取得し、米国で成人した若者たちの中には、米国人と結婚して安定した滞在ステータスの取得を目指す人たちや、米国で子どもを出産し、育てている人もいる。彼らやその子どもたちは、ルーツに戻ることよりも生活の安定や選択の幅を優先し、米国でマイノリティとして生きている。

このように、エルサルバドル国内、そして米国に居住する若者たちは、複雑な社会状況の中で生きていると言っても過言ではないものの、筆者が滞在した2年間の肌感覚としては、エルサルバドル人の若者たちは非常に真面目で優しい印象を受けた。ビーチに足を運べば、サーフィンに打ち込む若者やゴミ拾いに専念する若者がいた。街に赴けば、熱心に仕事に打ち込む若者が多く、皆非常に働き者であった。またエルサルバドルといえばコーヒーが特産品だが、カフェには若きバリスタがいて、次世代のコーヒー業界を盛り上げている。さらに治安があまりよくない地域の青少年の健全な育成を目的に創設されたドン・ボスコ青少年交響楽団が存在し、音楽活動に励んでいる。社会的に脆弱な若者を研究してきた筆者にとって、これらは希望が持てる発見であり、一口にエルサルバドルの若者は「こんな人たち」とは言い切れないのだ。

（八角　香）

（本記載内容はすべて筆者自身の観点に基づく私見であり、外務省・日本国大使館の意見を代表するものではない。）

＊参考文献

外務省　海外安全ホームページ
http://www.anzen.mofa.go.jp/m/mbcrimesituation_244.html
https://www.anzen.mofa.go.jp/info/pcterror_244.html
米国移民局　エルサルバドルＴＰＳ情報
https://www.uscis.gov/es/programas-humanitarios/estatus-de-proteccion-temporal/pais-designado-al-estatus-de-proteccion-temporal-el-salvador
米国移民局　ＴＰＳ詳細情報
https://www.uscis.gov/es/programas-humanitarios/estatus-de-proteccion-temporal
米国移民局　ＤＡＣＡ保持者数　２０２３年３月31日　https://www.uscis.gov/sites/default/files/document/data/Active_DACA_Recipients_March_FY23_qtr2.pdf

37

移民キャラバンのその先に

★移民が見つめる故郷エルサルバドル★

トランプの壁。アメリカのトランプ前大統領が在任中、不法移民の流入を防ぐため、メキシコとの国境沿いに建設した壁のことだ。念頭に置いていたのは、アメリカを目指す移民たちの集団「移民キャラバン」。日本のニュースでも頻繁に映像が流れたので、覚えている人も多いだろう。このキャラバンにはグアテマラ、ホンジュラス、エルサルバドルのいわゆる中米北部三角地帯の出身者が多く加わっていた。

アメリカの政権が変わり、壁の建設が一時中止されたことで、移民の流れは加速している。アメリカとメキシコの国境では近年、年間約10万人のエルサルバドル人の不法移民が拘束されている。これは1日あたりにすると約270人であり、その多さに驚かされる。

エルサルバドルは移民の一大送り出し国である。国内の人口は約630万人。これに対して、国外に住むエルサルバドル人は250万人を超える。そのうちおよそ9割がアメリカに住む。なお、この数はエルサルバドル政府が把握している数字であり、実際にはもっと多いと外務省の担当者も認めている。

移民発生の原因は様々だが、主なものでは治安や失業、貧困があげられる。中米地域に跋扈するギャングに身の危険を感じる人たち。満足な職にありつけず、家族を養えない人たち。そうした人々が覚悟を決めてアメリカを目指す道中、ギャングに襲われたり、川で溺れたりして命を落とすケースは多い。もちろん、国境警備隊などに身柄を拘束され、強制送還される人は多数いる。

一方で、アメリカなどに渡った移民から送られる送金がエルサルバドルの経済を支えているのも事実である。２０２２年は送金額が77億ドルにのぼり、ＧＤＰの2割以上を占めた。

移民の主な発生地は内戦の被害が大きかったエルサルバドルの東部である。東部の村を訪れると、多くの世帯で家族もしくは親戚の誰かがアメリカへ移民しており、そこからの送金を一家の重要な収入源として頼っている構図がみられる。東部ラ・ウニオン県の海岸沿いの街インティプカは特に移民送金の街として有名だ。街の中心の広場には移民をかたどった銅像もある。通りを歩けば、粗末な家々の間に突如として豪邸が現れる光景を目にする。送金を活用して建てられたとみられる。

出稼ぎ先からの送金は通常、郷里に残してきた家族や親戚に送られるものだが、アメリカからエルサルバドルへの送金の中には、「コミュニティ送金」と呼ばれるものが存在する。これは、家族ではなく、地元のコミュニティに送金し、インフラや教育の改善などに充てて街全体の発展を図ろうというものである。

このコミュニティ送金は、アメリカに住むエルサルバドル移民のグループによってそれぞれの地元に送られている。メンバーが資金を持ち寄って送金するケースもあれば、お祭りやイベントを開き、そこで得た資金を送金するケースもある。

ワシントン D.C. での移民グループとの会合。前列左端が筆者。

一方で、仮に送金を行っても地元の市長の交代で事業が止まってしまったり、建設した学校や診療所に肝心の教師や医師が派遣されてこなかったりと、事業の持続性や実効性に課題を抱えているグループも多い。

多くの場合、問題になるのは資金の受け皿だ。受け皿がしっかりしていないと、実現性の乏しい計画が立ち上がり、せっかくのコミュニティ送金をふいにしてしまう。そこで、国際協力機構（ＪＩＣＡ）は、責任ある受け皿となるようなエルサルバドル国内の団体と移民グループとのマッチングを図ることにした。ＪＩＣＡはエルサルバドルにおいて半世紀以上にわたって活動を行っており、そのネットワークや経験を活かせると考えたからだ。

声をかけたのは、安定した事業基盤を持ち、活動の成果がしっかりと出ている3つのＮＧＯ。２０２３年2月、筆者はこの3つのＮＧＯとともにアメリカのワシントンＤ．Ｃ．へ飛んだ。ワシントンＤ．Ｃ．はロサンゼルスやニューヨーク、ヒューストンと並んで、エルサルバドル移民の多い地域である。５日間の訪問で約60人のエルサルバドル移民に会うことができた。

アメリカに住むエルサルバドル移民の特徴は、「エルサルバドル

表 37　在米移民グループの活動

分野	活動実績、または活動計画
教育	学校建設、教育用品支給、英語教育、奨学金
人材育成	職業訓練センター建設、女性の起業支援、金融包摂
スポーツ	サッカー場整備、サッカー大会、マラソン大会
社会開発	食料支援、診療所建設、医療機器送付、公園整備、有機農業
インフラ	街路舗装、水道敷設、橋梁建設
環境	マングローブ林保全

人会」というような1つの大きな組織をつくっているわけではなく、故郷の街ごとに組織化していることだ。その組織単位は県や市よりもさらに小さいコミュニティ単位であることが多い。日本に置き換えるなら、ワシントンD.C.に、浅草会や下北沢会、はたまた築地会があるようなイメージだ。まさに星の数ほどのエルサルバドル人グループがアメリカに存在すると言っても過言ではない。

各グループと行った会合では、コミュニティ送金を使った活動実績や今後実施していきたい活動内容が紹介された。主なものを表にまとめた。移民グループの活動を概観できることと思う。

それぞれのグループとの会合を通じて感じたのは、彼らの地元への強い思いだった。アメリカである程度の成功を収め、安定した生活を送るようになった一方、昔と変わらぬ故郷の貧しさに心を痛めていた。アメリカでの滞在が数十年に及び、すでに生活の根を張った人も多かったが、故郷の発展を思う気持ちは変わらなかった。

こうしたエルサルバドル移民の思いを活かそうという動きは政府内にもある。エルサルバドル外務省は新たに移民開発局という部署を設け、その活力や資金を取り込もうとしている。移民開発局の職員は、外国に住む移民への対応がこれまで政府としておざなりになっていたことを認めたうえで、「失った移民の信頼を取り戻したい」と意気込む。アメリカをはじめ、移民が多い地域に立地する領事館には、移民との窓口となる新たなポストも設けられた。

アメリカに住む、あるエルサルバドル移民が言っていた言葉だ。「アメリカを目指して命がけの国境越えをしたり、ようやく到着したアメリカで貧困にあえいだりする同胞をいくらも見てきた。エルサルバドルが発展し、まともな働き口があれば、なにも家族と離れ、不法移民になる必要もない。もう移民しなくてもいい、そんな社会をエルサルバドルに作り上げたい」。

移民の思いが実を結ぶ日は来るだろうか。

（横山浩士）

38

ブケレ大統領のギャングとの闘い

★エルサルバドル治安改善の背景★

エルサルバドルに住んで3年となるが、最近中南米を旅行していて「エルサルバドルから来た」と言うと、必ずと言っていいほど口にされることがある。ブケレ大統領の名前だ。「エルサルバドルと言えばブケレの国だな」という具合に。そして必ずと言っていいほど、こう続くのだ。「私の国でもあんな大統領がいればいいのに」。

ブケレ大統領ほど、その名を世界に知られたエルサルバドル人はかつていなかったのではないだろうか。当初はビットコインを世界で初めて法定通貨に導入したという印象が強かったが、今ではギャングとの闘いに挑む指導者としてもっぱら名が通っている。

エルサルバドルには「マラス」と呼ばれるギャング集団が存在する。薬物密輸やいわゆるみかじめ料の徴収などで資金を得るとともに、敵対するギャングや警察への密告者などを容赦なく殺害する凶悪犯罪者の集まりである。

マラスの起源は、1980年代にアメリカのロサンゼルスで、エルサルバドル移民を親に持つ少年たちがつくったグループであったとされる。同じロサンゼルス市内に存在していたメキシコ人グループなどに対抗するため、組織されたと言われるが、エルサルバドルの内戦終了後、彼らが強制送還されるなどしてエルサルバドルに帰国し、地元にいた不良グループにリーダーとして迎えられることとなった。こうして、エルサルバドル各地の不良グループは凶悪な犯罪者集団「マラス」へと変貌を遂げていく。

現在はMS－13とBarrio18という二大グループが存在するほか、複数のより小規模なグループもある。構成員はあわせて7万人前後とみられており、国内の広い範囲に支配地を確立してきた。そのネットワークはエルサルバドルだけでなく、近隣の中米諸国、さらにはアメリカにまで及んでいる。マラスの支配する地域では、男子は14歳前後になると、グループへのリクルートが行われる。これを断ることは許されない。また、一旦グループに入ると、それを抜けることは死を意味する。マラスから逃れるため、家族で陸路アメリカを目指す例は後を絶たないが、マラスのネットワークは中米一帯に及んでおり、逃避行はまさに命がけとなる。

これらマラスが犯す犯罪により、エルサルバドルは人口あたりの殺人発生率が2015年から2018年まで世界ワースト1位であった。エルサルバドルは文字通り「世界一危険な国」として認知されてきたし、それが外国からの投資や観光を阻害する大きな要因になってきた。

政治も手をこまねいていたわけではない。政権が立ち上がるたび、マラス撲滅作戦が実施されてきた。しかし、政権とマラスとの間の裏取引が明るみに出るなど、大きな成果を挙げることはなかった。ブケレ大統領も就任後、「犯罪地域コントロール計画」と称する作戦を打ち出し、マラス対策に力を入れてきた。効果は徐々に出ていたが、政権高官と収監中のMS－13幹部との裏交渉が一部で報道されるなど、政権の本気度を疑う向きもあった。

しかし、2022年3月に状況は一変する。エルサルバドル全土で突然、殺人事件が同時多発的に発生したのだ。特に3月26日は1日で62人が殺害され、内戦終結以降、エルサルバドルで最も血塗られた日となった。マラスとしては治安を急激に悪化させることで政権に圧力を加えようとしたとみられるが、事は彼らの思い通りには運ばなかった。ブケレ政権は翌27日、例外措置体制の全土での導入を決めた。これは、マラスを撲滅するため、憲法で規定された市民の権利を一部停止するもので、逮捕状なしでの身柄拘束や当局による通信の傍受などが認められ、捜査機関が大幅にその権限を拡大することとなった。

その後、警察と軍を動員し、マラスメンバーを片っ端から拘束する一大作戦が開始された。筆者も、若い男性が公道で下着1枚の姿にさせられ、重装備の警察官に後ろ手で尋問を受けている様子を見かけたことがある。さらに、マラスの根拠地とされる地域では街全体を警察と軍が包囲し、すべての人の出入りをチェックする態勢が敷かれた。

この作戦により、例外措置体制の開始から1年半の間に7万人以上が拘束された。これは人口の1%を超える異様な数字である。当然既存の収容施設では足りず、首都から45キロの場所に「中南米最大」と称する4万人収容の刑務所を突貫工事の末、完成させた。通常であれば、刑務所の開設はなにもアピールするようなことではなく、むしろ負の部分とみられがちだが、ブケレ大統領はこれを大々的に取り上げ、完成したばかりの刑務所を自らが訪問する様子を国内の各テレビ局に生中継させた。

完成した巨大刑務所を訪れるブケレ大統領（写真中央）と政権高官

こうした取り組みが奏功し、エルサルバドルの殺人件数は激減することとなった。ブケレ大統領が就任する前年2018年の1日あたり平均殺人件数は9・2件であったが、2023年は6月までの上半期で1日当たり0・4件となった。市井は治安の大幅な改善を実感する声であふれている。これまで長くマラスが支配していた地域が解放され、自由に立ち入ることができるようになったほか、みかじめ料を払わなくても商売をすることができるようになった。以前は治安の悪さで知られた首都サンサルバドルの旧市街も、今では観光客を呼べるまでに様変わりした。筆者自身も旧市街を訪れ、市民が集うセントロの広場や美しいステンドグラスで有名なロサリオ教会などを見て回ったが、週末のひとときを謳歌する人々の自由な雰囲気にあふれていた。これに呼応する形で、大統領の支持率は極めて高いレベルを保っており、就任から4年が経ってもなお90％に達している。

一方で、批判も出ている。市民団体は、恣意的な身柄拘束が起きている可能性があり、マラスと無関係の人々が多数拘束されているおそれがあるとしている。また、収容施設の中で虐待が行われているという証言もある。身柄を拘束されている人の家族による、解放を求める運動も始まった。

焦点は今後の動きだ。政権側は「マラスメンバーが1人残らずいなくなるまで作戦を続ける」と強気だ。一方のマラスもこのまま組織が崩壊していくのをただ見ていることはないように思える。一部のメンバーはグアテマラやベリーズなどの国外に逃亡しており、MS－13やBarrio18が国外の勢力とともに反撃に出れば、再び治安が極度に悪化するおそれもある。

いずれにしろ、エルサルバドルの治安状況の推移はエルサルバドルのみならず、同様に麻薬組織やギャングの暗躍に苦しむ多くの中南米の国から、かつてない注目を集めており、今後の中南米の治安対策の試金石となることは間違いないだろう。「私の国でもあんな大統領がいればいいのに」――ブケレ大統領が羨望の眼差しで見られる日々がいつまで続くのか、それはひとえにギャングとの闘いの行方にかかっている。

（横山浩士）

IV

歴史と自然環境

39

エルサルバドル共和国の誕生

★独立、中米連邦、そして共和国へ★

19世紀初頭、南米大陸ではボリーバルやサンマルティンが、そして北米大陸のメキシコではイダルゴやモレロスが、約300年もこれらの地域を植民地としてきたスペインに対して苛烈な独立戦争を展開していた。この混乱するラテンアメリカにありながら、エルサルバドルを含む中米のグアテマラ総監領（メキシコ南部からパナマ西部までの中米地域を統轄するスペインの植民地）では、不思議なことにほとんど戦闘がみられなかった。周辺諸国と比べて政治経済的に脆弱（ぜいじゃく）で領土も小さい中米では、保守的なエリート層がスペインから独立するよりもその植民地内にとどまることを望んでいたのである。それにもかかわらず、1821年に中米諸国が独立を宣言したのは、同年に独立を勝ちとった隣国メキシコとの関係悪化を恐れたためであった。

このように独立の気運に乏しい中米にありながら、サンサルバドルでは例外的に住民による自覚的な独立運動が見られた。この都市はグアテマラ総監領時代から首府グアテマラ市について政治的に重要であり、18世紀以降は周辺部におけるインディゴ（藍）生産の利益を独占して経済的にも繁栄した。サンサルバドルのエリート層は、中米の支配者として君臨したグアテマラ市のエリート層に対する反発を強めていき、それが彼らの原初的な主権意識へと結びついていたのである。ニカラグアのレオンとグラナダ、またホンジュラスのテグシガルパでも小規模の独立運動は見られたが、サンサルバドルのエリートが示した独立への意志はそれらをしのぐ頑強さであった。

１８２２年、中米全体のメキシコへの併合が決定され、エルサルバドルの他都市もこれに同意したときでさえ、唯一サンサルバドルはこれに抵抗した。サンサルバドルは、スペインはもとより、グアテマラやメキシコの影響からも完全に独立することを望んだのである。当時のエルサルバドルで最も尊敬される聖職者（のちに司教）にして傑出した政治家であり、サンサルバドル知事も務めていたホセ＝マティアス・デルガドの指揮のもと、サンサルバドル軍は一時メキシコへの併合を強いるグアテマラ軍を撃破した。最終的には強大なメキシコ軍に屈したものの、メキシコ軍のフィリソラ将軍を説得して停戦に持ち込んだり、ワシントン市に使節を派遣してエルサルバドルのアメリカ合衆国への併合を要請したデルガドの外交は、スケールの大きい豪胆なものであった。

政変に揺れるメキシコから中米諸国がふたたび離脱し、米国にならって中米（グアテマラ、エルサルバドル、ホンジュラス、ニカラグア、コスタリカの５カ国）を１つに統合する中米連邦共和国の構想が持ち上がると、サンサルバドルのエリート層は一転してこれを支持するようになった。彼らは積年のライバルであるグアテマラ市への権力集中を警戒しながらも、みずからの影響力を全連邦に拡大することを狙ったのである。初代の連邦大統領としてエルサルバドル出身のマヌエル＝ホセ・アルセが選出されたことも、彼らを熱狂させた。やがてアルセは失政を重ねて政権から追われることになったが、ホンジュラス出身のフランシスコ・モラサンが新たな連邦大統領になった後も、１８３４年に連邦の首都がグアテマラ市からサンサルバドルに移されたことが物語るように、エルサルバドルは最後まで中米連邦を維持しようと努めた。

結局のところ中米連邦は、連邦政府による中央集権的な政策の是非をめぐって引き起こされた内紛などにより、１８４０年までに完全に崩壊した。その翌年にエルサルバドルは1つの国家として再独立したが、ほかの中米諸国と同じように、その後も中米連邦の幻影にとらわれ続けることになる。１８５１年、グアテマラの介入によって失敗に終わったとはいえ、ドロテオ・バスコンセロス大統領がホンジュラスやニカラグアとともに連邦の復活を目論んだことはその一例である。１８５９年、エルサルバドルは正式に共和国を宣言したが、その後も2度にわたってグアテマラやニカラグアを中心とする新たな連邦復活構想に同意したことからもわかるように、当時のサルバドル人にとって母国とは「エルサルバドル」と「中米」の間で揺れる不明確な概念であった。当時のエルサルバドル共和国旗が、中米連邦のモデルであったアメリカの星条旗を模倣していたこともこれを象徴している。

エルサルバドル国民意識が少しずつ人びとに普及していったのは、１８７０年代後半以降のことである。ラファエル・サルディバル以降の「自由主義者」を自称する大統領たちは、政治の中央集権化とコーヒー経済の発展を第1目的とした強権的な近代化政策を実施し、その変化を人びとが進んで受け入れるようにエルサルバドル共和国への愛国心を高めようとしたのである。国旗、国歌、国民的英雄などの国民シンボルが神聖化され、本格的に国民史が執筆されるのもこのころであるが、実際には近隣の中米諸国民と異なる具体的なエルサルバドル国民イメージは打ち出されないままだった。

それどころか、多くの農民や職人はこの「改革」によって土地を失ったり、さらなる貧困に苦しむようになったため、彼らによる反政府運動が高まっていった。これを抑えるために政府側も軍部や警察を強化した結果、この時期のエルサルバドル社会は愛国的ナショナリズムのもとでの統合からむしろ遠ざかってしまう。それでも長期的に見ると、国民概念を掲げて近代化を進める国家とこれに反対する農民や職人が衝突をくり返すなかで、しだいにエルサルバドル国民意識が醸成されていくことになる。サルバドル人の自国民イメージはその立場によってさまざまであるが、一般には中米で最も人種・民族的に同質化の進んだ、がまん強く勤勉な国民と認識されているようである。

ちなみに現在のエルサルバドル共和国旗は1912年に採用されたものであるが、そのデザインにはまだ中米連邦時代のなごりが見られる。青（空を象徴）と白（平和や協調を象徴）の横じまは中米連邦旗から継承されたものであり、中央部に配置された国章もエルサルバドル国民の独自性を表象するものではなく、ほかの中米4カ国との仲間意識や歴史的一体性を強く感じさせる。国章を囲むように刻まれた「中米のエルサルバドル共和国」の文字や、中米5カ国を意味する5つの山や旗は、かつてどの国よりも中米連邦の結束を望んだサルバドル人の思いを象徴するかのようである。

（小澤卓也）

＊参考文献
小澤卓也「なぜ中央アメリカ連邦は崩壊したか」『立命館文学』558号、1999年
小澤卓也『先住民と国民国家――中央アメリカのグローバルヒストリー』有志舎、2007年
Pérez, Héctor, *Breve Historia de Centroamérica*, Alianza Editorial, 1985.
Pérez, Héctor (editor), *Historia General de Centroamérica*, tomo.III, Sociedad Estatal Quinto Centenario y FLACSO, 1993.

40

コーヒー共和国

★少数の大富豪と大多数の極貧農民という社会★

エルサルバドルという国は、コーヒー生産とその輸出に大きく影響されているといってよいであろう。1960年代から輸入代替工業化がスタートした。その後は対米国向けの繊維・縫製品のマキラドーラ（輸出向け加工業）からの輸出が増え、重要な産業になっている。しかしコーヒーは現在でこそもっぱら国際価格の下落などで、総輸出額のわずかに数パーセントを占めるだけに衰退してしまったが、かつては輸出の花形で、最大の輸出産品であった。工業化の進んでいなかった1940〜50年代には、総輸出額の80％を占めていた。80年代でもその比率は50％以上だったのである。

コーヒー生産とそれによってもたらされた土地と富の集中、ごく一握りのコーヒー大農園主と政治との結びつき、農村におけるコーヒー農民たちの生活と文化、コーヒー輸出を支える形で進められた、道路、鉄道、港湾などのインフラの整備など、コーヒーが政治経済、文化に与えた影響を数え上げたらきりがないほどである。コーヒーは、この国の成り立ちを最もよく説明する作物といってよいであろう。

エルサルバドルがコーヒー生産に特化する前は、アニルと呼ばれる染料の藍をヨーロッパなどに細々と輸出していたくらいであった。世界市場で競争力を持っていた産品は、ときとしてサトウキビや綿花などの農産品であることもあった。しかし現在でも輸出産品として世界市場で勝ち抜いていける、数少ない産品の1つはコーヒーであることは明白である。

コーヒー生産に適しているのは、南緯と北緯それぞれ25度以内の、赤道をはさんだ地域である。これをコーヒーベルトと呼んでいる。コーヒーには大きく分けてアラビカ種とロブスター種の2種類がある。中米を含むラテンアメリカの大部分の国ではアラビカ種を生産している。他方ロブスター種は低地でも生産可能で、苦味が強いためにもっぱらインスタントコーヒーや缶コーヒーに使用される。生豆の価格は前者のほうが高い。ベトナムやインドネシア、コートジボワールなどの新興生産国が近年ロブスター種のコーヒーを大増産したために、供給過剰となり、コーヒー価格の国際価格が暴落してコーヒー生産国全体が大打撃を受けてしまった。これについてはあとでまた触れたい。

エルサルバドルの場合コーヒー生産に適しているのは、標高８００メートルから１５００メートルくらいの高地である。東部と西部にある火山の山腹やサンサルバドル周辺で早い時期からコーヒーが栽培された。火山灰は天然の肥料をたくさん含んでいるとされ、もともと地味が豊かであった。

エルサルバドルは19世紀後半から、コーヒー生産に急激に特化していく。その過程で政府は、外貨獲得と財政収入の確保のために、積極的にコーヒーの生産を奨励する。たとえばコーヒー生産に利用するという名目で、国有地や先住民の共有地を無償で譲渡する。しかしこの譲渡の手続きには法律的な知識が必要だった。当時の一般民衆の教育水準を考慮すると、こうした政府の奨励策に呼応できたのは、ごく一部の人びとであったことは明白である。自身が法律の素養があるか、あるいは法律家を雇うことのできる人びとしか、このような公有地の下付の恩恵にあずかることはできなかった。

しかも19世紀の歴代大統領はほぼその全員がコーヒー大農園主たちである。ドゥエーニャス、レガラード、エスカロン、フィゲロア、オレジャーナ、アルファロ、パロモといった人びとである。こうした人びとの姓は、今でもエルサルバドルの富裕層を代表するものとして膾炙（かいしゃ）している。第24章でくわしく紹介しているように、14家族（カトルセファミリア）と呼ばれる一握りの支配層のもともとの起源は、コーヒー生産であった。他方コーヒー農園で働く農民以外の大多数の国民にとっては、コーヒー生産そのものは消費生活とはあまり関係のないことであった。たしかに嗜好品としてのコーヒーの国内需要はあった。しかし国内市場に出回ったのは、品質の落ちる下級品であった。コーヒーを飲む習慣もそれほど普及していたわけではないし、子どもは通常口にしない。要するにコーヒー生産と輸出への特化は、それ自身では広範な国民の生活には大して寄与しなかった。

コーヒーは生産者や加工業者、輸出業者などにとっては大変利益の上がるビジネスであった。ある試算では、１９６０年代のコーヒー生産者は、国際価格の変動により大きく左右されたものの、輸出価格の25～50％を純益として得たとしている。かくしてコーヒー大農園主たちは得た利益をその後、金融業、不動産業、工業などへと投資しながら経済的な権益を拡大し、この国の経済活動をその支配下に置いてしまうのである。

コーヒーの生産とその輸出がエルサルバドルの経済を支え、国民の生活文化・環境にも大きな影響を与えてきた。コーヒーの収穫は年間では11月から翌年の2月ごろまでの3カ月間である。このわずかの期間に大量の人手を必要とする。歴史的には、農業季節労働者は、地峡をかなり自由に移動したのである。そこには政府とか国とかが作り上げた人工的な国境線という意識はあまりなかったであろうと思う。もともとエルサルバドルは人口過剰の問題を抱えていたから、とくに隣国ホンジュラスへの移住者も多かった。そしてホンジュラスで暮らすエルサルバドル出身者のかなりの数は、コーヒー栽培に従事した。ホンジュラスのコーヒー生産を支えているのはサルバドル人である、という指摘もあるくらいである。

これまでコーヒー生産が少数の大土地所有者に集中したと強調してきた。しかしコーヒー生産が、中小規模の独立自営農民の形成を促した点も見逃してはならない。もともとコーヒー生産は、バナナや綿花のようなプランテーション型の生産方法にはなじまないものである。コーヒーの場合は、家族農園が小規模のコーヒー園を経営することが、経済的にも可能である。標高1000メートル近い山の斜面を利用するので、機械化には必ずしも適さない。また労務管理の問題もあり、あまり大規模な農園で大量の労働者を雇用するのはロスが生じる。

コスタリカなどに顕著なように、家族経営のコーヒー農園の発展が、ひいては国内市場の形成を促し、経済成長に大きく寄与した、という指摘もある。実際エルサルバドルでも若干とはいえ、コーヒー農園の家族的な経営はある程度は発展し、中間層がそこで育ったのである。加えてグアテマラで見られたような、コーヒー生産に従事する外国人（ヨーロッパ人、とくにドイツ人）の移住は、エルサルバドルの場合はあまり起きなかった。

バナナ生産とその輸出が、米国の多国籍アグリビジネスの手で独占的に行われたことと比較すると、たとえ一部の富裕層に集中したとはいえ、コーヒーの場合は国内資本家の形成につながったという見方は可能であろう。バナナ会社のように「飛び地」的な経済圏を作るということもなかったし、コーヒー生産で得た利益を国内で再投資した比率は、おそらくアグリビジネスよりは高かったに違いない。もちろんこうした多国籍企業は輸送のための道路、鉄道、港湾などのインフラ整備にかなりの金額を投資した。これによって社会資本の整備が進んだというプラス面もあるであろう。しかしあまりにも巨大化し、国家のなかの国家を形成するようになった、アグリビジネスの既得権に抵触するような政策を現地政府がとろうとすると（1954年のグアテマラ革命など）、これに徹底的に抵抗した。アグリビジネスはホンジュラスでは、金融機関はいうに及ばず、政党活動さえ影響下においた。バナナと比較すると、コーヒー生産ははるかに国内経済に直接的なかかわりを持っていた。単純化していうと、バナナは外国資本でありコーヒーは自国資本といえる。

エルサルバドルは大西洋岸に国土を持たないこともあり、輸出向けのバナナ生産は皆無であった。このことは、アグリビジネスの進出を妨げる重要な要因となった。まずコーヒー生産が爆発的に発展し、その後60年代に太平洋岸の低地でもっぱら日本向けの綿花生産が飛躍的に増加した。コーヒー、綿花はいずれも自国民の手によって生産された。そこで得られた利益は、国外に逃避したり奢侈品の消費に支出されたものもあったが、国内で再投資されたものも多かったのである。

ある意味で、農業を梃子としたこうした自国民の富裕層の形成は、それだけその富の分配についての競争を激化させた原因の1つと見ることもできよう。富裕層が地元資本であったのでその分だけ、富＝財産への執着、欲望も強かったのではなかろうか。逆に反政府勢力の左派ゲリラにとっては、富裕層の富は貧しい農民や大衆から搾取したもので、それは自分たちに帰属すべきものであった。権力

＝富をめぐる争奪戦は文字通り火花を散らしたのである。内戦が12年間という長期戦にもつれ込んだ理由の1つも、ここにあったと思う。

（田中　高）

＊参考文献
ビクター・バルマー＝トーマス（田中高、榎股一索、鶴田利恵訳）『ラテンアメリカ経済史——独立から現在まで』名古屋大学出版会、２００１年
Brockett, Charles D., *Land, Power, and Poverty* (second edition), Westview, 1998.
Browning, David, *El Salvador: Landscape and Society*, Oxford University Press, 1971.
Williams, Robert G., *States and Social Evolution*, The University of North Carolina Press, 1994.

41

1932年の大虐殺事件

★長期軍事政権発足の端緒★

世界中の国々が、アメリカの株式大暴落に端を発した大恐慌によって、苦境に立たされているとき、エルサルバドルでは1932年1月、大虐殺（マタンサ）とよばれる悲惨な事件が起きた。ことの成り行きは次のようである。

大恐慌でエルサルバドルの主要輸出品であるコーヒーの国際価格が暴落した。この影響を最も強く受けたのは、土地を持たない農民（カンペシーノ）たちであった。ちょうどこのころ、コミンテルンの支援を受けたサルバドル共産党（PCS）が勢力を拡大しようとしていた。31年末から32年にかけては、国会議員やサンサルバドル市長などの地方首長の選挙戦が加熱していた。選挙は31年12月に実施予定であったが、軍の若手将校（マルティネス副大統領［当時］が、自分で画策したという説もある。マルティネスについては後述参照）によるクーデターで延期され、国内は混乱していた。内外の未曾有の危機のなかで、共産党は選挙に候補者を立て、一定の支持を集めていたのである。追い詰められた農民たちが団結して共産党候補を支持することは、コーヒー大農園の所有者や政権担当者にとっては、自分たちの既得権を脅かしかねない危険な兆候であった。

選挙を控えて、アグスティン・ファラブンド＝マルティなどの共産党幹部は大規模な反政府抗議集会を計画した。この計画は事前に発覚してしまい、軍の徹底的な弾圧を招いた。軍に逮捕された共産党の幹部は3人であった（3人とも処刑された）。共産党と農民、学生、労働者が当初計画していたような組織だった抗議集会は実際には開かれなかった。しかし軍は反乱を起こした農民を殺戮し始めたのである。反乱鎮圧のための戦闘は、1月22〜23日に発生し数日間続いた。この間反乱側が殺害した軍人はだいたい30人くらいと推定されている。一方軍の手により殺害された農民の犠牲者は、1万人から5万人までとかなり幅のあるものの、比べものにならないくらい多くの人数にのぼっている。

指導者を逮捕された農民たちの反乱は、コーヒー収穫地として有名な西部のアウアチャパン、サンタアナ、ソンソナテ、さらにサンサルバドル近隣にあるイロパンゴ湖近辺などを中心に、無秩序かつ散発的に発生した。農民の武器はマチェテとよばれる刀が中心で、銃で武装した政府軍の敵ではなかった。反乱そのものは数日で鎮圧された。問題はその後であった。

軍は反乱の起きた地域で、農民を徹底的に組織的に虐殺し始めた。農民かどうかを見分ける方法は単純だった。農民に見えるかどうか、ということであった。もともとエルサルバドルの西部には、ピピル文化とよばれる先住民族の固有文化が比較的強く残っていた。そうしたピピルの風貌を持つ農民が無差別に殺害されたのである。無実の罪で殺害された農民が多数にのぼった。

軍がこうして農民運動を徹底的に弾圧し、無差別に農民を虐殺したことは、その後長い間エルサルバドルの歴史に暗い影を落とすことになった。まず後述のように、ラテンアメリカでも他に類例をみない長期の軍事政権が発足するのは、この事件が端緒であった。農民に対する人権侵害が構造的に常態化するのも大虐殺以後である。西部地域は1980年代の内戦中、左派ゲリラの活動はそれほど活発ではなかった。その理由の1つには、この事件の残した恐怖心があまりにも大きく、その後遺症(反政府活動への過度の忌避)のせいであるという指摘もある。

実際大虐殺の犠牲者数は、先に紹介した1万人から5万人とかなり幅がある。殺戮した死体の後始末は、おそらくめちゃくちゃなものであったのであろう。壕のようなものをあわてて作って、そこに無造作に死体を埋めたようである。反乱の起きたいくつもの場所で、まるで「物」のように遺体が処理された。大虐殺を歴史的な史実としてはじめて検証した米国人の歴史家トーマス・アンダーソンは、犠牲者の数を約1万人と推定している。

大虐殺は2人の人物を際立たせることになった。1人は共産党を指揮し、処刑されたファラブンド＝マルティであり、もう1人は徹底した反乱鎮圧を指揮したマルティネス大統領である。まずファラブンド＝マルティから紹介しよう。

ファラブンド＝マルティは1893年にラ・リベルタ県にあるテオテペキェというひっそりとした寂しい村で生まれた。父親は中規模の地主であった。マルティはどうやら非嫡出子だったようである。国立大学で法学と社会科学を学んだ。しかし血の気の多い学生だったようで、マルクス・レーニン主義に傾倒し、その見解をめぐって教授と決闘した。これが原因で彼はグアテマラに亡命を余儀なくされた。その後メキシコや米国、中米各国で放浪生活を送り組合運動に従事する。ニカラグアでは反米闘争のゲリラ戦を指揮していた、サンディーノと行動をともにした。サンディーノとマルティは思想的にはかなり距離があった。マルティはサンディーノがマルクス・レーニン主義を受け入れなかった、と述

マキシミリアーノ・エルナンデス＝マルティネスとその家族（1944 年）
（出典：Black, George, The Good Neigbor, Panteon Books, 1988）

べて離れてしまう。しかし後年マルティは態度を変えて、サンディーノを偉大な革命家であると絶賛するようになった。

80年代中米地峡を揺るがせた紛争の激震地は、ニカラグアとエルサルバドルである。この2つの国の左派ゲリラの名称がそれぞれサンディニスタ民族解放戦線（ＦＳＬＮ）、ファラブンド＝マルティ民族解放戦線（ＦＭＬＮ）で、由来となった名称の2人が一時一緒に行動していたということは、何か因縁めいたものを感じさせる。やはり中米地域は各国の内発的なダイナミズムとともに、隣接する国同士が相互に作用しあう、外発的なダイナミズムも見逃すことはできないであろう。２人の革命家の遺志は、20世紀後半にリバイバルしたと表現すべきかもしれない。

さてマルティは１９３０年に選挙運動の

ために帰国すると、数人の親友とともにサルバドル共産党を創設した。31年の軍部のクーデターにより、軍事政権が発足し、32年2月に彼が処刑されるまでの経緯については先述の通りである。残念ながらマルティは自らの生活を立てていくことと共産主義活動家としての行動に多くの時間を費したためか、あまり多くの書き物を残していない。彼の思想をうかがい知るような記録は、ほとんど紹介されていない。あるいはエルサルバドルにおいて、ニカラグアで起きたような社会主義革命が成就していれば、マルティを知るうえでのさまざまな情報が日の目を見ていたかもしれない。革命家として、あまりにも早い死だったといえよう。

では次に大虐殺事件でその存在を際立たせることになった、マルティネスについて紹介することにしたい。エルサルバドルの政治史上、マキシミリアーノ・エルナンデス＝マルティネス大統領ほど毀誉褒貶のある人物は他に見当たらない。1931年から34年、その後わずかの空白期間をおいて、35年から44年の2度にわたり大統領の職にあった。在任期間の合計はおよそ14年間に及ぶ。あとにも先にもこれほどの長期独裁政権を経験した大統領は、他にいない。マルティネスとはいったいどのような人物であったのか。

エルナンデス＝マルティネスは1882年にサンサルバドルで生まれた。先住民の血を強く引いていた。非嫡出子（このあたりの出自の事情は、ファラブンド＝マルティだけでなく、他の多くの中米の革命家に共通している）であり、父方の姓であるエルナンデスを名乗ることは許されなかった。貧困のうちに幼年時代を過ごしたようで、水汲みの仕事で生活を支えた、と伝えられている。彼の人生の転機となるのは、グアテマラの士官学校に入学したことである。卒業後エルサルバドル政府軍に入隊し、エルナンデス＝マルティネスは軍人として頭角を現す。1906年には少佐、19年には37歳の若さで准将に昇任している。戦略家としての才能が秀でていた彼の軍歴は、そのほとんどがエルサルバドルの士官学校の教官と参謀本部勤務である。

31年、エルナンデス＝マルティネスはエルサルバドルの富裕層を代表するアルトゥーロ・アラウホ大統領のもとで、副大統領、戦争相として政治家のキャリアを積み、軍部のクーデターで大統領に就任する。マルティネスは大虐殺の事実上の責任者で、この事件以後、軍部独裁政治のレールを敷いた。そして反対勢力への呵責容赦ない弾圧を開始する。PCSなど左翼的な政党や組合運動は非合法化された。

しかしエルナンデス＝マルティネスは経済政策では一定の評価を受けていることも忘れてはならない。道路建設などの公共事業を積極的に進め、インフラはかなり整備された。汚職もあまり見られなかったし、外国からの借款も抑制し、国内通貨であるコロンの価値も比較的安定していた。とはいえ、軍部が政治の中心となって富裕層の既得権益を保護し、反対勢力には徹底した弾圧を加えるという、力の支配という政治伝統は、エルサルバドルの民主化に大きな禍根を残すことになった。

エルナンデス＝マルティネス大統領をある意味で伝説上の人物にしているのは、彼のオカルト趣味である。神秘思想に傾倒し、当時のエルサルバドルでは珍しく、菜食主義者であった。ラジオでしばしば「人間よりも犬を大事にしよう」「人間の死よりも蟻の死のほうが重い。なぜなら人間は輪廻転生できるからだ」「子どもがはだしでいるのはいいことだ。それでこそ、この惑星の貴重な磁気、つまり地球の振動を敏感に感じとれる。植物も動物も靴などはいていない」「生物学者は五感しかつきとめていない。だが実際には10個の感覚がある。飢え、渇き、生殖、排尿および排便といった感覚は、生物学者のリストにはない」といった言葉で国民に語りかけたのである。

エルナンデス＝マルティネス大統領は１９４４年、大統領職の続投に意欲を見せたが、国内の反対勢力による大規模な抗議集会、米国が彼の政治スタイルを嫌悪したことなどもあり、亡命を余儀なくされる。66年、ホンジュラスで84歳の生涯の幕を閉じた。

（田中　高）

＊参考文献

ジョーン・ディディオン（千本健一郎訳）『ラテンアメリカの小さな国』晶文社、１９８４年
Anderson, Thomas P., *Matanza: El Salvador's Communist Revolt of 1932*, Nebraska University Press, 1971.
Bethel, Leslie, *Central America since Independence*, Cambridge University Press, 1991.
Dunkerley, James, *Power in the Isthmus*, Verso, 1988.

42

長期化した軍事政権の背景

★軍部派閥型政治が生んだ激しい政権交代★

1970年代後半、ラテンアメリカでは多くの国で軍事政権を経験した。この時期、民主制を維持できたのは、コスタリカ、コロンビア、ベネズエラなど数えるほどしかない。エルサルバドルの場合は1931年にマルティネス将軍が大統領に就任してから、82年に制憲議会選挙により、銀行家のマガーニャが暫定の大統領職に就くまでのじつに半世紀にわたり、軍部（あるいは軍部出身者）が政権を握った。

ラテンアメリカで特徴的な軍事政権による統治スタイルは、権威主義と呼ばれている。権威主義は通常3つのタイプに分類される。軍部官僚型、軍部派閥型、個人独裁型である。エルサルバドルの場合はこのうち、軍部派閥型に入ると理解されている。軍部派閥型の特徴は、経済発展が遅れた国では、中間層出身の将校が、社会的・経済的地位の向上を政治的な手段によって実現する傾向が強くなる。将校たちはパトロン・クライアント関係（擬制的な親族関係を媒介とする温情的な主従関係）に基づく派閥を形成し、軍部内での権力伸長に努める。パトロン・クライアント関係で結ばれた仲間や部下に収入や地位を提供するために、派閥同士の政権争いが激化する、と説明されている。

要するに、貧しい国の中間層出身者にとっては、軍人は社会的・経済的に上昇の見込める貴重な職業である。軍内部には、パトロン・クライアントで派閥が形成され、派閥間の抗争が繰り広げられる、ということである。たしかに軍部派閥型という類型で、エルサルバドルの軍事政権を分析すると、なるほど、とうなずける。大きな政治の流れを理解するには、権威主義の枠組みは明快である。ただエルサルバドルに固有の事情もたくさんある。

この国の政治の舞台に、軍人が主人公として登場するのは、なんといっても1932年の大虐殺事件以後のことであろう。詳細は第41章をお読みいただきたいが、エルナンデス＝マルティネス将軍は左翼勢力による反政府運動を徹底的な弾圧で乗り切った。ある意味でこれは危機管理の政権であった。さらに第二次世界大戦の勃発は、戦争遂行上の目的から米国をして、政治的な安定性を重視し、非民主的でも独裁政権を支持するという方針に傾かせた。かくしてエルナンデス＝マルティネス政権は44年まで続く。問題はこのあとである。エルナンデス＝マルティネス政権以後の、政治の混乱ぶりは次のようである。政権を握ったのは、1944年5月、イグナシオ将軍、同年10月、サリーナス大佐、45〜48年、カストロ将軍、48〜50年、国家評議会政権、50〜56年、オソリオ少佐、56〜60年、レムス中佐、60〜61年、国家評議会政権、61〜62年、軍民評議会政権、62〜67年、リベラ大佐、67〜72年、エルナンデス将軍、72〜77年、モリーナ大佐、77〜79年、ロメロ将軍。エルサルバドルの大統領の任期は5年である。そうすると任期を全うした大統領は、数えるほどである。いったい何ゆえに、かくも激しく軍事政権が交代したのか。パトロン・クライアント関係に起因する権力争いという側面だけで説明しきれるものではないであろう。これ以外にもさまざまな要因があるはずである。

将校グループには、卒業年度によっては、タンドーナなどの士官学校同期生の横の強い結びつきがある。さらに将校の出身地の同郷グループが存在し、地方出身者と都会出身者では人権の認識について微妙なギャップがある。政治的な傾向としては、保守派、中間派、進歩派に分かれる3つのグループがある。こうしたグループに、パトロン・クライアント関係が存在するわけで、権威主義の説明はそのまま当てはまる。強調しておきたいのは、政権交代の循環性である。それはほぼ次のようなパターンである。①新政権による権力の集中、②国民の不満の増大とこれに対する弾圧、③軍内部進歩派グループの台頭、④クーデターの発生、⑤新政権による諸改革案の発表、⑥軍部内保守派の台頭、⑦保守派によるクーデターというパターンが繰り返された。70年代にはこのような形の政権交代が最も典型的に起きたが、そのプロトタイプはすでに50年代、60年代から始まっていた。

このような政権交代の循環性は、単なる権力争いというよりも、政策をめぐる対立、国民の不満の現出の仕方とその強さ、それに対する富裕層の対応などに左右されたといえよう。国民の不満の表れは、たとえば1960年に創設されたキリスト教民主党（PDC）が72年の大統領選挙で、同党のドゥアルテ候補が事実上勝利したにもかかわらず、軍の介入で亡命を余儀なくされた事件に象徴される。富裕層の最大の関心事は、国民全体の福祉ではなくて、自分たちの既得権をいかにして守るかであった。そのために軍部を支持した。

民主化を求める動きを軍は徹底的に弾圧したが、国民の不満を緩和するための政策には、必ずしも消極的であったわけではない。79年にスタートした軍民評議会政権には、軍の改革派と左派勢力（そのなかには、FMLNのゲリラメンバーも含まれていた）が肩を並べて参加したのである。軍人のなかには、

「上からの改革」に積極的に取り組もうとした人びともいた。さらに米国は、キューバ危機以来の反共政策の枠組みのなかで、中米における左翼政権の出現を恐れていたから、軍事政権を容認した。日本を含む先進各国は、中米共同市場の進展のなかで投資先の安定を優先し、軍人たちに危機管理の役割を求めたのである。

軍人は軍内部＝身内のクーデターについては寛容であった。しかし軍から権力を剥奪させる動きには強く抵抗した。軍は自分たちが支配下におく政党、国民融和党（ＰＣＮ）をフルに使って選挙戦をうまく乗り切り、軍事政権を支えたのである。民主化を求める国民の声が実現するには、12年という年月と、数多くの尊い人的犠牲を払わなければならなかった。大黒柱を失い残された家族は経済的苦境に立たされた。満足に教育を受けることができなかった児童も多い。国立大学も閉鎖された。同じ国民が敵味方に分かれたので、それだけ憎しみも増した。橋や道路、送電線網などのインフラも破壊された。歴史上に「イフ」は禁物だろうが、遅くても60年代に民政移管に成功していたならば、エルサルバドルは現在よりもずっと発展していたことは間違いない、と思う。

（田中　高）

＊参考文献

渡辺利夫「エル・サルバドル和平交渉」（一〜四）『ラテンアメリカ時報』１９９２年11号〜１９９３年第２号

43

エルサルバドルの思想家

★ダルトン、ロメロ、マスフェレールの闘い★

20世紀半ば、ロケ・ダルトンは母国エルサルバドルについて以下のような苦言を呈した。「民衆に起こった出来事は、ほとんどの場合無視され続けている。エルサルバドル人民を搾取し、その血を吸い取っている経済団体は、この国の本当の姿をぶ厚いベールで覆ってしまった。すべてを奪われ、生活に困窮する約300万の人びとが苦しみもがく後進的な状況を、世界に見せないようにするためである。人びとは最も基本的な人権や、現代の文明や文化の成果からも遠ざけられている」。ダルトンはオリガルキーア（寡頭政治集団）や軍事政権が不平等な経済システムを保護し、エルサルバドル民衆にさまざまな苦痛を強いていると考え、これに激しく反発したのである。

むき出しの暴力が嵐のように吹き荒れていたエルサルバドルでは、このように国家や社会の不正義を批判したり、権力者に立ち向かう者は死の恐怖にさらされた。とくに社会的影響力の強い知識人たちは、命がけで活動しなくてはならなかった。それにもかかわらず、エルサルバドル社会は勇気あふれる出色の知識人たちを輩出している。その活動はじつに精力的であり、1つの専門分野に閉じこもらずにみずからの知性をきわめようとする者が多い。本章では、とくに20世紀におけるエルサルバドルの民衆思想に多大な影響を及ぼした3人の思想家に注目し、紹介することにしたい。

冒頭でふれたロケ・ダルトン（1935〜75年）はラテンアメリカを代表する詩人であるが、政治や社会を鋭く批判する随筆家やジャーナリストとしても優れた著作をいくつも残し、のちの左翼運動に多大な影響を与えた。彼は社会主義の立場から米国帝国主義やブルジョワ支配を批判し、キューバをモデルとした革命の必要性をエルサルバドル社会に訴え続けた。こうした活動を危険視する軍事政権に捕らえられ、死刑を宣告されたダルトンが、偶然の地震によって崩壊した刑務所から逃亡したエピソードはあまりにも有名である。このような「奇跡」によって敵の手を逃れたダルトンが、のちに政治活動にかかわる内紛で身内に暗殺されたことは、まさに歴史の皮肉というほかない。

オスカル・ロメロ（1917〜80年）司教については、映画や書物を通じてご存じの方も多いことだろう。正統派のカソリック聖職者であったロメロは、圧政と極貧にあえぐ人びとの窮状に心を痛め、第2回ラテンアメリカ司教会議（1968年）で公認された「解放の神学」に共鳴するなかで、やがてエルサルバドル軍事政権を厳しく批判するようになった。また中米における反共政策の一環としてこの政権を支援していた米国のカーター大統領へも手紙を送り、「もしあなたが本当のキリスト教徒であるならば、どうかエルサルバドル軍に対する軍事支援をやめていただきたい。彼らはその支援を私たち国民を殺すためだけに使用しているのです」と訴えている。

「解放の神学」とは、教会内部の権威主義的な権力構造や教条主義から神学を解き放ち、さまざまな抑圧や差別を被っている社会的弱者を救済するため、民衆を主体とした新しい教会を建設しようとする思想や運動である。とくにロメロにとって貧者の救済は、マルクス主義によらない社会変革を実現するためにも必要不可欠であった。彼は軍事政権からの死の脅迫にもひるまず、ローマ教会からも疎まれたこの急進主義的な神学を世界に先駆けて実践しようとしたのだった。熱心なカソリック教徒の多いエルサルバドルにおいて、それまで体制側に立ってきた司教による弱者のための命をかけた熱き闘いが、人びとの意識や世界観に多大な影響を与えたことはいうまでもない。ロメロはミサの途中で凶弾に倒れたが、その思想や行動は国家や宗教の違いを越えていまも世界で語りつがれている。

そして最後に、日本での知名度は低いが、エルサルバドル社会史を語るうえで欠かすことのできない知識人であるアルベルト・マスフェレール（1868〜1932年）について紹介したい。教師であり、詩人や随筆家としても著名だったマスフェレールは、公教育プロジェクトの中核を担ったり、アルゼンチン・チリ・コスタリカ・ベルギーの領事を務めるなど、オリガルキーア体制のもとで高い地位を保証された人物であった。しかしながら、海外での生活を通じてエルサルバドルの「後進性」を実感したマスフェレールは、祖国の近代化や民主化を促進する使命感に駆られ、やがて批判精神に満ちた著作を次々と発表するようになった。同時に彼は、民衆の低い識字率と政治意識を高めるために新聞『パトリア（母国）』を創刊し、編集者やジャーナリストとしても精力的に活動した。

愛国者であったマスフェレールは、エルサルバドルの寡頭政治・米国の帝国主義・ロシアの共産主義などをエルサルバドル社会を崩壊させる元凶と見なして批判した。そのうえで彼は、1920年代以降に積極的な反政府運動を展開した労働者や農民に向けて、あらゆる階級間の相互理解と協調の重要性について繰り返し主張した。そして、それを実現するための哲学としてマスフェレールは「ビタリスモ（生命第一主義）」を発表し、衣食住などすべての人間が生まれながらにして持つ、人間が人間らしく生きるための「ミニムム・ビタル（生きるための必要最低条件）」の絶対性と相互尊重について説いた。その思想は多くの労働者に受け入れられ、1931年にエルサルバドル史上はじめて選挙によって寡頭政治をうち破った労働党政権の基本的な政治理念としても採用されたのである。

「新しいキリストを待ち望むことが妄想でしかないこの時代。憎しみと、すさまじい欲望と、狂気的な物欲と、腹立たしい貧困のこの時代。ミニムム・ビタルはこんな時流のなかで難破した人びとに差し出された救命板なのだ」。このマスフェレールの思想は、残念ながら労働党政権のもとで実を結ばなかった。期待されたこの政権は1年ももたずに崩壊し、その直後にあの農民大虐殺が起こるのである。絶望したマスフェレールは体調を崩し、まるで農民たちの後を追うようにこの世を去った。現在、エルサルバドルを愛し続けたこの知識人の墓は、国民記念碑に指定されている。

（小澤卓也）

＊参考文献
小澤卓也「20世紀前半期のエルサルバドル社会思想史についての一考察――知識人アルベルト・マスフェレールとその〈ネイション〉概念」『立命館文学』538号、1995年
Beck, Ashley, *Oscar Romero*, CTS, 2008.
Dalton, Roque, *El Salvador (Monografía)*, Editorial Universitaria, 1979.
Torres-Rivas, Edelberto (editor), *Historia General de Centroamérica*, tomo. VI, Sociedad Estatal Quinto Centenario y FLACSO, 1993.

44

エルサルバドルの人と自然

★中米一人口稠密な火山国★

エルサルバドルは中米地峡の中央に位置し、中米5カ国（グアテマラ、ホンジュラス、ニカラグア、コスタリカ）のなかでは一番国土が狭く（2万1040平方キロ）、人口は約650万人ほどである。ただし国外に在住するサルバドル人も多く、米国にはざっと250万人が住んでいるといわれている。人口密度は1平方キロ当たり約300人であり、カリブ海の　部島嶼国を除くと、ラテンアメリカでは最も人口稠密な国である。

人種構成はスペイン系の白人と先住民との混血であるメスティソが86％、スペイン系の白人が13％、先住民が0・2％、東洋人などが0・6％と推計されている。先住民はほとんどが混血していて、現地で日常生活を送るうえで、先住民を意識することはまずない。これは隣国のグアテマラとの大きな違いであろう。グアテマラではマヤ系の先住民が多く、全人口の約60％近くを占めている。しかも30以上の異なった言語が使用されており、社会的な摩擦を生む要因の1つとなっている。エルサルバドルの場合は、人種的にはかなり同質化しているといってよい。

国内は気候的にはおおよそホンジュラスと国境を接する北

部、首都のある中央部、太平洋に面する海岸部の3つの地域に分類される（行政上は中央部、西部、東部に区分されることもある）。太平洋岸は湿度も気温も高い。首都サンサルバドルは標高682メートルにあり年間平均気温は23度、年間平均雨量は1700ミリくらいである。首都は気候的には大変住みやすく、日本の初夏を思わせる気候である。とくに暑くもなく木陰は涼しく感じることもある。国全体は熱帯に属していて、5月から10月までが雨季で、11月から4月頃までが乾季である。

エルサルバドルの地勢を特徴づけているのは、まず火山国ということであろう。シエラ・マドレ山脈（環太平洋造山帯）と呼ばれる火山帯が首都サンサルバドルを貫いている。サンサルバドルのすぐ西側には昔はケッツアルテペケ、現在はサンサルバドルと呼ばれる火山がある。標高は1967メートルである。地震は歴史上の記録に残るだけでも、1575年、1659年、1707年、1719年、1798年、1839年、1873年、1917年、1919年、1965年、1986年とほぼ周期的に繰り返している。最近では2001年1月と2月、大地震に見舞われている。犠牲者は1200人にのぼった。

このように頻繁に襲ってくる自然災害は、サルバドル人のライフスタイル、人生観にも影響を与えた。隣国ニカラグアの世界的な詩人ルベン・ダリオと同じモデルニスモで知られ、エルサルバドルを代表する詩人であるフランシスコ・アントニオ・ガビディアは次のように述べている。「サンサルバドルの町は自分の繁栄や出来事を考えるよりも、むしろ苦しむために生きてきた。数え切れないくらいの数の兄弟を殺戮した戦によって、町は最小限の義務を果たすだけの存在となり、人びとが進むべき方向を示しただけでこと切れてしまった。私たちの道徳的な意志を高揚してくれる彫像を前にして、それに微笑む機会も与えてくれなかった。不安定な土地という自然条件が招いたこの敵は、歴史上の人物を埋没させてしまい、彼らに会うことを不可能にしてしまった。現在に至るまで、私たちの最も偉大な市民たちは、無名戦士の墓に眠り続けている」。

緑深いアルメニア市　(Irene Gashu 撮影)

エルサルバドルが歴史上「発見」された経緯は次のようである。1524年6月、スペイン人のコンキスタドール（征服者）として有名なペドロ・デ・アルバラードは250人のスペイン人の部下と6000人の先住民を従えてグアテマラから南下し、現在のエルサルバドル領に到着した。ちなみに当時アルバラードはグアテマラ提督の地位にあった。彼は1520年6月のメキシコ市で起きた先住民（インディオ）の大虐殺事件（悲しみの夜＝ノーチェ・トゥリステ）の張本人でもある。このときの様子は、スペイン人の神父で、新大陸＝ラテンアメリカにおけるスペインによる虐殺を内部告発した人物として有名なラス・カサスが次のように記録している。「無法者（アルバラード）はクスカターン（クスカトランの意味で、先住民の言語の1つであるナワトル語で、幸運の土地、を意味した）地方に向かった。現在その付近には、サンサルバドルの町があり、その町は非常に豊穣な所で、南の海に面していて海岸線が40レグワ（1レグワ＝約5500メートル）か50レグワにわたり続いている。彼はその中心都市クスカターンでこの上ない歓迎を受け、およそ2万人から3万人のインディオが、鶏や食料を携えて彼の到着を待っていた。到着してその贈物を受け取ったあと、彼はスペイン人たちに向かって、そこに集まった大勢のインディオを各自好きなだけ捕らえるよう命令した。（中略）スペイン人たちが町に来た主な目的は金を手に入れることであったので、司令官は領主たちに多くの金を持参するように命じた。インディオたちは喜んであるだけの金を差し上げようと答え、彼らがいつも使っていた金色の銅製の斧をたくさん集めた。それは幾分か金を含んでいたので、一見、金のようであった。司令官はその斧が本物の金かどうか調べるように命じ、銅であるとわかると、スペイン人たちに向かって言った。『何という所だ。さあ出発だ。金がなければ、こんな町に、長居は無用だ。各自、使役しているインディオを鎖に繋ぎ、奴隷の焼印を押すように』と」（ラス・カサス『インディアスの破壊についての簡潔な報告』染田秀藤訳、岩波文庫、1976年、78～79ページ）。

以上引用したラス・カサスの報告は、植民地期のエルサルバドルの様子を知るのに貴重な資料である。現在の首都サンサルバドル周辺にすでにこの時期に2万人のインディオが居住していたこと、スペイン人のお目当ての金がないとわかると、彼らはさっさと立ち去ったこと、インディオは奴隷の対象であったこと、などが生々しく語られている。エルサルバドルを含めて中米各国は幸か不幸か、スペイン人が探し求めていた金銀などの財宝に恵まれなかった。この結果植民地時代、スペイン王室は中米地峡に大して関心を持つわけでもなく、必要な社会投資も行わなかったのである。このことが中米諸国の「遅れ」を説明する1つの要因ともなっている。

（田中　高）

45

「イサルコ火山」と「ルタ・デ・ラス・フローレス」

★太平洋の灯台と花街道★

中米の地峡の地は火山が多く、エルサルバドルにはおもなものだけで、20以上の火山がある。そのなかでも代表的な火山はイサルコ火山である。その姿は美しい円錐形をしており、まさしく、エルサルバドルの富士山である。この国の太平洋側を航行する船は、この火山を目印にしている。噴火していたときは「太平洋の灯台」と呼ばれていた。この火山は1722年より噴火を繰り返し、1770年の噴火で現在の形を作った。高さは1910メートルを有している。近くに並んでサンタアナ火山（標高2286メートル）があり、東側の麓には、青色に澄んだ水をたたえる火山湖のコアテペケ湖（周囲24キロ）がある。湖のほとりには別荘が建ち並び、観光地、保養地となっている。

イサルコ火山を近くから見るには、隣にある山、セロベルデ（標高2030メートル）の頂上に登るのがよいだろう。イサルコ火山の噴火口がよく見える。1966年11月、ヤロベルデの頂上近くにオテル・デ・モンターニャというホテルができたが、偶然にも、そのホテルの開業に合わせ、イサルコの噴火活動は休止したというエピソードがある。

イサルコ火山の裾野に人口約7万人弱のイサルコ市がある。

イルサコ火山　(Irene Gashu 撮影)

昔はここに先住民族のピピルが多く住んでいた。イサルコはナワトル語で「黒曜石の家のある場所」を意味している。そしてピピルのシャーマン（祈祷師）が多いことで有名であった。マヤ時代には、この地はカカオ（カカオはラテンアメリカが原産地である。カカオに砂糖を混ぜて飲む方法は、16世紀以降スペイン人が始め、全ヨーロッパに広がった。しかし、マヤの時代にはカカオとトウモロコシの種を砕いて煮込んだなかにトウガラシを入れて飲用していた）の主要な産地であった。スペイン人はこのカカオに関心を持ち、その商業的栽培に力を入れていた。労働力として使われたピピルは、過酷な労働のため侵略者としてのスペイン人に対し「スペイン人よ地獄に行け」と反感を示したのであろう。イサルコ火山の噴火口を「スペイン人の地獄」と呼んでいた。

時代を経て19世紀半ばには、それまでの主要作物であったカカオの農園は、コーヒーのプランテーションに代わった。そして１９３２年の数万人と推定されている大虐殺の中心地は、このイサルコ火山を含む周辺の地であった。その犠牲者の大半はコーヒー園で働いていたピピルであり、当時の政府はその固有の文化を消滅させようとまでしたのである。結果、イサルコ火山周辺の地は「ピピルの地獄」と化した時期もあった。

イサルコ火山の周辺地域は自然の景観もよく、町々ではピピルの伝統も存続し、市場では民族衣装を身につけている女性も見られる。そのため最近「花街道（ルタ・デ・ラス・フローレス）」として、観光地となっている。ルートにはナウイサルコ、サルコアティタン、ファユア、アパネカ、アタコがある。ナウイサルコでは午後10時までメルカード（市場）があり、野菜、食料品、日用品、民芸品が売られている。夜にはロウソクの火をカゴに灯した売り子の姿も見られる。サルコアティタンではミンブレ（柔軟性のある柳の枝に似たもの）で編んだカゴや家具が街道で売られている。ファユアは小さな美しい町である。サンタ・ルシア教会の黒いキリストの像は巡礼の対象として有名である。週末には食の市場が開かれている。アパネカは、海抜1455メートルの高地にあるため、良質のコーヒーを産する。アタコのアツンパでは、水の豊富な泉がありピクニックが楽しめる。

（平尾行隆）

＊参考文献

エルサルバドル観光局 CORSATUR（Corporación Salvadoreña de Turismo）資料

46

貝の国

★貝紫でエルサルバドルを知る★

『エルサルバドルを知るための55章』の初版では、エルサルバドルの貝について紹介し、その中で「貝紫」について触れました。しかし、味覚と異なり、視覚の「色」は実際に見ないと……との反省も残ります。このため、「貝の国」エルサルバドル（以下、エ国で略称）の「貝紫」部分を少し色付けして、同国を知る一助にと考えました。

その初版では、エ国海岸に分布する卵半分サイズの巻貝が採捕された時に身を縮めることで、体内にある腺液が殻口に絞出され、そこに溜まる3～4滴の液を、こぼさない様に、直接に糸束や布に塗布する伝統的な染色を紹介しました（写真1）。その液に含まれる色成分が「貝紫」、絞出時の液色は乳白色、その乳液は体外での酸化に加え、戸外の強い紫外線により、乳白色＞うす緑＞紫色、が徐々に発色し、15分間程で赤紫の「貝紫色」が定着します。

この発色プロセスは、「手のひらの日食」とも表現できる、実に「神秘的」な自然の一大スペクタクルです。若い女性は、岩場に付着した貝を採捕して、最初はナニ？　ナニ？　貝が乳白色の液を絞出して、肌に垂らした数滴の液を見て、エッ！

これ何！……と緊張、発色が始まると、目が点になり、15分ほど、あんぐり、沈黙、呆然、エエッ！ソーナノ!! ソーナンダ!!! で我に返る、というのが通常の体験パターンです（写真2）。この体験こそが貝紫を理解する第一歩、貝紫色の原点がこの発色現象にあります。

その際は、使用する液量も少なく、明るい赤紫色が得られ、「赤子の唇色」は筆者の印象です。実際に糸束を染める時は強い赤紫色になり、中米のスペイン語ではモラード、「桑の実」の色で、「貝紫色」に対する固有の色名はありません。一方、英語ではパープルが使われ、パープル、ティリアンパープル等々が貝紫の色名と言えます。最近の「貝紫色」は商品として、客受け?する、クレオパトラの使ったパープル、皇帝紫、ロイヤルパープル、古代紫、等々の名称や世界で最も高貴の色、勇者の色、等々の紹介が目を惹きます。ですが、エ国では、貝紫色をモラードと呼ぶ位なので、優美な色？ 高貴の色？ といった紹介はほとんど聞きません。また、特別な人の使う色でもなく、貝紫染料を利用し始めて以来、貝から得る液の色はモラードと呼ぶ以外になさそうです。

写真１　殻口に溜まった染料、直後に色変化が始まる

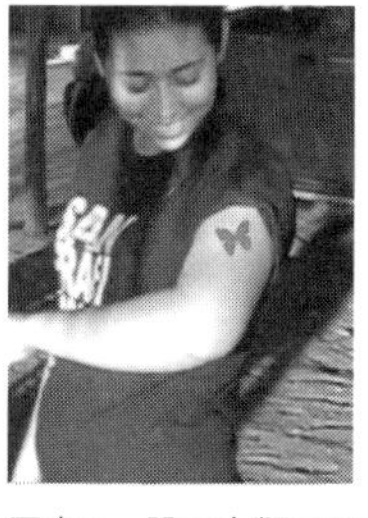

写真２　肌や衣類に貝紫の体験染め

この液は、本来、餌動物を捕食する際に使うシビレ薬、麻痺薬、と考えられますが、人類はその類の貝を食用にした時

写真３　貝の分布する岩場海岸（干潮時）

から、ピリッ辛！の刺激味と、その部分を下手に潰すと色がつくことを学び、伝承してきたと考えます。筆者は学童期に生家裏の海岸で採取した同類の貝をボイルして食し、ピリッ辛！　ペッ!!を経験し、漁師さんからは、石で貝殻を潰して肌に付けると、色が付くことも教わりました。その体験が「貝紫」と結びつき、ソーナンダ!!!　と理解できたのは、エ国で伝統的な貝紫染色を体験した時です。

エ国沿岸では、染色に使う貝は干潮でとり残された感じで、水中でなく、水面上の岩場（写真3）、視線の上にまで分布し、水も無い場所で？　鰓呼吸で長時間？　と疑問に思うのですが、いまだ未解明です。同類の貝は世界的に分布し、沿岸性なので、サイズがあれば食指を刺激し、ボイルしてピリッ辛部分を外せば、美味な?食料になり、ビールのツマミにも最高です。いきなり生食すると、ピリッ辛！　ペッ!!　さらに潰れた組織で手や口も赤紫色!!です。人類はその経験をすることで、味だけでなく、貝に含まれる「色」の存在を知り、染色に使える!!との「閃き」を得たと考えます。貝で色が付くことを知っていれば、子供でも、簡単に色付け遊びができます。とは言え、仕事の糸束染めとなると、一個体の染料は3〜4滴、平米当り1個程度の分布密度、必要数はかなりの回数・固体になり、加えて厳しい海岸地形での作業は、転落や波に「さらわれ」る危険を伴います。この為、波の穏やかな夏場（ベラーノ

11～2月頃）、雨のない乾季、山間部は農閑期、資源量、気象・海況、を継承・熟知した数グループの農民が、観光客の来ない海岸部で寝泊まりして染色に従事します。収入のない時期の仕事とは言え、夏場限定で、労賃も特技の割に高くなく、大量生産もできないのでは染色だけで食っていけません。エ国の貝紫染色は廃れる寸前ですが、よくぞ今日まで存続したとも言えます。それと言うのも、貝紫染めは、一部の農民が代々受け継ぐ仕事、「銭のためなら、こんな仕事はやっとれん」とは染め人の言で、高貴な、優美な色を求めて染色するのでないのは確かです。商業主義とは無縁に、資源を絶やさない様に使い、古代から続く「伝統の色」を守る、それがエ国の貝紫染めの職人気質と考えます。

写真４　ローマ帝国の貨幣、造幣地を示す皇帝紫の貝

手や爪についた染料は1週間でも落ちないくらい堅牢です。隣国のガテマラでは、傷んだ古着の貝紫染色部分の糸を解いて再利用する事例も報告されていますが、そのモラード色を求めて人が集まることはありません。唯一、メキシコ南部の染め場で、日本人が現地の貝紫で染めた織物を買い集めて大きな社会問題になったことがありました。

古代地中海文化の立役者である「フェニキア」は貝紫色を使う人、その人たち住む地方、の意味とされます。フェニキアの貝紫もエ国の貝紫と同じ色の成分です。古代から知られた染色品で、ローマ帝国の威信である銀貨（写真４）にまで貝紫の貝を刻印し、貝と貝紫も皇帝並の権力？を強烈にアピールしています。ですが、貨幣は確実に世界に広まっても、なぜか技術と染料は伝播せず、フェニキアの貝紫色は、伝説上の色になっています。フェニキア地方の貝は、エ国と違い、体液を絞出しない種類なので、①殻を壊して、②染料になる部分を切り出し、③まとめて擦り潰し酸化・発色させ、④酸化した不溶性の貝紫を確保し、それを⑤染色時に還元させて水溶性の貝紫に戻し、⑥その液中に布を浸して染色したと考えられます。この技法は、藍の「建て染め」技法、還元染色、と同じですが、⑤に必要な還元剤が特定できず、当時の染色技法は「忠実な」再現に至っていません。還元染色でも貝紫の色変化は観察できますが、エ国の貝に見られる採捕直後に得られる神秘的な色変化の感動はありません。忠実性に拘らねば、貝紫色は既に化学的にも解明されており、還元剤は簡単に入手でき、類似の貝を使えば、当時と同じフェニキアのパープルを再現できます。また、合成染料も開発されていますが、単なるモノでは無味乾燥、色に味なし、エ国の香りなしです。

「貝紫色」は特別な色なので、どうしても得られた色の背景や色の使われた伝説に想い巡り、特に商品となると、その宣伝は色より伝説先行になりがちです。それ故、貝紫色を知るには、伝説の色に浸るだけでなく、現実の神秘的な一大スペクタクルを体験し、色に含まれる「社会的・文化的な背景」を知る事も須要と考えます。エ国は貝の国、沿岸の赤貝や牡蠣で貝の味を知り、貝紫で古代から変わらぬ色を知り、さらに同国の人となりを知る、貝こそエ国を知る第一歩です。

（木谷　浩）

コラム３

アカフトラ港

平尾行隆

　コロンブスが新大陸に第１歩を踏んだ50年後の１５４２年９月28日、フアン・ロドリゲス・カブリジョの率いる船が、現在の米国、カリフォルニア州サンディエゴに到達した。船の名前は「サンサルバドル」と「ヴィクトリア」であり、この船の造船・装備にあたった基地はエルサルバドルのアカフトラ港であった。

　１５２１年、メキシコのアステカ王国を征服したエルナン・コルテスは、彼の右腕となっていたペドロ・デ・アルバラードを１５２３年に、グアテマラ征服の指揮官として派遣した。そして１５２４年、キチェ王国を征服し、グアテマラ最初の首都にサンティアゴ・デ・グアテマラと命名した。同じ年にエルサルバドルに侵入、サンサルバドル市を設置した。１５３６年、アルバラードは太平洋諸島への遠征を企て、スペイン国王カルロス5世の認可を得て、艦隊の建造を開始した。

　フアン・ロドリゲス・カブリジョはポルトガル生まれであるが、アルバラードの忠実な部下であり航海術を熟知していた人物であった。カブリジョはアルバラードの命を受け、このプロジェクトの中心的役割を担うことになった。グアテマラの太平洋岸の港イスタパでの造船、ホンジュラスでのスペインから輸入された資材の調達、アカフトラでの造船と装備作業に東奔西走する。２００トン級の船３隻、１００トン級の船７隻、３隻の小さなボートを整えた。１０００人の兵士を乗せることのできる規模である。アルバラードが総監督、カブリジョは司令長官になった。

　アルバラードは１５４０年に出航、現在のメキシコのマンサニージョ北方の港ナビダーに到達した。翌年メキシコのハリスコでのインディヘナの反乱における戦闘で重傷を負い、命を落とした。

カブリジョは１５４２年、ナビダー港から２隻の船「サンサルバドル」と「ヴィクトリア」でさらに北に進み、現在のサンディエゴに到達した。そのとき付けた名前はサンミゲルであった。カブリジョは、この地で探検途中、岩の上に落ち、腕を折ったのがもとで命を落とした。しかし、航海は彼の死後も継続され、北方のオレゴンまで到達したのだった（現在のサンディエゴという名前は、カブリジョの死後60年経って同地を訪れたスペインの探検家セバスチャン・ヴィスカーノによって付けられたものである）。

このカリフォルニア・ルートの発見により、16世紀後半以降カリフォルニアはフィリピンとメキシコを結ぶ航路の中継地となり、ガレオン貿易展開へとつながっていった。

＊参考文献

Pouradede, Richard F., *The Explorers*, Union-Tribute Publishing Company, Copley Press, 1960.

V

豊かな芸術と文化遺産

47

エルサルバドル遺跡案内

★マヤ文化の痕跡★

エルサルバドル共和国はメキシコの南東に位置する熱帯圏の小国である。国土の総面積は約2万1000平方キロで、四国に淡路島を加えたほどの大きさしかない。

しかし、狭い国土にもかかわらずその自然環境はさまざまである。太平洋に面した長い海岸線、隣国ホンジュラスと接する北部の標高2000メートルを越える山脈、エルサルバドル中央部に東西方向に連なる2000メートル級の山塊、その間にはエルサルバドル最長の河川であるレンパ川が東西方向に蛇行し、国土の中央部でそれを二分するように南へ流れを変え太平洋へと注いでいる。また、河口にはマングローブの樹林帯が発達している。

こうした多様な自然環境のなか、エルサルバドルでは時代とともにさまざまな文化が交錯してきた。

スペイン人がアメリカ大陸に侵入する以前、エルサルバドルは、メキシコから中米に栄えたメソアメリカ古代文明圏の一部を成していた。エルサルバドルの西部地域では、メソアメリカにおける最初の都市文化であるオルメカやメキシコ中央高原の巨大都市テオティワカンの影響、これらと前後して紀元4世紀より興隆するマヤ文化の痕跡が見られる。

レンパ川を越えた東部地域では、中米のニカラグアやコスタリカ、さらに南米の先スペイン期文化の影響も認められる。スペインの軍勢によって滅ぼされたアステカの人びとと同系統の言語を話すナウァ系ピピル語族は、紀元10世紀以降エルサルバドルへ移動している。紀元16世紀前半にはスペイン人が中米にも侵入した。なかでも、メキシコからグアテマラへ侵攻したグループとパナマからニカラグアへ侵攻したグループが、その勢力範囲を確定するため現在のエルサルバドルあたりを探索し小競り合いを起こしている。その後、エルサルバドルはグアテマラ総督府の行政区に入り、スペイン本国からの独立（１８２１年）、メキシコとの合併（１８２２～23年）、中米連邦の形成と分裂（１８２３～38年）を経て現在に至る。

エルサルバドルでは、文化省文化遺産局により６７１カ所の遺跡が登録されている。先スペイン期の遺跡としてはピラミッド神殿を中心とした都市遺跡や集落遺跡があり、その他、貝塚、耕作地、埋葬地等を挙げることができる。スペイン侵入後の植民地期の遺跡としては、１５２８年から17年間のみ機能したスペイン人居留地、16世紀から19世紀にかけての教会建築址、１６５８年の火山噴火による降灰で埋もれた天然藍染料抽出工房址、17世紀から18世紀の製鉄場址などがある。

登録されている６７１カ所の遺跡のうち、遺跡公園として整備され訪問可能なものは7カ所のみである。これらの遺跡公園のうち、ホヤ・デ・セレン遺跡、サンアンドレス遺跡、カサブランカ遺跡、タスマル遺跡、サンタレティシア遺跡（私設）、シワタン遺跡が、「マヤ世界（メキシコ、グアテマラ、ホンジュラス、ベリーズ、エルサルバドルの5カ国にまたがる過去、現在、未来のマヤ文化領域）」につながる考古学観光ルートとしてエルサルバドル政府観光省により認定されている。

ホヤ・デ・セレン遺跡は、首都サンサルバドルから北西約30キロ、海抜約450メートルのサポティタン盆地に位置し、1993年にユネスコから世界遺産に指定されたマヤの集落址である。

1976年、ホヤ・デ・セレン遺跡は農業用サイロの建設中に偶然発見された。その後の米国コロラド大学研究チームの調査から、遺跡の北約1キロに位置するローマ・カルデラ火山の噴火（紀元7世紀半ば）による厚さ5～7メートルに及ぶ火山灰が降り積もり、約50棟の建物や耕作地がこれに埋もれていることがわかっている。現在までに、土で造られた10棟の建物とそれらの周辺に配置された畑や庭が発掘され、新築された覆屋内に保存された集落を新設の見学路から見ることができる。

マヤの集落址ホヤ・デ・セレン遺跡から、その東に流れるスシオ川を上流へ4キロほど溯行したところにサンアンドレス遺跡がある。マヤ文化の都市遺跡（紀元3～10世紀）であり、1940年にはじめて考古学調査が実施された。人工の大基壇の上にピラミッド神殿基壇や低基壇が広場を囲むように配置されている。この建造物複合体の北には、さらに別のピラミッド神殿基壇やマウンドが見られる。

また、サンアンドレス遺跡ではスシオ川の川べりに植民地期の産業遺跡も見つかっている。水力を利用した天然藍染料抽出工房の址であり、1658年に噴火したプラジョン火山の火山灰に埋もれていた。17世紀、天然藍は中米からヨーロッパ市場へ向けた重要輸出産品であり、工房址の規模から当時の藍産業の繁栄ぶりをうかがうことができる。

チャルチュアパ遺跡群は、首都サンサルバドルの北西約80キロ、アパネカ山系の裾野、標高700メートルほどにあり、その歴史は少なくとも紀元前1200年まで遡る。北から順にエルトラピ

サンアンドレス遺跡１号ピラミッド神殿基壇

チェ、パンペ、カサブランカ、ペニャテ、ラスビクトリアス、クスカチャパ沼、ロスガビラネス、タスマル、ヌエボタスマル、セカ沼の10遺跡地区から成り、ピラミッド神殿基壇址の残る先スペイン期古代都市の中心部分だけで約3平方キロの面積を持つ。カサブランカとタスマル遺跡地区は公園化され一般公開されている。

チャルチュアパ遺跡群から「花街道（ルタ・デ・ラス・フローレス）」に沿ってアパネカ山系へ向かい、アパネカ村から約2キロ下った標高１４００メートルのところにサンタレティシア遺跡（私設）がある。個人経営のコーヒー農園内には、重さが数トンに及ぶであろう2体の巨石彫像が展示されており、その姿から「太った神様の像」と呼ばれている。出土遺物からその存続期間は紀元前7世紀から紀元4世紀と推定されている。

アパネカ山系から転じて、首都サンサルバドルの北へ約37キロ進むとシワタン遺跡がある。広大な平地の中央、小高い丘陵上に造られた城塞都市（標高320メートル）で、東と西の2地区に分かれる。現在訪問できるのは西地区のみでピラミッド神殿基壇や球戯場、蒸気風呂の址等が見られる。東地区では、フンダール（遺跡保護を目的としたエルサルバドルのNGO団体）の考古学者ポール・アマロリによる最近の発掘調査で、メキシコ中央高原文化の影響を色濃く受けた大規模な宮殿跡が確認されている。遺跡が機能していた時期は紀元10世紀から12世紀半ばで、その最後は火災によって終わっている。

エルサルバドルの東部地域における唯一の遺跡公園であるグルータ・デ・エスピリトゥ・サント（コリント）遺跡は、モラサン県コリント村から北東約1・5キロに位置する。標高約850メートルにある巨大な岩陰の壁面には黄色、赤色、白色などの顔料で人、動物等のプリミティブな絵が描かれている。その製作時期についてはよくわかっていない。

（柴田潮音）

＊参考文献

大井邦明、加茂雄三『ラテンアメリカ（地域からの世界史16）』朝日新聞社、1992年
柴田潮音「世界遺産になったマヤ遺跡　ホヤ・デ・セレン」『季刊　文化遺産vol.2　マヤ文明』しまね文化振興財団、1996年、20ページ
柴田潮音「世界の発掘調査　西から東から19　エルサルバドル共和国」『文化遺産の世界vol.20　特集　観光考古学Ⅱ』国際航業株式会社文化事業部、2006年、22～23ページ

48

チャルチュアパ遺跡群

★日本の考古学調査と国際協力★

チャルチュアパ遺跡群における人の生活活動は少なくとも紀元前1200年ごろに始まり、チャルチュアパ市として現在まで続いているが、この先スペイン時代の古代都市が誰によって建設され、どのように発展したのか19世紀後半にはわからなくなってしまっていた。19世紀末以降、古物に興味を持つサルバドル人研究者がチャルチュアパ遺跡群について記述しているのみである。

1941年米国人考古学者ジョン・ロングイヤーが科学的方法により同遺跡群の考古学調査（踏査）を行った。翌年には彼の助手であったスタンレー・ボッグスがタスマル遺跡において発掘調査を開始した。調査はピラミッド神殿複合建造物の修復を伴い1953年まで続いた。セメントを使用しての建造物修復ではあったが、その姿は2001年にドル化政策が実施されるまでエルサルバドル共和国の100コロン紙幣の図柄に使用され、サルバドル人にとっての先スペイン期文化の象徴的存在となっている。また、ボッグスは調査成果を公開するためエルサルバドル初の遺跡資料館をタスマル遺跡公園内に建設している。その後、さまざまな米国人考古学研究者がチャルチュアパ遺跡群を調査している。なかでも１９６０年代末に米国ペンシルバニア大学調査団のロバート・シャーラーによって実施された考古学調査は最大規模の学術調査であり、その成果は3巻本の英文最終報告書として刊行された。しかし、これらの考古学調査は発掘後の建物の修復・保存を伴うものではなかった。

１９９５年になると、京都外国語大学調査団（以後、京外大調査団／団長：大井邦明教授）がカサブランカ遺跡地区において考古学調査を開始した。その調査の方向性は、メキシコ考古学の父であるマヌエル・ガミオの調査理念を継承するものである。つまり、都市遺跡を発掘調査すれば、ピラミッド神殿基壇等建造物の修復を行い遺跡公園化し、歴史・社会教育の教材として地域の人びとに調査成果を還元する。また、遺跡公園を観光資源と捉えて活用し、地域経済を向上させるというものである。

京外大調査団による調査は２０００年3月まで続き、紀元1世紀から7世紀に建てられたと推定される2基のピラミッド神殿基壇と1基の低基壇が修復されている。最終報告書は日本語とスペイン語で刊行された。藍工房を併設する遺跡資料館の建設こそ２０００年春までにかなわなかったものの、同調査団は、エルサルバドルにおいて廃れかけていた天然藍染料の抽出とそれを利用しての藍染めを復興させるべく同国文化庁文化遺産局と協議のうえ、国際協力事業団――現在の国際協力機構（ＪＩＣＡ）へ青年海外協力隊隊員の派遣を申請した。１９９９年、初代藍染め隊員がカサブランカ遺跡公園へ赴任し、その後の歴代の協力隊員が藍染めによる民芸品づくりの普及に貢献した。また、京外大調査団は、１９９５年にエルサルバドル技術大学に設置された同国初の考古学専攻の学生5名を受け入れ、考古学研究者として養成している。彼らは、考古学分野における調査、研究、後続学生の指導で活躍中である。

2000年夏になると、日本国政府による「草の根無償資金協力」により、エルサルバドル文化庁とチャルチュアパ市の文化財保護NGOとの共同作業で藍工房を併設する遺跡資料館の建設がカサブランカ遺跡公園内で開始された。同時に名古屋大学調査団（以後、名大調査団／代表：伊藤伸幸助教）は、先の京外大調査団の調査ではっきりしなかったカサブランカ遺跡の最も古い時期に焦点をあて、4N試掘坑での発掘調査を継続した。2001年初旬にエルサルバドルを襲った2度にわたる地震で建設作業が中断されたものの2002年8月にカサブランカ遺跡資料館／藍工房が開館し、同遺跡公園も一般公開され現在に至っている。

「草の根文化無償資金協力」により建設されたカサブランカ遺跡公園正門

2002年以降、名大調査団は考古学調査と並行して「歴史都市チャルチュアパの観光による地域開発を目的としたカサブランカ、タスマル遺跡公園の整備計画」をエルサルバドル文化庁文化遺産局考古課と企画し、JICAに対して考古学、保存科学、造園分野の青年海外協力隊員の派遣を申請した。2003年半ばからカサブランカ遺跡公園へ隊員が順次赴任し、カサブランカ遺跡公園内土製建造物の修復・保存状態のチェック、遺跡公園全体のデジタル測量、5号建造物周

JICAとエルサルバドル文化庁の共同調査で修復されたタスマル遺跡２号ピラミッド神殿基壇

辺の雨水処理と排水溝の設置、４N試掘坑の覆屋と見学路および遺跡公園正門の設計等の作業を的確に遂行した。

そうした作業過程で、考古学隊員により発掘調査が並行して行われている。その成果として、古代マヤ文化圏の中部や南部で特徴的な、建造物の正面に石碑（あるいは石柱）と祭壇石を祭るという慣習が、カサブランカ遺跡の5号C建造物（紀元1～4世紀）においても確認された。カサブランカ遺跡公園の南東では、紀元1世紀から4世紀にかけての埋葬地を発見し、供物としての遺物が多数収蔵され、過去の発掘調査で収集された遺物とともにカサブランカ遺跡資料館の新たな先スペイン期コレクションに加えられ展示された。この調査期間中、考古学専攻のサルバドル大学生に対し隊員による調査技術指導も行われた。

２００7年になると、カサブランカ遺跡公園に対する日本国政府の「草の根文化無償資金協力」により、4N試掘坑の覆屋と見学路、遺跡公園正門が完成した。公園として設備の整った現在、多くの訪問者を迎えている。とくに、藍工房では、エルサルバドル産天然藍を使用してサルバドル人インストラクターの指導のもと訪問者が藍染めを体験できるように工夫されており、訪問リピーターを多数生み出している。

カサブランカ遺跡公園での考古学調査、修復・保存作業、インフラ整備が進展する一方、タスマル遺跡公園においてもエルサルバドル文化庁文化遺産局考古課、名大調査団、青年海外協力隊の共同で考古学調査が実施された。建造物の保存状態のチェックに向けて２００３年11月から測量調査が行われ、２００４年９月に終了し、タスマル遺跡公園全体のデジタル測量図が完成した。

その喜びもつかの間、２００４年10月、タスマル遺跡公園内の２号建造物南面が突如崩壊した。エルサルバドル文化庁内部では、崩落した瓦礫を除去した後再度セメントで復元するという意見があったが、同考古課は半世紀前のボッグスの調査時に撮影された写真から、崩壊した建物内部にさらに古い時期の建物が存在することを確認したため、青年海外協力隊との共同調査として修復作業に伴う緊急発掘調査を提案し、文化庁長官の承認を得て翌年１月から作業を開始した。

２期にわたる調査、修復作業を経て２００６年12月に全工程が終了し、約50年前にセメントで修復された２号建造物の内部から、石を泥漆喰で固めて造られた本来のピラミッド神殿基壇（紀元10世紀半ば〜16世紀初頭）の姿が現れた。２号建造物での修復作業が進む傍ら、タスマル遺跡の大ピラミッド神殿基壇（１号建造物）の前面（西側）に位置する列柱の神殿では、崩れた土壁の復元作業とそれに伴う考古学調査が２００６年10月から３カ月にわたり行われた。

また、2004年から2008年まで名大調査団によりタスマル遺跡公園内で考古学調査が実施された。その結果、これまでよくわからなかった同園内のピラミッド神殿複合建造物群の変遷過程（紀元4～16世紀）が明らかになり、大ピラミッド神殿基壇（1号建造物）の内部にさらに古い時代（紀元4世紀ごろ）の神殿基壇が隠されていることが実証された。遺跡資料館横の建物が球戯場址（紀元10世紀半ば～16世紀）であることも確認された。

こうした一連の調査成果は、エルサルバドル文化省文化遺産局博物館課と考古課によりタスマル遺跡公園資料館の新たな展示に反映され、チャルチュアパ遺跡群、とくにタスマル遺跡の歴史をよりよく理解し、サルバドル人としてアイデンティティを深めてもらうために役立っている。

ブケレ現政権下では、発掘された状態で展示されている先スペイン期建造物基壇の覆屋や資料館等、タスマル遺跡公園のインフラ整備を自国資金により実施した。これと並行して先スペイン期土製建造物の修復を行い、サルバドル人技術者により確立された泥漆喰を用いた修復技法が若手技術者へ継承された。

（柴田潮音）

＊参考文献

柴田潮音「世界の発掘調査　西から東から19　エルサルバドル共和国」『文化遺産の世界vol.20　特集　観光考古学Ⅱ』国際航業株式会社文化事業部、2006年、22～23ページ

49

ホヤ・デ・セレン

★新大陸のポンペイ★

イタリアのポンペイで、西暦79年にベスビオ火山が噴火した。逃げ遅れた人たちと街のその瞬間を火山灰が固め、全体の姿をタイムカプセルにしたことは、世界的によく知られている。新大陸でも同じようなタイムカプセルが、エルサルバドルで1976年に発見され、1993年にユネスコの世界遺産に登録された。場所は首都サンサルバドルの北西約30キロにある、ラ・リベルタ県の町サン・ファン・オプティコに行く途中にある。この場所は西暦590年ごろ、近くのラグーナ・カルデラ火山の噴火により5〜7メートルにも及ぶ火山灰の下に埋もれてしまった。時が経ち約1390年後、眠っていたそのマヤの村落は、偶然農業用サイロの建設作業のときに発見されたのである。

人の遺体が発掘されていない村の様子から、ポンペイとは異なり人びとが噴火の被害から逃げる時間的余裕があったようである。土造りの家は保存状態がよく、土で固めた土台や壁の土のなかには竹のようなものが入れられ補強されている。食べ物の残った土鍋のある台所やトウモロコシの入った大きな瓶のある倉庫もある。仕事場も発見されている。清めの儀式が行われ

ホヤ・デ・セレンの遺跡、12号建造物　(Irene Gashu 撮影)

たと思われる蒸気風呂もある。竹をドーム状に組んで土を塗りつけ、入り口上には蒸気抜きのためと見られる穴が開けられている。家の周りにはトウモロコシ畑や、リュウゼツラン、カカオの木が植えられている庭が発見された。

公共的な建物は村のシャーマン（祈祷師）を中心に宗教的儀式に利用されていたと思われる。シャーマンは、宗教儀式、人びとの生活、農業周期、暦などに関して、昔からの知識を持っている。病気を治す医者でもあり、薬草の効用にくわしい。占いも行い、村の歴史、伝説の語り部でもある。この遺跡で発見された日用品、黒曜石のナイフ、台所用品、黒こげの豆、トウモロコシ、カカオなどはこの遺跡に付随した博物館に展示されている。発掘された村落の姿から、人びとは経済的にかなり豊かに暮らしていたようである。土製の器などは他の地域から来ているものもあり、交易を行っていた様子がうかがえる。エルサルバドルには、マヤの遺跡としてチャルチュアパ、シウアタタン、サン

ホヤ・デ・セレン遺跡公園に残る蒸気風呂（奥）と穀物倉庫（手前）　（柴田潮音撮影）

タマリア、エル・カルメン、ケレパ、サンアンドレス、サンタレティシア、タスマルなどがあるが、マヤの村落が昔の姿そのままに見られるのはホヤ・デ・セレンだけであり、必見の価値がある。ちなみに、ホヤ・デ・セレンの意味は、ホヤはスペイン語で宝石であり、セレンはサイロ建設を行っていたセレン家の名前から来ており「セレン家の宝石」ということになる。

（平尾行隆）

＊参考文献

『季刊　文化遺産　秋冬号　２マヤ文明』しまね文化振興財団、１９９６年

Enciclopedia de El Salvador, OCEANO Barcelona.

Peñate, Oscar Martínez, y María Elenã Sánchez, *EL SALVADOR DICCIONARIO*, Editorial Nuevo Enfoque, 2003.

50

甦ったマヤのブルー

★火山灰のなかから発見された藍の沈殿槽★

駐日エルサルバドル大使館のリカルド・パレデス大使（当時）の執務室に、マヤの模様をモチーフとした天然藍染めの美しい絵画が3点飾られていた。気鋭のアーティストである、ロウルデス・メナ女史の作品である。これはマヤ時代に使われていた「天然藍」を、現代に甦らせた努力の証である。

藍は人類が最も古くから利用していたブルーの染料である。藍は英語でインディゴというが、これは、古代ローマのIndicum（顔料）からきておりIndia（インド）に由来するという。古代インドのサンスクリットで書かれた文献には、藍の製造法が書かれている。日本の藍はタデ科の1年草を原料とし、タデアイと一般的に呼ばれている。タデアイは中国から染色技術とともに渡来したとみなされる。藍は江戸時代に紅花、麻とともに「三草」の1つに数えられ、日本を代表する商品作物とされた。

藍はマヤ時代にも使われていた。エルサルバドルの野原、道端にはインディゴフェラ系の藍（インドキアイの原料、コマツナギ属マメ科）とキツネノマゴ科の藍（日本の琉球藍の原料と同じ）が自生しているのをよく見かける。昔のマヤ人は、この植物から染料を取り出し、木綿で紡がれた糸をブルーに染めていた。マヤ人は藍の他の用途として、薬として、あるいは身を清めるためのものとして体に塗ったりしていた。マヤの藍に関する世界で最初の記録は、『チラム・バラムの書』にある。『チラム・バラムの書』とは、メキシコ・ユカタン地方のマヤ人が、アルファベットで文字を使って書き残した文書である。マヤの伝説、占い、儀礼、医療など多岐にわたっている。現存のものは、18、19世紀に書かれたもの、または写本である。またディエゴ・デ・ランダ（1524～79年）の著書『ユカタン事物記』にもくわしく記述されている。

エルサルバドルの藍に関しては、1584年から5年をかけ、メキシコ、中米を旅したアントニオ・デ・シウダー・レアル（1551～1617年）はその著書『ヌエバ・エスパーニャの偉大なることどもに関する、博識にして珍しい文書』のなかで「かの地（エルサルバドル）ではアニールが育ち、利用されている。アニールというのは、かの地に自然に生えている潅木であるが、それらを栽培して豊富な染料をとり、あまり大きくない薄型の四角い固まりにしている」と述べている。ヨーロッパでは、16世紀には藍はアニールと呼ばれ、その語源はアラビア語からきている。

ベルナルディーノ・デ・サアグン（1500?～90年）はマヤの藍について最も多く記録を残している。彼の著書『ヌエバ・エスパーニャ事物総史』に「暑い地方にあるシウキリートルという草は、これを潰して汁を器にとり、乾かすか固めるかする。こうして得た色で光沢のある紺色を染めるが、これは貴重な色なのである」。シウキリートルはナワトル語（マヤの言語の1つ）でシウィトゥルは青、キリトールは草を意味している。この草は中米地域で俗称、ヒキリーテ（シウキリートルがスペイン語化したもの）と呼ばれている植物である。

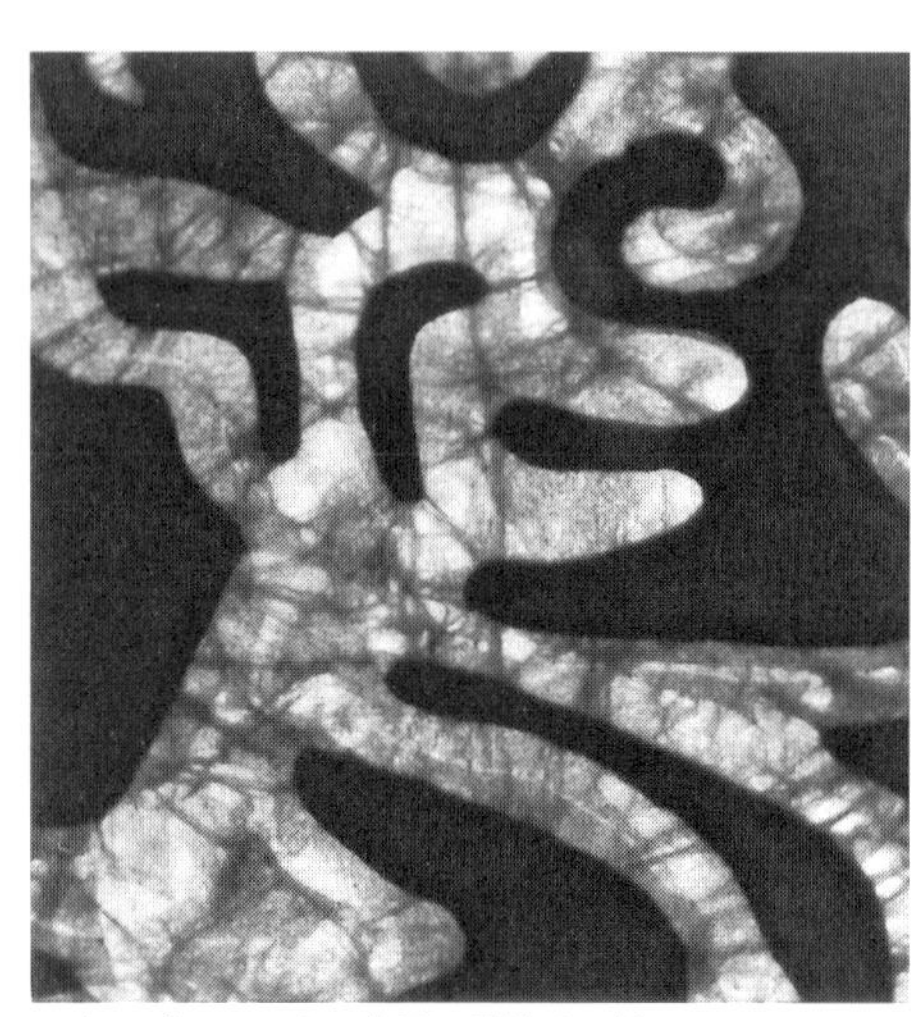
ロウルデス・メナの作品、藍染めの絵
(Irene Gashu 撮影)

新大陸にやって来たスペイン人は、マヤの藍染めに目をつけた。中米の商業的藍の栽培はスペイン人による征服の50年後の1575年から始まった。17世紀半ばになるとそれまで輸出品の第1位を占めていたカカオを追い抜き、藍がそれにとって代わることになった。エルサルバドルのフランシスコ会士のファアン・デ・ディオス・デル・シッドが1641年に著した書物『短い覚書きによるプンテーロの仕事』には藍染めの製法がくわしく書かれている。藍造りは発酵をともなう微妙かつ繊細な工程を経るため、熟練した高度の技能が要求される。プンテーロとはこうした専門の知識を持つ親方、すなわち藍染めの工程・品質の管理・監督の役割を担う重要な職業である。この時期における藍産業の様子は、首都サンサルバドルの西36キロにあるサンアンドレスで見ることができる。その場所で、1995年、4メートルの厚さの火山灰に埋もれた大規模の藍の沈殿槽が発見されたのである。

調査によれば、その火山灰は1658年11月3日、プラヨン火山の噴火によるものであった。スペイン人は、そこにあったマヤ遺跡に重ねて藍工房を造っていたのである。そして18世紀に藍栽培の最盛期を迎える。おもな輸出先はスペイン、ペルー、メキシコであった。しかし18世紀末から19世紀はじめにかけ、イギリスがカリブ海の制海権を牛耳るようになり、中米からの藍の輸出は減少してゆく。同じ時期にイギリスはインドで藍産業を大規模に育成し始めた。しかし藍産業の衰退を決定的にしたのは19世紀末ドイツで開発された化学染料であった。

この間、中米では輸出産業をコーヒーに転換、エルサルバドルは1880年代に主産業をコーヒーに移している。20世紀になるとグアテマラ、ホンジュラス、ニカラグアの藍栽培は見られなくなり、エルサルバドルだけ細々とではあったが藍産業は残っていた。しかし、1974年、同国最後の藍工房が閉鎖されるに至った。それから18年後の92年、コロンブスのアメリカ到達500年祭の際に開催されたパナマ民俗学会議で藍産業復活の要請決議があり、翌年の93年にエルサルバドルのサンタアナ工房で藍染めが再開された。

この再開の立役者は、この国の文化庁にあたるCONCULTURA（文化芸術審議会）であり、農業牧畜省も支援している。技術協力をしているのは日本政府である。サンサルバドルから西北約80キロにあるチャルチュアパのマヤ文化遺跡公園のカサブランカに、日本のODA（政府開発援助）で藍工房を兼ねたミュージアムが造られた（2002年8月）。さらに国際協力機構（JICA）と日本貿易振興機構（JETRO）が専門家を派遣するなどして、エルサルバドルの人びとに藍染めの技術を教えている。日本の藍染めの本場である徳島県からは、JETROの専門家として四国大学の野田良子教授も訪れている。近年、藍の天然染料は世界的に見直されつつあり、とくにヨーロッパでその需要が急激に増えつつある。現代に甦ったエルサルバドル原産の天然藍の大半はヨーロッパ向けに輸出されており、近い将来、エルサルバドルの主要な輸出産業になる可能性がある。一方、最初に述べた駐日エルサルバドル大使館に飾られていたロウルデス・メナ氏の藍染めの絵画のように、同国の芸術振興にも役立っている。

メナ氏は、インディゴ・トレーニングという企業の総支配人も務め、藍染めの原料の生産と藍染めの普及に専念している。藍染めの人材育成に多大な努力を行い、育てた人材は数多い。原料はヨーロッパに、藍染めの衣料品は今や、ヨーロッパ、アメリカ向けに輸出されている。彼女の師匠は、JICAの専門家として、藍染め復活に尽力していたグアテマラ在住のマヤの織物・染色の研究家児島英雄氏であった。

（平尾行隆）

＊参考文献
『グアテマラ中部・南部における民俗学調査報告書　１９９１～１９９４』たばこと塩の博物館、１９９７年
『月刊　染色α』２５３号、２００２年４月
『チャルチュアパ――エルサルバドル総合学術調査報告書』京都外国語大学、２０００年
El Puntero Apuntado con Apuntes Breves, CONCULTURA, San Salvador, 1999.（フランシスコ会士ファン・デ・ディオス・デル・シッドが１６４１年に著した同じタイトルの本の復刻版）

51

『星の王子さま』の故郷

★コンスエロの情熱が生んだ作品★

「あの世界中で読まれている文学作品『星の王子さま』の故郷は？」と問われ、たいていの人は作者アントワーヌ・ド・サン＝テグジュペリの生まれた国フランス、あるいは物語の舞台となったサハラ砂漠、あるいは「星の王子さま」のもともと住んでいた星Ｂ－６１２と、答えるのが普通である。しかし『星の王子さま』の故郷はエルサルバドル」と答えてもおかしくないことが、アントワーヌ・ド・サン＝テグジュペリの生誕１００年目の２０００年４月に起きたのである。

それは、アントワーヌと13年間つれ添った妻、コンスエロ（エルサルバドル生まれ）の手記『バラの回想』がフランスで出版され、その結婚生活の真実が明らかにされたからである。その著書のなかで、コンスエロは「『星の王子さま』のなかに出てくるあの〝赤いバラ〟は、自分のことであり、本来『星の王子さま』は自分のために書かれたものである」と告白している。この手記は１９９９年になり、コンスエロ（１９０１～79年）が大切に保管していた船旅用トランクから発見されたものであり、彼女の遺産相続者ホセ・マルティネス・フルクトゥオーソ氏（スペイン人で、コンスエロの執事）の許可を得て、フランスの作家アラン・ヴィルコンデレ氏により、回想録として編集されたのである。

そして、この本の序文でヴィルコンデレ氏は、「アントワーヌが、『星の王子さま』はコンスエロの大きな情熱から生まれたと認めている」といっている。『バラの回想』が出版されるやいなや、フランスで話題となりベストセラーとなった。なんといっても、アントワーヌは世界中で読まれている『星の王子さま』の作者であり、第二次世界大戦で亡くなったフランスの国民的英雄であり、通貨ユーロに切り替わる前のフランス紙幣の肖像にもなっていた人物である。

アントワーヌの2番目の姉シモーヌは、その著書『アントワーヌ、わが弟……』（1963年）でコンスエロのことを「尽きることのない活力に溢れた、空想的で魅力に満ちたこの女性は、物質的心労に悩まされた彼の生活を通じて、涸れることのない詩の源泉でした。『星の王子さま』は、バラという作中人物のなかに彼女を具現化したのでした」と証言している。

コンスエロは変化に富んだ、世にも稀な人生を送った。彼女は1901年4月16日、エルサルバドルのソンソナテ県にある町アルメニアで生まれた。そこからは『星の王子さま』に出てくる円錐形の火山に似た活火山イサルコが臨まれる。その隣に休火山セロベルデ、活火山のサンタアナが連なり、3つの火山となっている。その麓には、火山湖コアテペケ（ナワトル語でヘビの森を意味する）が青色に澄んだ水をたたえている。父親は先住民族であるマヤ系の血を引いており、コーヒー園を経営していた。

コンスエロは幼いときから早熟な女の子であり、その言葉遣いは同年齢の少女たちとはかけ離れていた。そのことは、同じアルメニア生まれで、2歳年上の女流詩人クラウディア・ラルス（1899

～1974年）が著した『幼少時代の地』（1958年）に、次のように書かれている。

クラウディアが「大人になったら私は美しい詩を書きたい」といっているのに対し、コンスエロは「大人になったら遠い国の女王さまになりたい。そして金銀の衣服を身にまとい、宝石の指輪と首飾りで美しくなりたい」と……クラウディアが子どものころ、コンスエロより直接聞いた言葉である。そして彼女の人生は自ら予告した方向に向かっていく。

コンスエロは1920年、エルサルバドル政府の奨学金で米国、サンフランシスコに渡り、カソリック系の学校で英語を勉強していた。そこで、メキシコ人の軍人リカルド・カルデナスを愛し結婚するが、1924年には夫リカルドが事故に巻き込まれ犠牲者となった（離婚したという説もある。真相はいまだにわかっていない）。コンスエロは故郷エルサルバドルに帰るが、心配した母親はコーヒー園主のやもめと結婚させようとする。コンスエロは気が進まないまま、縁談をはぐらかす。正式に結婚する前にメキシコに留学したいと許婚を説得しメキシコに発った。

そして、その当時メキシコ文化ルネッサンスの中心的推進者、教育改革者であった、ホセ・バスコンセロスと知り合った。彼は国立大学の学長、文部大臣を務め、ディエゴ・リベラ、シケイロス、オロスコを参加させた壁画運動の政策面での貢献者であった。コンスエロはメキシコ国立大学でジャーナリズムを専攻していた。そして、バスコンセロスの主宰する雑誌『アントルチャ（松明）』の協力者として彼を支えた。コンスエロは彼の愛人になっていた。バスコンセロスはオアハカ州の知事候補として選挙に出たものの落選し、将来への大統領の道も断たれた。当時の大統領カジェスとは、政治的意見が合わず、パリに身を移した。コンスエロも1926年、パリに向かった。しかし、バスコンセ

コンスエロとサン＝テグジュペリ、ニースにて、1931年　（出典：コンスエロ・ド・サン＝テグジュペリ／香川由利子訳『バラの回想』文藝春秋、2000年）

ロスは文筆活動、また、海外への講演旅行に忙しく、コンスエロを十分に構うことができなかった。

コンスエロはその当時フランス、ヨーロッパ全域で名を馳せていたジャーナリスト、グアテマラ出身のエンリケ・ゴメス・カリジョと知り合い、１９２６年12月に結婚する。カリジョの多くの著書のなかに１９０５年、日本を訪問した際の見聞録『マルセーユから日本へ』『日本人の心』『誇り高く優雅な国、日本』がある。彼は当時のアルゼンチン大統領イポリット・イリゴージェンと親しくアルゼンチン人に帰化、パリ駐在アルゼンチン領事を務めていた。しかし、コンスエロと結婚して1年足らずで脳溢血のため他界した。

夫に先立たれたコンスエロは、年金を受け取る手続きをするためブエノスアイレスを訪問する。ある日フランス文学に関する講演会のあとのパーティで、アントワーヌ・ド・サン＝テグジュペリと知り合う。アントワーヌはその当時航空輸送事業のアエロポスタル社（仏）の子会社アエロポスタル・アルヘンティーナの総支配人であった。アントワーヌは一目でコンスエロに恋をし、彼の操縦する飛行機に彼女を乗せた。アントワーヌは飛行機のなかで彼のキスを受け入れなければ、夕闇迫るラプラタ川にもろともに墜落すると脅しをかけ、愛の告白を行った。そして１９３１年4月23日、２人はフランスのアゲーで結婚式を挙げた。サン＝テグジュペリ家は伯爵の家系であったため、コンスエロは伯爵夫人となったのである。

１９３９年９月、第二次世界大戦が始まった。アントワーヌはドイツ軍に占領されたパリを離れ、１９４０年末ニューヨークに渡った。コンスエロも１９４２年明けにニューヨークに移った。『星の王子さま』が１９４３年４月６日、ニューヨークで出版されると間もなく、アントワーヌは北アフリカの戦線基地に向かった。１９４４年７月31日、アントワーヌはひとりコルシカ島から故国フランスをめざし偵察飛行に出かけ、そのまま帰らぬ人となった。

コンスエロが『バラの回想』を書き始めたのは１９４５年のニューヨークであった。戦争の終わった翌年にはフランスに帰り、１９４７年、南仏カンヌ地方の保養地、グラースに落ち着いた。その地は世界的に有名な香料用のバラの産地であり、緑豊かなところである。コンスエロは、１９７９年に亡くなるまでそこで過ごした。

コンスエロは文章を書くのが好きであった。第二次世界大戦のなか、南仏オペードで建築家、ベルナール・ゼルフュス（後にパリのユネスコのビルの建築設計にかかわる）とともに芸術家によるコミュニティを造ろうとしていた（対独レジスタンス運動の一環）。その経験をもとに『オペード』を書いており、１９４５年、フランス語でニューヨークで出版されている。そして、前述の『バラの回想』がある。２００１年にはコンスエロが書きとめていた日記が、アラン・ヴィルコンデレ氏により編集され、『日曜日の手紙』としてフランスで出版された。

またコンスエロは、絵を描き、彫刻も制作した。画家アンドレ・ドゥランとは友人であり、シャ

『星の王子さまを魅惑したバラ』の本の表紙（Suncín, Abigaíl, La Rosa que cautivó al Principito, UCA, 2003）

ガール風なシュールな絵を描いていた。パリのアカデミー・ランソンでは彫刻家アリスティッド・マイヨールを師とし、ニューヨークではアート・スチューデント・リーグのアトリエで彫刻を習った。

交友関係にあった文学者、芸術家は多く、いつも彼女の周りに集まっていた。コンスエロは彼らのミューズ（女神）であった。『青い鳥』のメーテルリンク、ガブリエル・ダヌンチオ（三島由紀夫に大きな影響を与えたイタリアの詩人）、アンドレ・ブルトン（仏・シュールレアリズム文学者）、マックス・エルンスト（独・ダダイズム、シュールレアリズムの画家・彫刻家）、マルセル・デュシャン（仏・ダダイズムの画家・彫刻家）、ピカソ、ダリ、ミロ等々である。

コンスエロは、生まれ育った故郷、エルサルバドルに数回帰っていたが、１９７２年の帰郷が最後となった。その折宿泊した首都サンサルバドルに住むコンスエロの親戚であるアビガイル・スンシン女史（コンスエロは彼女の代母）が、２００３年7月『星の王子さまを魅惑したバラ』というタイトルでコンスエロの伝記を出版した。サンサルバドルから車で40分ほどかかる、アルメニアのコンスエロが生まれ育った家は、彼女が生まれて１００年目にあたる２００１年1月13日の大地震で倒壊し、瓦礫と化してしまった。

第51章

『星の王子さま』の故郷

２００３年は『星の王子さま』が日本で翻訳されてから50年目にあたるが、その間６００万部が販売されている。また箱根には世界で唯一の『星の王子さま』のミュージアムがある（２０２３年閉園）。シュールレアリズム的ファンタジーの世界を背景に、可愛い王子さまの絵を添えた、哲学的とも思われるこの文学作品は、今も多くの人びとに愛され、読み継がれている。

アントワーヌ・ド・サン゠テグジュペリの他の作品『夜間飛行』は、コンスエロへのラブレターがベースになり書かれたものであり、アルゼンチン、チリが舞台となっている。この作品は、フランスで１９３１年12月、フェミナ賞を受賞しており、アントワーヌの作家としての地位を確立した作品である。『人間の土地』には、飛行機で不時着した砂漠での経験、アルゼンチンのエントレリオ州コンコルディアで不時着した際出会った２人の少女のことが書かれており、『星の王子さま』のもととなるものが多く見られる。この作品は、フランスでは１９３９年にアカデミー・フランスセーズ小説大賞を受賞している。英語版の『風と砂と星々』は米国でベストセラーとなった。ニューヨークから北の大西洋岸のノースポートに、現在ベヴィン・ハウスと呼ばれている家がある。『星の王子さま』の大半はここで書かれた。この家はコンスエロが『星の王子さま』をアントワーヌに居心地よく書いてもらうために、探し当てた場所であった。この本は、その内容からアントワーヌとコンスエロの物語とも思われ、コンスエロがいなければ存在しえなかった作品である。最近、エルサルバドルでは、アントワーヌとコンスエロに捧げるミュージアム『星の王子さま』設立の動きが出てきている（http://www.manlioargueta.com 参照）。

（平尾行隆）

＊参考文献

アントワーヌ・ド・サン＝テグジュペリ（堀口大學訳）『夜間飛行』新潮文庫、１９８６年
アントワーヌ・ド・サン＝テグジュペリ（堀口大學訳）『人間の土地』新潮文庫、１９９０年
アントワーヌ・ド・サン＝テグジュペリ（内藤濯訳）『星の王子さま』岩波書店、２０００年
エンリケ・ゴメス・カリジョ（児嶋桂子訳）『誇り高く優雅な国、日本』人文書院、２００１年
コンスエロ・ド・サン＝テグジュペリ（香川由利子訳）『バラの回想』文藝春秋、２０００年
サン＝テグジュペリ著作集　別巻（山崎庸一郎編・訳）『証言と批評』みすず書房、１９９０年
ステイシー・シフ（檜垣嗣子訳）『サン＝テグジュペリの生涯』新潮社、１９９７年
Bradu, Fabienne, *Damas de Corazón*, Fondo de Cultura Económica, México, 1996.
Lars, Claudia, *Tierra de Infancia*, UCA, 2000.
Suncín, Abigail, *La Rosa que cautivó al Principito: Consuelo de Saint-exupery*, UCA, 2003.
Saint-exupery, Consuelo de, *Memorias de Oppede*, CONCULTURA, 1998.
Saint-exupery, Consuelo de, *Letters du dimanche*, Plon, France, 2001.

52

伝説と文学

★「泣き女」とルベン・ダリオの師★

ニカラグアの生んだ世界的な詩人であるルベン・ダリオやグアテマラのノーベル賞作家であるミゲル・アンヘル・アストゥリアスのようなスターは、エルサルバドルに今のところ現れていない。本章では、文学の原点ともいえるエルサルバドルの有名な伝説と、ルベン・ダリオの師とされるフランシスコ・アントニオ・ガビディアについて紹介する。

シグアナバとシピティオの伝説

サルバドル人が子どものころによく聞かされる伝説に、シグアナバとシピティオがいる。夜、なかなか眠ろうとせず遊び騒ぐ子どもたちに、この話を聞かせ寝付かせることが多い。

シグアナバの「シグア」はナワトルの言葉で女を意味し、「ナバ」は泣くを意味する。いわゆる「泣き女」である。この妖しい女は、夜遊びをする男たちの前に現れる。彼女は月夜あるいは星空の夜に川で洗濯をしている。髪は長く、乳房は腰のところまで垂れている。そして、近くを通る男を嘲るような高笑いで殺してしまう。

ユカタン半島を中心とする低地マヤ地方（メキシコとグアテマ

ラ）にイシュタバイあるいはシュタバイの伝説がある。シグアナバの話は、この伝説と同じ系統を引くものである。イシュタバイは白い衣装をまとい、長く艶やかな黒髪をした、若く美しい娘で、月の光と星影の下でひとり歩きする男の前に現れてたぶらかす。心を奪われた男は、彼女のあとをどこまでも狂ったように追いかけて、再びこの世に戻ることはない。イシュタバイはセイバ（マヤの世界における聖なる樹。マヤの村落には必ずこの樹があり、その下で宗教的儀式などが催される）の老樹を住み場所とし、地下に張ったその根には、イシュタバイが連れ去った何十万という男たちが囚われているという。

シグアモンタの伝説もある。シグアモンタはよく飛び跳ねる小鳥で、美しく輝く羽を持っている。この鳥を捕まえようとする男を、巧みに断崖に誘って転落させるという話である。メキシコの伝説「ジョローナ（泣き女）」も同じ系統のものである。シピティオはシグアナバの息子である。しかし、シグアナバと異なり、明るい性格である。背は低く、太鼓腹で、足は人間の足と逆さになっている。すなわち、指と踵の位置が逆さまに付いている。シピティオは人のいない夜の間に砂糖工場に入り、砂糖汁の絞り滓の燃え尽きた灰を食べるのを習慣としている。シピティオの足の指と踵が逆さまになっているゆえ、シピティオの侵入した足跡が退散したように、出て行った足跡が侵入したように見え、その足跡に気付いた人を惑わすことになる。

フランシスコ・アントニオ・ガビディア ―― ルベン・ダリオの師

ニカラグアの詩人ルベン・ダリオは、若いころ、エルサルバドルの文学者フランシスコ・アントニオ・ガビディア（1864～1955年）に多大な影響を受けていた。ルベン・ダリオは1882年、

15歳のときにエルサルバドルに放浪の旅の第1歩を踏んだ。そして、当時フランス詩を研究していた3歳年上のガビディアに会っている。ガビディアはダリオにフランス詩の素晴らしさを教えた。この2人の運命的出会いにより、ダリオはフランス詩の12音節詩法を取り入れ、モデルニスモ（近代主義）の新風を起こすきっかけをつかんだのである。

2人が出会った2年後の1884年にガビディアは脳軟化症を患った。当時のエルサルバドルの大統領ラファエル・サルディバルは彼のことを心配し、パリに行かせ治療にあたらせた。ガビディアはその病の回復後、スペインに滞在したが、スペインは彼をスペイン王立国語アカデミーの会員（学術振興機関で優れた功績のある各界の有能な学識者を成員としている）に選んだ。ガビディアは詩人であると同時に、劇作家、歴史家、随筆家、教育家、哲学者、ジャーナリスト、翻訳家としても活躍した。1993年、国会は「名誉あるサルバドル人」の称号を与えている。ガビディアの主な著書に『一八一四』（歴史随筆、1905年）『エルサルバドル近代史』（1917～18年）、『ウルシノ』（ドラマ、1887年）、『ジュピター』（ドラマ、1895年）、『王女シタラ』（演劇、1946年）、『ソテエル』（叙事詩、1949年）などがある。

（平尾行隆）

＊参考文献
高林則明『魔術的リアリズムの淵源』人文書院、1997年
Cañas-Dinarte, Carlos, *Diccinonario de Autoras y Autores de El Salvador*, CONCULTURA, 2002.

53

エルサルバドルの先住民

★ピピル族とシピティオ伝説★

先住民ピピル族の伝説から誕生した、エルサルバドルでおなじみのちょっと風変わりな人気者がいる。その名はシピティオ(Cipitio)。てっぺんが高くとがったつばの広い帽子をかぶり、お腹をぽっこりと膨らませ、瞬間移動などの超自然的な能力で子どもたちを助けてくれる架空の少年ヒーローである。俳優の演じる実写版のテレビ・シリーズ『シピティオの冒険』などを通じてエルサルバドル社会にその存在が広く知られるようになり、祭りやパーティーなどでその姿に仮装する者も後を絶たない。

ピピル族の伝承によるとシピティオ（ナワトル語方言で「子ども」を意味する）は、偉大なる太陽神トラロックを裏切った先住民女性シグアナバから生まれた。怒ったトラロックはシグアナバを醜い女性へ変身させただけでなく、その子にも厳罰を科したという。そのためシピティオは10歳で成長を止められ、灰を食べて空腹を満たす子どもとして永遠に生きることを余儀なくされたうえに、足の向きも前後反対に付け替えられてしまう。こうして彼は川のくぼみでひっそりと生活し、若い女性を見かけるといたずらで驚かせたり、つけ回すようになったとされる。このシピティオの伝説が現代風にアレンジされ、子ども向けの人気キャラクターへと変身したのである。

中米のなかで最も人種や民族の混血化が進んでいるといわれ、人口に占める先住民の割合も比較的少ないエルサルバドルにおいても、先住民固有の文化や神話が時代によって形を変えつつ生き続けていることはじつに興味ぶかい。それでは、エルサルバドルを代表する先住民族集団であり、シピティオという人気キャラクターの元となる伝承を語りついできたピピル族とはどのような人びとであり、いかなる歴史を歩んできたのであろうか。

シピティオのイメージ画

現在、ピピル族はおもにエルサルバドル西部から中央部（ニカラグアにも居住）で暮らしており、その多くは貧しい農民や労働者である。ホンジュラスとの国境線付近に暮らすマヤ系のレンカ族を抑え、彼らはエルサルバドル先住民のなかの多数派である。エルサルバドルがスペイン人に征服される以前の12～13世紀ごろ、ピピル族は共同体を治めるカシーケ（統領）間の結びつきや朝貢関係を通じて1つの国家を形成していた。その中心都市がクスカトランであり、厳しい法のもとで貴族、商人・職人、平民、奴隷などからなる身分制度が維持され、人びとの共有財産とされた農地でトウモロコシ・豆類・カカオなどが生産され、独特の絵文字で歴史や政治に関する情報が記録されていた。概して人びとの政治意識は高く、自然と人間の共生を基盤にした生活が営まれていたようである。

16世紀前半、クスカトランはメキシコのアステカ王国を滅ぼしたコルテスの部下ペドロ・デ・アルバラードの率いるスペイン軍に征服され、植民地化された。ピピル族はときに激しくスペイン人支配に抵抗したので、スペイン王国に対する最低限の納税や労働の義務を果たし、キリスト教を受け入れさえすれば、彼らの伝統文化や習慣などは比較的柔軟に認められた。ところが、ピピル族が居住する地域は、16世紀にカカオ、17世紀にインディゴ（藍）、そして19世紀にコーヒーの主要な産地となる。そのため、しだいにピピル族は土地を奪われたり、厳しい労働に従事させられるなど、エルサルバドル国家の経済発展のために犠牲を強いられるようになった。

とくに、1880年代以降のコーヒー・ブームのなかで、国家は資本家が先住民の土地を奪ってコーヒー農園へ変えることを容易にする法律を制定したため、ピピル族は自給自足のための生活基盤を急速に失っていった。国家に保護された大土地所有者たちはコーヒーにかかわる銀行・財政・生産・精製・流通業のすべてを手中に収め、反対に先住民を中心とする「土地なし農民」のほとんどは、大土地所有者に従属して低賃金で働く貧しい農業労働者になるしかなかった。国家への従属が強まるなかで、ピピル族は伝統的な民族衣装やナワトル語の使用を禁止されるなど文化的な圧力も受けたため、しだいに政治や社会に対する反発を強めていったのである。

都市部で労働運動が激しさを増し、世界恐慌によって悪化した経済状況がエルサルバドル共産党の動きを活発化させるなかで１９３２年の大虐殺が起こったとき、西部地域のピピル族を中心とする先住民農民が多く犠牲者となったのはこのためである（１９３２年の大虐殺に関しては第41章を参照）。コーヒー農園で働く先住民貧農の多くは、組合運動の意義や共産主義をかならずしも理解してはいなかったが、都市の民衆がエルサルバドルの寡頭政治を打破するために命がけの運動を行おうとしたまさにそのとき、その反乱の気運を敏感に感じとった先住民農民はこれに呼応するように立ち上がり、最終的に陰惨な結果を招いたのだった。

このとき先住民農民を率いたのが、ピピル族のカシーケであるフェリシアーノ・アマであった。ソンソナテ県イサルコの先住民名家出身だったアマは、共産党運動の影響を受けつつ、コーヒー価格の低下によって困窮化した先住民農民を束ねて武力闘争を開始し、大土地所有者や政府役人らに襲いかかった。だが、この武装蜂起はほどなくして圧倒的に武力でまさる国軍によって鎮圧され、捕らえられたアマは見せしめとして苦悶のなかで絞首刑に処され、その後も国軍による掃討作戦によって無数の先住民が命を落とすことになってしまった。このようにピピル族の歩んできた道のりを振り返ると、残念ながら重苦しく血なまぐさい過去からも目を背けることができない。

捕まったフェリシアーノ・アマ

英語とスペイン語で発行された最新の絵本（Argueta, Jorge, y Gloria Calderón, El Zipitío, Groundwood

Books, 2003）のなかのシピティオは、伝統的な生活を送るピピル族の優しい少女ルフィナの前に現れる寂しがり屋で愛らしい存在である。シピティオに心を開いたルフィナは、1度も見たことのない海の波を贈り物にねだり、シピティオはじつに心温まる方法――詳しくは絵本を読んでのお楽しみ――でそれをルフィナに届けてくれるのだった。この物語に描かれているように、先住民が伝統的な生活や文化を大切にしながら穏やかに暮らせるようになってはじめて、死してさまよえる先住民の魂たちが苦痛から解放されるような気がしてならない。その日は必ずやってくるはずだ。

（小澤卓也）

＊参考文献

Almeida, Paul, *Waves of Protest: Popular Struggle in El Salvador, 1925-2005*, University of Minnesota Press, 2008.

Argueta, Jorge (texto), y Gloria Calderón (illustraciones), *El Zipitio*, Groundwood Books, 2003.

Carmack, Robert (editor), *Historia General de Centroamérica*, tomo. I, Sociedad Estatal Quinto Centenario y FLACSO, 1993.

Gould, Jeffrey and Aldo Lauria-Santiago, *To Rise in Darkness, Revolution, Repression, and Memory in El Salvador, 1920-1932*, Duke University Press, 2008.

54

ナワ–ピピル語

★最南端のナウァ系言語★

エルサルバドルでは、総人口の1％にも満たない人口ではあるが、現在も東部のレンカ、カカウイラ、西部のナワ－ピピルなどの先住民グループが存在する。先住民らは植民地支配以降、様々な政治経済的抑圧を受けてきた。本章でとりあげるナワ－ピピルの人々の場合、特に1932年の軍部による大虐殺の標的にされて以来、言語や民族服などの文化的表象を自ら隠して生きてきたため母語話者が激減した。しかし内戦終結後、先住民への社会的認知が高まり、西部のソンソナテ県のイサルコ、ナウイサルコ、クイスナワット、サント・ドミンゴ・デ・グスマンなどの集落で、少数の高齢の母語話者とそれに続く世代、および言語学や人類学の研究者らによって言語・文化の復興・継承活動が実施されている。

ピピル（pipil）は、ナワ系言語で貴族を意味する"pilli"に由来するとされ、彼らの言語は言語類型学上、アメリカ合衆国のユタ州から中米にかけて分布するユト・アステカ語族に属し、メキシコ中央高原のナワトル語などと同族の言語である。それゆえ2007年の国勢調査で採用されたように、近年ではナワ－ピピル（nahua-pipil）と呼ぶ傾向がある。グアテマラやニカ

ソンソナテ県ナウイサルコ村の中心地の露天市（1995年8月）

ラグアにも類似した言語が存在していたが、20世紀初頭には消滅したため、エルサルバドルのナワ－ピピル語が現存する最南端のナワ系言語と言える。

ナワ系言語はアステカ王国の第8代王アウイソトルの時代（1486～1503年）には、広域商人の活動や領土拡大によって、多言語社会のメソアメリカ各地で通商語（リンガ・フランカ）として機能していた。現在の中米地域はアステカ王国の直接支配は受けなかったが、考古学や民族歴史学の研究によると、ピピル（ナワ－ピピル）人のクスカトラン王国や、同系のニカラオ語を話していたニカラグアのニカラオ王国は、アステカ勢力の南下以前に既に成立していたとされる。

1524年、ペドロ・デ・アルバラード率いるスペイン軍が、現在のサンサルバドル市近くにあったクスカトラン王国に到着したが、先住民らの抗戦により征服は難航し、彼の弟ホルヘ・デ・アルバラードによって現在のサンサルバドルが創設されたのは、その2年後のことであった。グアテマラ初代司教を務めたマロキン神父が記した報告書によれば、征服時の同王国には「1万2000軒の先住民の家屋があり、この王国の支配下には59の集落があった」という。当時の人口については諸説あるものの、グアテマラ総監領のなかでは、シウダ・レアル市（現メキシコ、チアパス州サン・クリストバル・デ・ラス・カサス市）、グアテマラ市（現アンティグア・グアテマラ市）に次ぐ規模であったという。その後、先住民人口は他の地域同様、疫病、債務労働、奴隷輸出などにより著しく減少する。また、エルサルバドルでは、度重なる地震も特記すべき人口減の要因である。『16世紀地理報告書』には、火山国エルサルバドルを襲った大地震によって、先住民の家屋はすべて倒壊したと記されている。

一方、先述のとおりナワ系言語は征服以前から通商語として広く通用していたため、植民地時代には、スペイン人と先住民の間の媒介言語としての役割を果たした。スペイン王フェリペ2世も1570年に、先住民への布教活動におけるナワ系言語の使用を承認し、植民地時代末期まで各地でアルファベット表記のナワ系言語で文書が作成された。エルサルバドルでも、サンタアナ市に17－18世紀にナワーピピル語で記されたコフラディア（信徒集団）の管理運営に関する文書が残されている。当時はメキシコのナワトル語が標準語とされ、その特徴は［tl］音であるが、サンタアナ市の文書にみられる古典ナワーピピル語では、現代語と同様、この［tl］音は総じて［t］音になっている。

このようなナワ系言語の特徴は、現在の地名にも多く残っており、場所を表す接尾辞 -go(co)、-pa(n)、-tan　や -tenango（tenamit「城壁」＋ -go（co）「場所」）、-tepeque（tepet「山」＋ -que(co)「場所」）などの接尾辞を持っているので判りやすい。特にナワーピピル語の特徴を示すのが -tan や -tepeque

であろう。メキシコでは、これらの接尾辞はそれぞれ -tlan、-tepec となる。たとえば、かつての王国の名で、大手銀行の名前にもなっているクスカトラン（Cuscatlan）は、実は征服軍にメキシコから同行したトラスカラ人やアステカ人らのナワトル語による呼名である。しかし16世紀末に記されたグアテマラのマヤ・カクチケル人の年代記『ソロラの覚書』にはナワ－ピピル語の特徴が明らかなクスカタン（Cuscat「宝石」+tan）と記されている。この他、山のある場所を表す接尾辞 -tepeque を持つ地名も多く、たとえば、コアテペケ Coatepeque（coat「蛇」+-tepeque）、コフテペケ Cojutepeque（coj(y)ut「コヨーテ」+-tepeque）、オコテペケ Ocotepeque（ocot「松」+-tepeque）、センスンテペケ Sensuntepeque（cemtzont「４００、多数」+-tepeque）などがある。

表54－1　先住民人口
（総人口：5,774,113人）

先住民	人口（人）
ナワ - ピピル	3,539
レンカ	2,012
カカウィラ	4,165
その他	3,594
合計	13,310

出典：エルサルバドル中央銀行（https://onec.bcr.gob.sv/poblacion-y-estadisticas-demograficas/）（閲覧日：2023年9月）

＊2007年経済省国勢調査局（DYGESTIC）資料に基づく。次回国勢調査は2023-24年に実施予定。

２００７年に実施された内戦終結後初の国勢調査では、それ以前は「先住民」とひとくくりにされていた質問項目で、同国史上はじめて帰属民族グループ名を明示した選択肢が加えられた。その回答は自己決定でなされ、言語運用能力を基準とするものではなかった。表54－1にあるナワ－ピピル以外の先住民グループであるレンカは東部のウスルタン、サン・ミゲル、モラサン、ラ・ウニオンなどの県に、カカウイラはモラサン県カカオペラ市などに居住する人々である。言語学者のキャンベルの分類によれば、この２つの言語はメソアメリカ圏の言語ではなく、広義ではコロンビアのチブチャ語族に類縁関係を見出せるという。

20世紀前半の先住民人口について、人類学者のアダムスや人口史研究者のB．カストロは、総人口の約2割であったと推計した。２００７年の調査では先住民人口は総人口のわずか0・2％ほどであるが、それでも長年の圧政の下、隠れるように生きてきた人々がようやく自分たちのアイデンティティを主張しはじめたことを物語っているのかもしれない。

中米地峡は古くから、まさに南北アメリカ大陸の十字路で、今もエルサルバドルでメソアメリカ圏最南端の言語と南米最北端の言語が生き続けている。しかしながら長期化した内戦時代とグローバル化の波により、母語話者人口の高齢化が進み、残念ながら消滅の危機に瀕した状態である。かつての先住民言語の機能はスペイン語に移行されても、先スペイン期から多様な文化を受容し、また影響を与えてきた民族性は、今も人々の生活のなかに受け継がれている。現在これらの言語・文化を保持する人々と、言語学、人類学、社会学などの研究者や大学、行政機関などによって、その保存・継承に向けての取り組みが行われており、今後の成果が期待される。

（敦賀公子）

55

映画『サルバドル』と『イノセント・ボイス』

★内戦の実相を描く★

内戦中のエルサルバドルを知るには、これから紹介する2本の映画がお勧めである。1本はオリバー・ストーン監督の『サルバドル――遥かなる日々』（1986年）。大ヒットになった同監督『プラトーン』の前作である。もう1本は、メキシコ人のルイス・マンドーキ監督の手になる『イノセント・ボイス――12歳の戦場』（2004年）。どちらも日本国内で劇場公開され、DVDも発売されている。

『サルバドル』は国際的に著名な戦場カメラマンであるリチャード・ボイルの実体験を基にしている。ボイルはエルサルバドルでの体験をつづった未発表の原稿をストーン監督に渡す。これを読んだ監督が「僕は儲けることなどどうでもいいんです。この映画はそれでも、作る価値のあるものですから」と答えたという。このプロセスは後で紹介する『イノセント・ボイス』とも奇妙に似通っている。脚本を書いたのはサルバドル人のオスカー・トレスで、マンドーキに脚本を見せたところ、すぐに監督を申し出たという。ストーリーはトレスの実体験を基にした、内戦中のすさまじい出来事である。

2つの作品は、ほぼ同じ時期のエルサルバドル内戦の様子を、実話に依拠して描写しているという点で共通している。とはいえ前者は米国人のカメラマンの目を通した作品であり、レーガン大統領の対中米政策への強い批判がメッセージとして込められている。対照的に後者は、12歳の少年の目を通した、内戦下の家族や友人たちの苦悩が描き出されている。両作品を見ることで、内戦の様子を重層的に理解することができると思う。

『サルバドル』は金銭的にも家庭的にも行き詰っていたカメラマンであるリチャード・ボイル（ジェームズ・ウッズ演じる）が、エルサルバドルの戦場カメラマンになって一儲けたくらむことからスタートする。ステレオタイプの謹厳実直、正義感溢れる戦場ジャーナリストとは正反対の舞台設定である。ボイルはサルバドル人のガールフレンドと楽しく過ごす傍ら、一攫千金を狙ってスクープ写真を渉猟する。軍事援助を強化しようとする米国の軍事顧問団。これに抵抗するトム・ケリー米国大使（実名はロバート・ホワイト。セルDVDでは特典映像として、ホワイト元大使自身が当時の様子を語っている）。1980年3月、ロメロ大司教がミサの最中に暗殺される。画面ではこのとき、ボイルは新妻と殺害現場となる大聖堂にいて、間一髪で難を逃れる、という設定。画面では大混乱するカテドラルの様子が、実写フィルムで紹介される。同年12月には、4人の米国人修道女が強姦のすえ殺害された。ストーン監督はこの事件の様子を、迫真のカメラワークで再現した。

目を背けたくなるのは、死の谷（プエルタ・デル・ディアブロ）を覆う、何百という死体のシーンである。ボイルはフリーカメラマンのジョン・サベージ（実在のカメラマンのジョン・ホグランド）と一緒に撮影する。余談だがカメラマンの宮嶋茂樹によるとこのシーンで、サベージはニコンとキャノンを持っている。しかし「両方を現場に持っていくカメラマン」はありえないそうである。両メーカーのレンズの互換性はないからであるという（宮嶋茂樹『私の異常な愛情――不肖・宮嶋流 戦争映画の正しい観方』光文社知恵の森文庫、２００８年）。主要登場人物の１人は、政府軍の黒幕的な存在として描かれているマックス少佐である。マックスは実在のロベルト・ダッウイソン少佐の擬態と思われる。ダッウイソンは軍の諜報部に勤務し（79年に軍籍を離れているが）、右派テロ組織の首謀者、右派政党国民共和同盟（ＡＲＥＮＡ）の創立メンバーとして知られる。映画のなかでは変質的ともいえる殺人鬼のように描かれている。実際彼がロメロ大司教の殺害を命じたのは、国連真相究明委員会の報告書でもほぼ裏付けられている。画面ではナチスの鍵十字に似せた紋章が飾られた部屋で、オカルトチックな雰囲気で、大司教の殺害を指示している。

ダッウイソンはその後国会議長に就任し、84年の大統領選に出馬した。しかしキリスト教民主党のホセ・ナポレオン・ドゥアルテに僅差で敗れた。筆者は当時サンサルバドルに在勤していた。テレビに出演し熱弁を振るうダッウイソンをよく見たものである。頑固な反共主義者で、「死の部隊」として恐れられていた右派テロの首謀者であることは公然の秘密だった。素朴な疑問は、どうしてこんな人物に人気があるのか、ということだった。失業中の知人は「ダッウイソンはエルサルバドルの黄金時代を思い出させてくれる。コーヒー輸出で栄えたころだ。戦争が起きる前の、繁栄の時代だ。彼ならば、必ずあの時代に戻してくれる」と説明してくれたことを覚えている。

『イノセント・ボイス』の舞台は、首都サンサルバドル郊外のクスカタンシンゴという町である。84年のデータでは人口２万７０００人であり、映像から受ける印象とは異なり、中規模の町ではある。ほとんど首都圏に隣接していて、80年代の中ごろにここが政府軍と左派ゲリラ（ＦＭＬＮ）の境界線になっていたということは、左派ゲリラが首都を制圧するほどの勢いを持っていたことの証でもあろう。

画面では「ダンボールの家」と呼称されるスラムでの様子が描き出される。ゲリラのシンパがいるという嫌疑だけで、軍は民家に自動小銃の水平射撃、焼き討ちを行う。銃声におののきながら、子どもたちはベッドに隠れる。ストーリーは主人公の11歳のチャバ（トレス自身）とその家族、友人たちである。家族を置いて米国に逃げてしまった父親。ゲリラに加わる叔父。手動式のミシンでの縫製で、必死に家族を養う母親の姿。少年兵の存在。チャバは85年、14歳のときに1人で米国に渡る。町の教会の神父も重要な役割を果たしている。兵士からたびたび暴行を受け、「もはや祈るだけでは足りない」と語る。学校が突然軍とゲリラとの戦場と化す恐怖。12歳になると軍の強制徴用が始まる（公式には18歳以上が徴兵の対象。少年兵は制度としては存在しない。しかし筆者も、数は多くはないが、少年兵らしき姿を見かけた記憶がある）。

「サンサルバドルは1年をとおして過ごしやすい気候の土地だが、1年の半分が雨季になる。だから私の子供時代の思い出の多くが雨と結びついている。生涯決して忘れることのない、あの日も雨が降っていたし、父が出ていったのもどしゃぶりの雨の日だった」（『イノセント・ボイス――12歳の戦場』オスカー・トレス／曽根原美保編訳、竹書房文庫、２００６年）、とあるように、映像のなかで雨が効果的に使われる。晴れることのない陰鬱な心理状況。

このころ対ゲリラ掃討作戦の主力部隊は、アトラカタル大隊であった。米国の潤沢な軍事援助を受け、諜報活動も行っていた。対ゲリラ戦の文字通りのエリート部隊だった。アトラカタル大隊は81年

現在のクスカタンシンゴの様子

のモラサン県エル・モソテ村の村民７００人の虐殺事件を引き起こしたし、89年には中米大学（ＵＣＡ）のキャンパスでカソリック神父など8名を殺害した事件の実行部隊として知られている。当時の新聞のスクラップを調べてみたが、83年にクスカタンシンゴで住民を殺害した事件で、アトラカタルの名前が出てくる。ラテンアメリカから唯一イラクに派遣しているエルサルバドル政府軍のメンバーに、この部隊の元構成員が参加しているという噂がある。

マンドーキ監督は「戦場にあってもユーモアを忘れなかった子どもたちの様子も描きたかった」と語っているが、画面から描き出される町の様子は悲惨としかいいようがない。生活苦のうえに、戦禍にある緊張感は、おそらく体験した人間にしかわからないだろう。ラストは、チャバが軍に銃殺される直前に、ゲリラとの戦闘が始まり、九死に一生を得て逃れ、町が燃え尽くされるシーンである。

『イノセント・ボイス』は２００５年のベルリン国

際映画祭で最優秀作品賞を受賞し、国際的にも高く評価された。エルサルバドルの内戦の様子を知るうえには、またとない映画である。ただ映画で描かれているような悲惨な状況が、たとえばサンサルバドルの町中で起きていたかといえば、そうではない。少年兵はいたかもしれないが、12歳になるとすべての子どもたちが徴兵されたわけではもちろんない。一部の軍人が人権侵害を繰り返したのは事実である。しかし軍民評議会政権時代に、改革派の若手将校とその後ゲリラ活動に参加するギジェルモ・ウンゴやルベン・サモラが肩を並べて参画したように、軍人のなかにも穏健派はいた。中米紛争を取材していたフリーのカメラマンである加藤健二郎は89年3月、戒厳令下のサンサルバドルで、「女子大生のナンパ」を通じて知り合った左派ゲリラと行動をともにして、バスジャックのテロ実行部隊に同行取材する。その彼も「内戦下とはいっても、のんきに遊べるポイントもある。――太平洋岸の港町――アカフトラの空気はゆったり流れていた」と語っている（『戦場のハローワーク』加藤健二郎、ミリオン出版、２００５年）。

それにしても同時代を過ごした人間として、首都近郊でこのような惨劇が繰り広げられていたことは、まったく知らなかったし、想像もできなかった。「民主主義の国」である米国が、１日１００万ドルの軍事援助でエルサルバドルを支えていた。米国内の世論からしても、一般市民を巻き込む戦闘を続け、少年兵を強制徴用する軍の蛮行を見過ごすはずはない、と過信していた。ドゥアルテ政権についても同じことがいえる。大統領といえども軍強硬派の独断専行を抑制する力はなかったのであろう。

ここで紹介した2作品は、そういう意味でも、内戦の実相を知るうえで、貴重な映像である。

（田中　高）

コラム4

クラブ・カンペストレで出会った人々

田中　高

筆者は内戦の激化していた1984年から85年までの1年間、サンサルバドルにある国連開発計画（UNDP）の事務所に勤務した。日本大使館は事実上の閉鎖状態で、在留邦人も20人に満たないという異常な状態だった。現在では考えられないことのようだが、市内にある最も高級で排他的なスポーツクラブであるクラブ・カンペストレ（Club Campestre）に入会した。おそらく今だとそうしようとしても、資格や高額な年会費、有力者の紹介などの関係で不可能であろう。短期滞在の外国人だと、大使クラスの外交官か、かなり名の知れた進出企業の幹部でないと入会を許可されないだろう。

外国人のメンバーで頻繁に顔を見せていたのは、ゴルフ好きの西ドイツ大使（当時）だった。彼は夕方になると、9ホールのショートコースに4人くらいのボディガードを引きつれてプレーしていた。今思い出してみても異様な風景ではあった。大使はひとりでプレーしている。ボディガードのひとりは彼にぴったりくっつく。残りの2人は周囲を取り囲むようにしている。そしてひとりは離れたところから警戒していた。ボディガードは全員ドイツ人で、自動小銃で完全武装していたのである。

さて筆者は一時期、毎日のようにカンペストレに通った。クラブにはサウナがある。ここで聞いた富裕層の人びとの会話が、エルサルバドルの一断面を知るうえで貴重な経験となった。富裕層の大部分の人びとは内戦を避けて国外に脱出していた。それでも農園経営やビジネスを継続している人もいて、年のうち数カ月間帰国する。サウナは一種の社交サロンで、互いの近況報告を交わしている。筆者は隅のほうでじっと耳を傾けて彼らの会話を聞いていた。

まずわかったことは、富裕層の世界が想像以上に狭いということだった。ほとんどが顔見知りで、親類縁者や隣人であったり、小学校以来の付き合いである。家庭状況も互いによく知っている。その人間関係の濃密さには驚くばかりであった。互いの娘の生活ぶりの話題なども、まるで身内同士のような親密さであった。もうひとつわかったのは、アメリカとの関係の深さである。彼らの多くはマイアミやヒューストンに家を持っている。家族もそこで暮らしている。相当数の人が大学教育をアメリカで受けているようだった。英語で会話することもよくあった。ドイツ系の人も多く、ドイツ人学校も立派なものがあったが、大学教育はアメリカ留学組が断然多かったと思う。

内戦中という特殊な事情で、エルサルバドルとアメリカを往復していたが、彼らの母国はやはりエルサルバドルで、そこに人的なネットワークも不動産などの有形財産も残していた。愛着も強かったと思う。ただ誘拐事件が頻発していたので、治安の悪さには神経をとがらせていた。やむなくアメリカに避難していたという印象も受けた。富裕層にとってみれば、かつてのエルサルバドルの自分たちの暮らしは、まるで天国のようなものだったに違いない。法律を犯しても腕のいい弁護士に任せればまず罰せられることはないし、所得税や相続税を払わずに済ませる手立てはいくらでもあった。それに比べると、アメリカの暮らしは必ずしも楽ではなかったようだ（サウナの会話で、アメリカ生活の愚痴を直接聞くことはなかった。ただ彼らのエルサルバドルへのある種の望郷の思いが、逆にそのことを感じさせたのである）。

クラブ・カンペストレのメンバーたちの会話からうかがい知れるのは、彼らが少なくともサルバドル人としてのアイデンティティーを共有していることであった。おそらくグアテマラやホンジュラスの富裕層よりはより強く、同郷意識を持っていたであろう。国の発展過程に、バナナ会社などの多国籍アグリビジネスが進出せず、自国民によるコーヒー生産が主体であったことに、その因の一端があるような気がする。自分たちの力だけでこの国を築いてきたのだという（間違った）自負心と既得権へのあくことなき執着。そうした誤った認識に大きな転換を迫ったのが、内戦の重要なメッセージのひとつだったと思う。内戦終結後30年を経た今、機会があればあのサウナにもう1度入ってみたい。

クラブ・カンペストレ遠景　（出典：Grow Media El Salvador）

〈追記〉

本稿の初出は拙編『エルサルバドル、ホンジュラス、ニカラグアを知るための45章』（明石書店、2004年）である。クラブ・カンペストレ周辺は近年一変してしまった。サンサルバドルのランドマークともいえる、3棟からなる高級マンション、トレス・105・カンペストレが横並びに建てられた。内戦時代の牧歌的なたたずまいとは、隔世の感がある。

VI

日本とエルサルバドルの深い絆

56

日本との架け橋となった人びと

──★日本への強い関心と理解からエルサルバドルを見つめ直す★──

チェローナこと、ハイメ・アルベルト・ロドリゲスは、知る人ぞ知る、エルサルバドルの生んだサッカー選手で、1980年代半ばに来日、はじめに日本鋼管サッカー部で、続いてJリーグの横浜フリューゲルスで活躍した。その後エルサルバドルのワールド・サッカー・ナショナルチーム選考委員会委員長に就任するなど、活躍を続けている。しかし、それだけではない。彼は、日本がいかにして世界の強豪と戦えるサッカー強国となっていったかを目の当たりにし、日本のスポーツと教育をつぶさに知って、これをエルサルバドルに伝え、かつ実践してきた人である。

彼は強調する。「日本人はビジョンを持ち、目標を持ち、それを達成する。日本人の規律や教育の方法をエルサルバドルに導入することは容易ではないが、それを実現したい」。そのために帰国後、自ら子ども向けのサッカー学校を開設、スポーツ教育に余念がない。チェローナは、テレビ番組でのインタビューで、どうしたらエルサルバドルは、ワールドサッカーで上位に進めるかという問いに、長期ビジョンに立って子どものときからしっかりと教育しなければ世界では勝てないと答えている。そして、日本の例を引くのである。

エルサルバドルでは、自国を「中米の日本」などと呼ぶことがある。長期にわたる、日本とエルサルバドルの友好関係に加え、この国が日本と同様、山がちの狭い国土に人口密度が高いことなど、日本との共通点が多く、周辺国のなかで勤勉で知られることなどを反映するものであろう。サカ前大統領自身も、かつて、不幸な事件のあったインシンカ社の創立40周年記念式典で、「中米の日本」という言葉を用いた。

日本との友好関係の1つのきっかけは、早い時期からの日本企業のこの国への進出であった。1955年にユサ（IUSA）社、66年にインシンカ社と続くが、ユサ社は中南米で戦後最も早い日本企業の進出となった。そして、これとほぼ同時に、エルサルバドルで、中南米で最初のトヨタ自動車の代理店ができる。これは、台湾での代理店に次いで、世界で2番目の代理店であった。自動車雑誌の広告を見ていてトヨタが海外への輸出のために代理店を募集しているのを知ったルイス・ポマ氏が、それに応じたことがきっかけである。同氏は、米国の自動車の輸入と販売を行っていた。今や、その子息、リカルド・ポマ氏が率いるポマ・グループは、エルサルバドルはもとより、中米でも屈指の企業グループとして、自動車の輸入・販売、修理はもとより、ホテル、ショッピングセンター、住宅建設を含むディベロッパーとして、大きく事業を拡大している。ポマ・グループのトヨタの自動車部品の販売会社、DIDEA Repuestos 社では、トヨタの支援もあって、5S（「整理・整頓・清潔・清掃・躾」）やカイゼン、ジャスト・イン・タイムが導入されている。導入以前と比較し、大きく生産性を上げ、サービスも改善した。

ユサ社、インシンカ社、ポマ・グループのいずれも、一時期多くの困難に直面したが、これを乗り越えて事業を続け、今日に至っている。また、エルサルバドルは、戦後、日本が必要としていた綿花の重要な供給地の1つであった。こうして50年代半ばから60年代にかけては、エルサルバドルは、中南米のなかでも日本と最も緊密な経済関係を構築した国の1つであった。早くから日本の友好国となったのである。おそらく、そのこともあって、エルサルバドルはまた、中南米で最も早くから青年海外協力隊が派遣された国となった（第58章参照）。

こうしたなか、両国の関係を一段と緊密化する人物が現れた。両国の経済関係が盛んとなった、まさに60年代に、駐日エルサルバドル大使として東京に赴任したワルテル・ベネケ大使である。彼は在任中、日本の教育に強い関心を持ち、これをエルサルバドルに導入すべきだとの強い信念を持つに至った。この時期に、両国の友好親善関係に貢献した人びとは多いが、そのなかでもベネケ氏は、特別であった。そして、彼の尽力により、両国の関係は、経済を越えてより広い分野へ広がっていったのである。彼は、帰国後、教育大臣に就任すると、日本での教育の経験を参考にしつつ、教育改革を推進した。彼はまた、エルサルバドルにＮＨＫの教育テレビをモデルにした、国営の文化教育テレビ局（カナル10）の設置を実現する。イルマ・ランサ・デ・チャベス・ベラスコ氏が最初の局長に任命された。同時に芸術教育、スポーツ教育などの充実を図った。日本の専門家の協力のもと、体育教育の教員養成学校も整備された。ベネケ教育大臣のもとで、若くして教育次官に任命されたのがロベルト・ムライ・メサ氏である。今日、リカルド・ポマ氏と並ぶエルサルバドル屈指の実業家ムライ・メサ氏は、ベネケ大臣を通じて日本について詳細に知った。ムライ・メサ氏はその後、エルサルバドル社会経済開発財団（ＦＵＳＡＤＥＳ）の会長、社会投資基金（ＦＩＳ）の初代総裁を務めるなど、エルサルバドルの社会経済発展で指導的役割を果たした。

ベネケ氏が活躍したのは１９７０年代であったが、70年代後半には日本の協力による新国際空港の建設が計画され、それは、80年1月に完成した。しかしながら、このころ、内戦の影が忍び寄ってきていた。ベネケ氏は、凶弾に倒れ他界した。インシンカ社社長の誘拐殺人事件も発生する（ベネケ氏の活動の詳細と人となりについては第59章、国営教育文化テレビ局については第27章、国際空港建設については第10章、インシンカ社社長誘拐事件については第61章参照）。これらによって、営々と築かれてきたエルサルバドルと日本の関係は、一時大きく後退せざるをえなくなる。在エルサルバドル日本大使館もコスタリカからの兼轄となった。サッカー選手、チェローナが日本に来るのは、それから数年後のことである。

時は移り、１９９２年の和平合意以来、エルサルバドルと日本の新たな時代が始まる。日本は、復興への協力を積極的に行った。中断されていた青年海外協力隊の派遣も再開され、技術協力・資金協力も行われるようになり、日本は、一時期、トップドナー（最大のＯＤＡ供与国）となった。また、商社をはじめ日本企業もエルサルバドルでの事業を活発化させ始め、先に触れたユサ社、インシンカ社のほか、ＹＫＫが中米での拠点をエルサルバドルに設け、矢崎総業のメキシコ企業との合弁会社ＡＲＮＥＣＯＭ、京セラの子会社ＡＶＸ社の、5社の工場が生産活動を行い、中米で最も日本企業の活動が活発な国の1つとなるに至った（日本企業の活動の詳細は第64章参照）。

しかし、和平後のエルサルバドルと日本の新たな関係は、経済関係や、ＯＤＡによる経済・技術協力にとどまるものではない。エルサルバドルに日本文化を深く理解し、文化・学術面での日本との協力に強い関心を持つ人びとが増えてきたことは真に喜ばしい。本章の最後に、こうした人びとのなかで代表的な2人を紹介することとしたい。

エルサルバドルの著名な私立大学の1つ、ドクトール・マティアス・デルガード大学の学長、ダビッド・エスコバル・ガリンド教授は、この国を代表する文学者であり、多くの著書があるだけでなく、和平協定の締結に際しても尽力した人であり、今日、エルサルバドルの論壇で最も注目されている学者の1人であるといってよい。彼の書く格調高い文章には定評がある。詩人でもあり、短い文章に思いを凝縮して表現する日本の俳句に強い関心を持ち、自ら、スペイン語で俳句を詠み、すでに、俳句の作品集を複数出版している。

ダビッド・エスコバル・ガリンド教授

彼は、訪日した際、オクタビオ・パスとともに『奥の細道』のスペイン語訳を完成させた林屋永吉元スペイン大使と会ったときに、短歌を詠むことを勧められ、その後、スペイン語の短歌集を出版した。エスコバル・ガリンド教授はこのように、日本文化や社会に深い理解を示すエルサルバドルを代表する文化人であり、その発言のエルサルバドル社会への影響力は大きい。このような人を通じてエルサルバドルにおける日本への理解と関心が次第に深まっていくといっても過言ではないであろう。

もう1人は、前文化庁長官のフェデリコ・エルナンデス・アギラル氏である。以前、国会議員であったが、政治家であるよりも、作家であり、詩人である同氏は、役職上の責任からだけでなく、社会の発展にとっての文化・芸術の大切さについての強い信念から、エルサルバドルの文化、芸術の振興に真剣に取り組んでいる。エスコバル・ガリンド教授よりはるかに若い世代の同氏は、今後も長期にわたり、この分野での指導的役割を果たしていくに違いない。その彼が、２００６年10月に訪日し、広島を訪問したとき、同じく戦争の悲劇を経験した1人のサルバドル人として、広島はもとより、多くの都市が爆撃にあい、多くの命を失い、廃墟と化した日本の復興と発展がいかに大変なことであったかを改めて痛感し、日本の文化と発展に強い関心を持ったことを訪日後の講演会で語っている。彼の考えを詳しく紹介するスペースがないのが残念であるが、要約すれば、「発展を煉瓦を積んで作る壁に例えれば、文化は煉瓦をつなぐものであり、文化なくしては発展は語れない。だから、日本の発展を詳しく知るには、日本の文化への深い理解が重要である。他方、文化を大切にしてきた日本が、エルサルバドルで文化・芸術の分野でも最も協力してきている国の1つであることに心から感謝したい」と述べていた。もう1つの国としてスペインを挙げているが、文化への深い造詣のあるエルナンデス・アギラル氏の言葉だけにその意味は重い。

ここに紹介したエルサルバドルの人びとは、時代も分野も異なる。しかし、時代を超え、立場を超え共通しているのは、日本の文化や社会に強い関心を持ち、それに対する深い理解を通じ、自国エルサルバドルを改めて真摯に見つめなおす手がかりとしていったという点である。このような人びとにこそ、日本とエルサルバドルの文化・社会の真の出会い・交流があったといえるのではないであろうか。彼らはまた、それぞれの分野で指導的地位にあって、エルサルバドル社会に、日本についての理解を促し、日本について「発信」する役割を果たしてくれた人びとでもある。もとより、このようなサルバドル人は、ほかにも多数いる。日本人についても同様である。本章は、そのなかの、代表的なサルバドル人について、ごく簡単な紹介を試みたものにすぎない。

（細野昭雄）

＊参考文献
Embajada del Japón y Oficina de JICA en El Salvador, *Memoria: 70 Aniversario de las Relaciones entre Japón y El Salvador*, 2005.（フェデリコ・エルナンデス・アギラルのエッセイなど）
Embajada del Japón y Oficina de JICA en El Salvador, *Educacion: Llave de Desarrollo*, 2006.（チェローナのインタビュー、ベネケ大使の教育分野での貢献など）
Embajada del Japón en El Salvador, *Encuentro Japón-El Salvador 2007: Temporada Cultural*, 2007.（ダビッド・エスコバル・ガリンド、フェデリコ・エルナンデス・アギラルの講演など）

57

学生中米親善見学団

★若人の夢の1歩★

そのとき、1965年2月21日、日曜日、午後4時半、夕陽に映える中米エルサルバドル共和国の首都サンサルバドル市イロパンゴ国際空港に、羽田空港を発って23時間目にフライング・タイガー機は滑るように到着した。タラップを降りてはじめて足を着いた憧れの中南米の大地、コロニアル風の白壁のターミナル・ビルを照らし出す夕陽と、それに映える美しいブーゲンビリアとハイビスカスの真っ赤な色を私は決して忘れない。この感激は大学生活の4年間、クラブ活動において中南米地域の研究に没頭し、その集大成の確認でもあり、夢の1歩が足の先から体のなかへ伝わる瞬間でもあった。

この「学生中米親善見学団」の派遣の生い立ちは、エルサルバドル側から多数の技術研修生を受け入れた日本側の好意と親切に対して、当時のワルテル・ベネケ駐日エルサルバドル大使が、その恩返しとして中米諸国との相互理解と親善のため学生見学団招待を企画してみたい、という申し出を携えて早稲田大学外事課に大使自身が相談に出向いたことから実現した。

1963年から3回実施され、約400名の日本の学生が中米の地を踏み、中南米地域の一端を理解することになった。

空港で国立大学のセニョリータの歓迎を受け、郊外の高台にそびえる高級ホテルのエルサルバドル・インテルコンティネンタル（現ラディソン・ホテル）にチェックイン。興奮覚めやらない一夜を過ごし、翌朝、目覚めて1枚ガラスに映し出された朝日に輝くサンサルバドル山の雄姿は、油絵のごとくであった。早速ホテル近くを散歩、色とりどりの南国の花、鳥の声、当時ホテルの周囲は高級住宅が何軒かあったが、空き地も多く北に山と丘陵、南に市街地が一望できる景色で、植生は違うが真冬の日本から訪れた私には春先の日本の自然が思い出された。

ホテルの朝食では、フルーツが食べ放題で、あらゆるトロピカル・フルーツが盛られていた。すべてがおいしかったが、バナナが少ないのが物足りなかった。私は中南米研究をしていたなかで、スペイン語の先生からよくバナナの話を聞かされていた。それは会話のなかで、「バナナはバナナ」(Platano es platano. バナナはスペイン語で“platano”という）と「銀はバナナではない（Plata no es platano)」という反復練習であった。そして先生は、中南米ではバナナは大衆の一般的な食べ物で、日本では〝焼き芋〟のようなもの（今、日本では焼き芋は高価な食べ物だが）といい、「中南米の一流ホテルでバナナを食べるのは、日本でいうなら、帝国ホテルのロビーで焼き芋を食べるがごとし」とよくいわれていた。私が泊まったのは一流ホテルである。しかし、どうしても食べたくて、自由時間のときに町でバナナを買って新聞紙に包んでもらい、ホテルのプールサイドでベンチの下に隠し、泳ぐ合間に少しずつ食べたのを思い出す。また、町を歩いていて屋台で売っているココ（ヤシの実）が、のどが渇いているときおいしく、1個丸ごとをマチューテ（山刀）で手際よく表面を削ってストローをさしてくれるのに興味を引かれるとともに、飲んだ後その実を割って、なかの乳皮（Nata de coco）を

第57章
学生中米親善見学団

シャキシャキと口にするのが楽しみであった。

到着の翌日から公式のスケジュールが始まった。国立コーヒー研究所、国立エルサルバドル大学、日本の戦後最初の海外投資となった紡績工場、大統領府を訪問、その間隙を縫っての美しいイロパンゴ湖、コアテペケ湖、ロス・チョロスの湧き水など、日本の風景に似たところを訪ねた。行く先々でいろいろな階層の人びとが一様に心から親しみを込めて歓迎してくれた。エルサルバドルは国土が小さく、天然資源に恵まれず、人口密度が高い、この条件下では「国土が狭く、資源のない国の発展は日本に学べ」が合い言葉であった。国は人の教育、手に技術を持たせることに力を入れ、冒頭のベネケ大使は任期を終えて帰国すると教育大臣、外務大臣などの要職を務めていた。国立コーヒー研究所では、われわれ、コーヒー樹木や製品に疎い見学者に対し、苗の育成、病害虫の対応などが詳しく説明され、国の重要産業としての認識の高さを感じた。日系紡績企業においても、日本人経営陣の努力もさることながら、サルバドル人労働者の工場で働く目の輝きと真剣さに、若者の将来の力を感じたものである。この日系企業は、その利益の大半を現地に再投資、還元している姿勢も信頼を深める要因であると思った。

後日、大統領官邸へ、フーリオ・アダルベルト・リベラ大統領を表敬訪問した。当時は軍事政権で、大統領は陸軍大佐であった。大統領も日本には大いに学ぶべきとの考えで、われわれ学生を歓迎してくださり、帰り際には、右手を痛めておられたが、左手でひとりひとりと握手をされ、言葉を交わされた。私のところでは「君は何を学んでいるのか」と問われ、「工業化学を学び、4月からエンジニアリング企業に勤める」と答えると、「エルサルバドルへ来て働かないか」といわれたことを昨日のように憶えている。

また、国立エルサルバドル大学歯学部への訪問で、2人の学生と友達になった。歯学部の機材は近代的で学部も充実している感があった。2人の友達は1人がハコ君（Jaco）、もう1人がイタロー君（Itaro）という名前で、ハコ君は西のサンタアナ市より勉強に来ている背の高いイケメンの好青年、イタロー君は私と同じくらいの背丈でイタリア人のような顔をした、おとなしい青年であった。イタロー君は家族とサンサルバドル市内に住んでおり、そのお宅を訪ねた。家ではお父さんが歓迎してくださり、日本では橋幸夫の「潮来のイタロー」という歌が流行っており「イタロー」は有名だよ、と笑いあったり、応接間で日本のナショナル製のレコードプレーヤーで西田佐知子の「南国の夜」を聴かせてくれた。この2人はいくつかの訪問地にも付き合ってくれ、懐かしい思い出となっている。

さらにコアテペケ湖畔のクラブハウスでは、中・高校生が民族舞踊を披露してくれ、その踊りと歌のなかでとくに印象に残っているのは「エル・カルボネーロ」（El Carbonero：炭焼き）であった。山で木を切り、それを焼いて炭にして町で売って生計を立てるという内容で、「自分の焼いたこの炭が1番よい炭だよ」と売り歩く姿を表したもので、その真剣な姿が頭のなかに焼きついている。この同じ場所で中・高校生のあどけない人たちと同時に会ったのが2〜3人の女性英語教師。この先生たちはみな黒髪のスペイン系白人で、なんとなく歓迎はしてくれているが、中・高校生とは対象的に「私たちはちょっと違うのよ」という、お高くとまった印象を持った。

町を歩いていてもいろいろな顔、白人系、混血の人びと、先住民の人びととさまざまであり、サンサルバドルの下町を歩くと靴磨きをする少年、日用品、野菜や果物を売る人びと、貧しいなかにも働くという努力、一方、ホテル近くには豪邸と呼ぶにふさわしい家並み、当時はまだ、ポツン、ポツンという状況であったが、その住人の姿を見ることはできなかった。そのうちにわれわれの顔も日焼けして黒くなり、プールで泳いでいても日本大使館の人にサルバドル人と間違えられたり、泉の湧き出すロス・チョロスの公園では現地の新聞記者に親しくされたり、すっかりサルバドル人になりきってしまった。

このときの訪問では国の東部といわれるレンパ川の東側へ行く機会はなかったが、西へ移動し中米諸国でも重要な太平洋岸に「く」の字に突き出したアカフトラ港を見学、工業製品や部品が税関エリアに陸揚げされ、そこから他の中米諸国への陸送を待っているところや、陸揚げされたばかりの日本の乗用車と対面したことも思い出される。第2の都市、サンタアナではコーヒーの集積工場を見て、その検量、洗浄、大きなコンクリートの田んぼのような天日干の最中のコーヒー豆をはじめて手にとって見る感触を体験した。

そして、いよいよエルサルバドルを後にするときが来る。私にとってはじめての経験であり、興味深いことがあった。それは「国境通過」だ。日本は他の国と陸地で接していないので、空港で出国手続きを行い、飛行機で到着後に入国手続きを行う。何となく味気ない「国境通過」である。これに対して、エルサルバドルとグアテマラでは何が国と国の間を仕切っているのだろうと興味津々であった。バスが国境に近づくと、目に入ってくるのは「踏み切り風のバー」と「小さな橋と小屋」。何だこれは！　と叫びたくなるような光景で、バスの窓を開けると物売りの姿、切ったスイカをお盆にのせて、「サンディーア、サンディーア」（Sandía：スイカ）の声。通関手続きが終わり、踏み切りが開くまで売り子は叫びつづける。しばらくして踏み切りが開いてバスは目と鼻の先のグアテマラへ、小さな川の橋と2つの踏み切りで国境を渡った。グアテマラに入っても人の顔は変わらず、売っている果物も変わらず、しかし確実に陸続きで通過した感激、はじめての経験、唯一の証明は「通貨」であった。紙幣はエルサルバドルの「コロン（Colón）」からグアテマラの「ケツァール（Quetzal）」に変わったのだ。小川を渡ったこと、小さな小屋での手続き、この小屋は税関で、そこには"ADUANA, Ciudad Pedro de Alvalado"（税関、ペドロ・デ・アルバラート市）とメキシコのアステカ帝国の征服者エルナン・コルテスの部下で、中米地域の征服者ペドロ・デ・アルバラードの名前が書かれていた。

また、到着時にさかのぼってみると、イロパンゴ空港の駐車場には日産のブルーバード、セドリック、フェアレディ、トヨタのクラウン・ティエラ（コロナのこと）が並び、バスの窓からは日野の展示場、いすゞのバスを見た。よく見ると、街中を走っている単車はホンダ、スズキと日本のものばかりである。その他はベンツの乗用車、トラック、バス、イタリアのフィアット、それにアメリカの乗用車がある。以前はもっとドイツの車が多かったそうで、街で日本の車に乗っている人に会うと「調子いいよ」とほめる。

親しみやすい人びとからは日本についての意見、製品に対する意見もよく聞けた。町の広告にもソニー、ナショナル、日立の文字があり、一般の家庭でも日本製のテープレコーダー、トランジスター・ラジオがラテン音楽を流していた。このようにどこでも日本の産業が生んだ製品を見ることができた。大統領の言葉も同じであったが、「エルサルバドルが中米一の工業国を目指して進むためには、日本を見習わなくてはならない。技術教育も同じである」。このような言葉をどこでも聞いた。

エルサルバドルは日々技術者の養成に努めていた。

工場地帯はイロパンゴ空港（今は税関と毎年1回の航空ショーの場）と町を結ぶ道の両側に点在していた。セメント工場、レンガ工場、米国資本の石油タンク、ガソリンスタンドはテキサコ、シェブロン、エッソ等、ガソリンは1リッター当たり日本の半値。また、コーヒー工場、綿花の組合、日本の進出企業である呉羽紡績（現東洋紡）の現地工場ユサ（ＩＵＳＡ）があり、中米共同市場へ輸出していた。これはコーヒーと並ぶこの国の重要産業であった。その他の産業としては少々の金、銀、岩塩を産したが、鉱物資源と呼べるほどの量ではなかった。一方、工業化の努力としてはレンパ川流域の水力発電、中米一の貿易港アカフトラ港の火力発電、そして港からの物資輸送はトラックと日本の明治時代のような機関車と米国の古い貨車を使った引き込み線であった。産業振興努力は教育面にも表れており、工業高校（Instituto Técnico Industrial）では実技訓練で、すべて日本の機器、機材が用いられており、日本で実習を受けた先生が教え、日本の現状も話していた。このようにエルサルバドルでは小さなエンジニアの教育にも力を入れていた。ここでも親日国エルサルバドルの将来を見た。

おわりに、エルサルバドルの生産物の変遷を１７７０年から20世紀で検証を試みる。１７７０年の主要資源としての生産物を図57－1で見てみると、藍、綿花、砂糖キビ、カカオ、そして香油の5種類の産物で、そのなかでマヤ文化の染料である藍の作付面積が第1位で、砂糖キビ、カカオが続いている。これが20世紀のおわりになると、コーヒーが大きな面積を占め、続いて綿花、砂糖キビの順となり、藍はヨーロッパにおける化学品開発のため消え、カカオと香油も残っていない（図57－2）。最近では有機栽培コーヒー、マキラドーラ制度による綿織物加工が主力産業として育ち、努力が続いて

図 57 − 1　主な生産物、1770 年

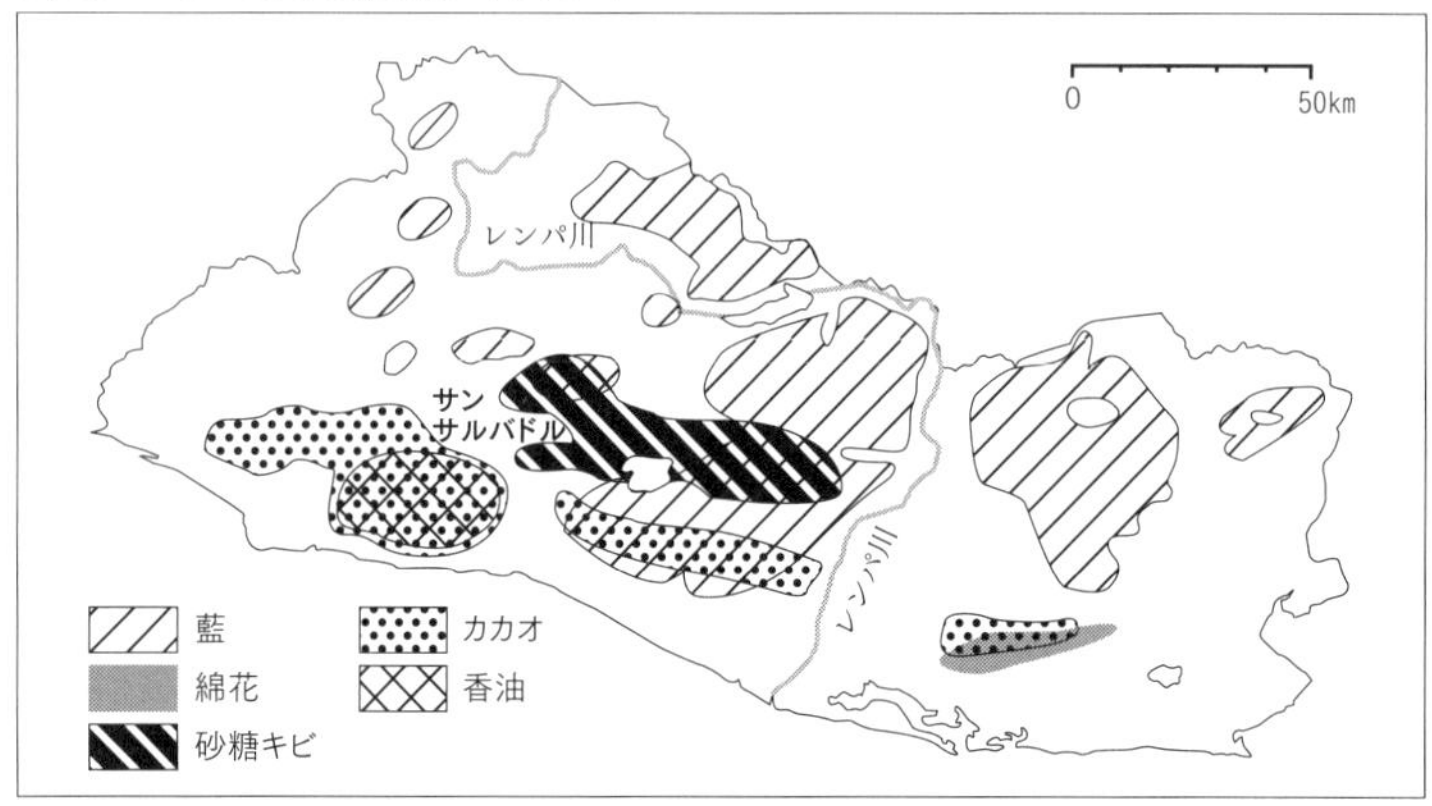

出典：White, Alastair, El Salvador, UCA Editores, 1999.

図 57 − 2　主な生産物、20 世紀

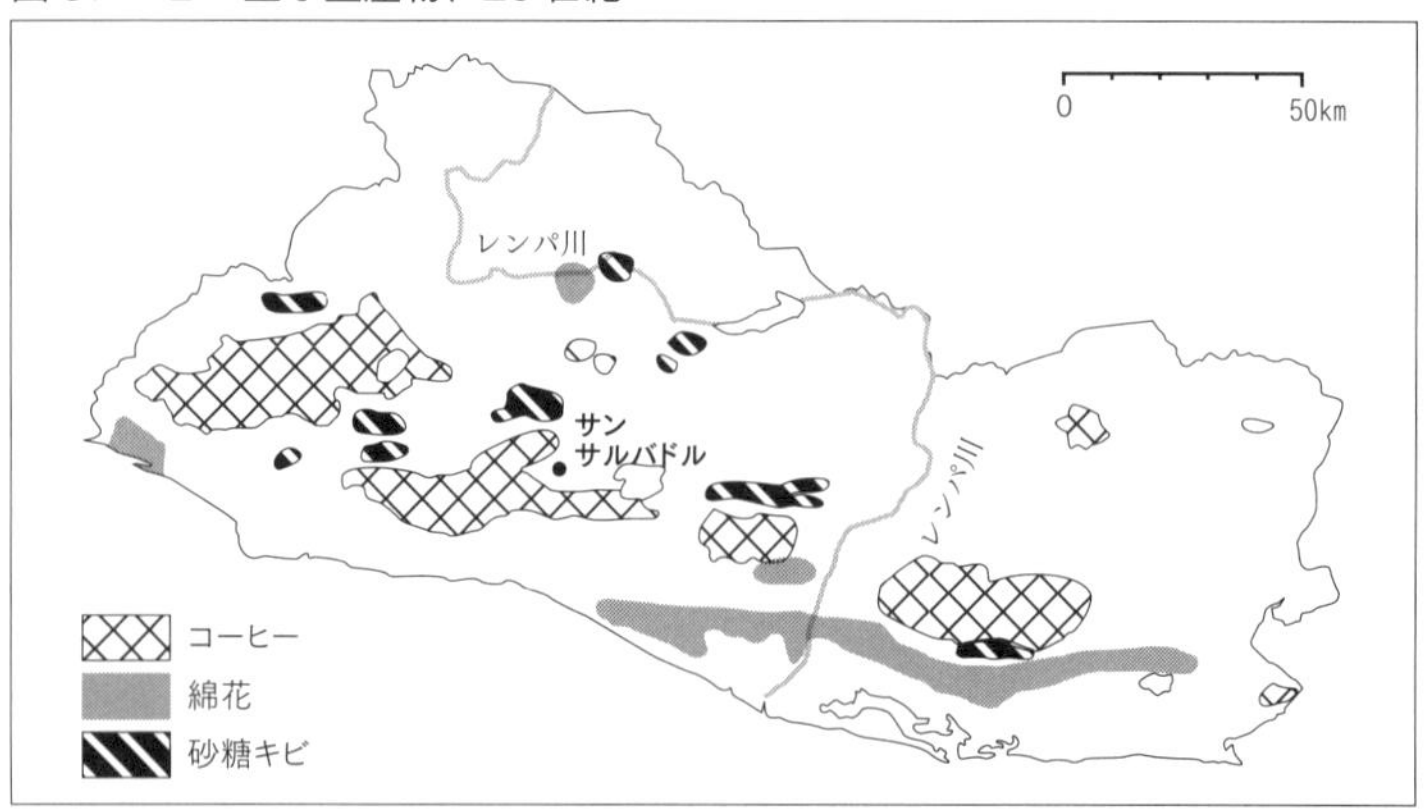

出典：同上書

いる。

この「学生中米親善見学団」に参加して、エルサルバドルの地を踏みしめた若人が、中南米に夢を持って現在も活躍している。

藍染料の再開発にあたっては、２００３年のＪＩＣＡエルサルバドル東部地域経済開発調査にてサンミゲル市の国立エルサルバドル大学分校内と農業組合農産物集積センターの敷地に藍草抽出プロセス設備を設置して、専門家によるパイロット・プロジェクトとの地域農民に対する技術指導を実施して、藍染最終製品までを作成して、サンサルバドル国際空港におけるサンプル販売などの商品化努力がつづけられている。これは夢の藍復活プロジェクトである。

（設楽知靖）

＊参考文献
MAÑANITA, 1965. 8. 16., 渋谷紙器印刷（非売品）
White, Alastair, *El Salvador*, UCA editores, 1999.

58

青年海外協力隊

★中南米で最初の受け入れ国★

エルサルバドルは中南米諸国のなかで最初に青年海外協力隊（ＪＯＣＶ）を受け入れた国である。ＪＯＣＶ事業そのものは佐藤栄作政権下の１９６５年４月20日に日本政府の事業として発足し、第１次隊員26名が65年末から66年はじめにかけて東南アジア４カ国（ラオス、カンボジア、フィリピン、マレーシア）へ派遣されたのに始まる。その後受け入れを希望する国が毎年増え続け、２００９年５月現在では、85カ国との間で「派遣取極（交換公文）」が締結されるとともに、累積隊員派遣数も約３万２０００人を数えるに至っている。

エルサルバドルに対しては、１９６５年以前から日本の政府開発援助（ＯＤＡ）の一環として個別の専門家が国立工業高校や通信公社等に派遣されていたが、人数的には微々たるもので、昨今のような技術協力プロジェクトや調査事業などはほとんど実施されていなかったのが実情である。

このようなエルサルバドルがＪＯＣＶの受け入れを他の中南米諸国のどこよりも早く決断し、１９６８年７月26日に９番目の取極締結国となった背景には、２つの大きな要因が挙げられる。

1つは若くして駐日エルサルバドル国特命全権大使を務め、自らのplaya（浜辺）に「ＡＴＡＭＩ（熱海）」と名付けるほどの「大の親日家」であったワルテル・ベネケ教育大臣の存在であった。派遣取極締結前に来日してＪＯＣＶの受け入れを表明した際の言葉が、今もって印象的である。「若い時代に大使として在勤中、時間をつくってできるだけ日本国内をまわり、豊かな自然や人びとの優しさに接するとともに、日本人の心の奥底に脈々と息づき引き継がれてきている伝統文化の素晴らしさなどに触れて、目から鱗が落ちる思いを何度となくさせられた。日本人の勤勉さ、物事への取り組み姿勢、心の豊かさと規律性などは母国の未来を担う青少年にもぜひ学んでほしい点だと思う。その意味からも、発足後間もないはつらつとしたＪＯＣＶ隊員たちをぜひ受け入れることにしたい」。今から40年前の、ベネケ教育大臣の熱い思いであり、日本への大なる期待でもあったのである。

2つ目は、中南米で初のオリンピックが１９６８年10月にメキシコで開催されるに際し、サルバドル人出場選手への強化指導が要請されていたことである。そのため選ばれた第1次隊員は、全員が体育・スポーツ隊員であった。隊員のなかには、社会人や学生時代に全日本クラスの実績を有した者もいて、専門分野の技術力や指導力とも申し分なかったのであるが、約3カ月半にわたる派遣前訓練後の9月に着任だったため、当初期待されたほどの強化指導はできなかったのが実情である。

その後、ＪＯＣＶに求められた活動内容は、ベネケ教育大臣の肝煎りによる「『体育教員養成学校』の設立と運営」と決まり、首都サンサルバドル西方約30キロのサンアンドレスにある「国立師範学校」の敷地内に2年制の学校を発足させるべく、大車輪の活動が開始されたのであった。隊員たちは提供された簡易な宿泊施設を活動・寝食の拠点にして、指導要領・カリキュラムの編成、生徒の募集・選考要領の作成など寝る間を惜しんでのディスカッション、作業を続けながら、翌年の1969年4月に、とうとう入学定員70名（男女半々）、2年制の体育教員養成学校を立派に立ち上げたのである。ベネケ大臣の負託に応えたいという隊員たちの熱い思いが見事に結実した瞬間であった。

教育内容に合わせた専門分野の隊員が交替で赴任しつづけ、施設・設備などの充実ぶりとあいまって、評判を聞きつけたコスタリカやパナマなどからも政府派遣の学生が入学するようになるなど、JOCVに対する信頼と評価は年々高まっていったのである。卒業生の一部は奨学生として2年間、日本（柔道）と当時の西ドイツ（体操）へ派遣され、その後、教育省職員に採用されて体育行政に携わったり、エルサルバドル国内各地の学校で体育教員として児童・生徒の指導に従事した者も多かった。また、優秀な者は「体育教員養成学校」の教員となってJOCVにとって代わる存在になるなど、きわめて理想的な形で進展したといえる。

しかし、まことに残念なことに、1978年5月のインシンカ社松本社長の反政府ゲリラによる誘拐・殺害事件、同年12月8日の同社鈴木重役の誘拐事件が発生するにおよび、現地の邦人社会は女性と子どもの日本への帰国、男性社員の近隣国への避難など混乱を極め、ついに日本政府の命令によりJOCV隊員たちも79年3月末日をもって「隊員一時引き揚げ」が決定されたのである。

1968年の「JOCV派遣開始」、そして69年の「体育教員養成学校発足」から79年の「隊員一時引き揚げ」までの10年あまりは、エルサルバドルに対する日本の「人を通じたODA」がそれほど多くなかった時代でもあり、ほぼ10年にわたり約700名の体育教員・体育関係者を輩出した「体育教員養成学校」は、まさにJOCVによる「日本－エルサルバドルの友好関係を象徴する人材育成計画」だったといっても過言ではないだろう。

筆者は、JOCV派遣当初と隊員一時引き揚げ時の2度にわたり現地に駐在した経験があり、エルサルバドルのJOCVについては思い一入（ひとしお）のものがある。とくに、1998年6月、JOCV事務局長として現地に出張し「エルサルバドル隊員派遣30周年記念式典」に出席し挨拶する機会に恵まれたが、教育省および国家スポーツ庁（INDES）などに「体育教員養成学校」の卒業生がことのほか多かったこと、そしてINDESの元長官が同校の初代校長だった今は亡きホセ・アルベルト・コロチョ氏だったこと、副長官が同校卒の2期生だったことにずいぶん驚かされたものである。

エルサルバドル「体育教員養成学校」10年の重みは、多くの人材を通して今でも随所に感じられるが、学校そのものは内戦時に閉鎖され現在は運営されておらず、師範学校があった敷地全体はエルサルバドル国軍の駐屯地となっていて、昔を偲ぶよすがもないのはまことに残念なことである。

また、1971年3月からは体育・スポーツの分野に加え、当時のJOCVの派遣分野としては大変画期的な「美術分野」への派遣が開始されることになった。

この分野への受け入れを強く希望されたのもベネケ教育大臣であり、後年派遣が実現する音楽分野と合わせ「芸術を通じた情操豊かな人間形成に資する」ことを期待しての決断だったのである。これまで派遣経験のなかった分野だけに、エルサルバドル側の希望や期待をよく聞き、JOCV精神とのミスマッチを生じさせぬよう十分検討を加えながら、1971年3月、初の美術分野の隊員（絵画－女子、彫刻－男子）2名が「国立芸術高等学校」に着任。以後、79年3月の「隊員一時引き揚げ」までの間、美術関係11名、音楽関係5名、計16名の隊員が活動を展開したのである。

美術分野で派遣された隊員ＯＢ／ＯＧたちの帰国後の活動で特筆されるべきは、「グルーポ・サルバドール展」をエルサルバドルの内戦時代から現代までとだえることなく開催していることである。美術分野の指導を受けたサルバドル人の生徒たちのなかには、奨学生として宮城教育大学や金沢大学、東京芸術大学などで研修した者もいて、「国立芸術高等学校」の教員となったり、画家として活躍していた者も多かったのであるが、現地が内戦に突入していくなかでその多くが消息不明となるなど悲惨な事態が生じていたのであった。

こうした状況下にありながらもなお筆をとり絵を描き続けている芸術高校の元生徒や教員仲間の存在を知った隊員ＯＢ／ＯＧたちが、「自分たちも何かできないだろうか」と話し合うなかで、現地の人たちとの連帯を願いつつ仲間６人の作品を持ち寄り１９８３年に東京銀座の画廊で第１回の展覧会を開催したのが、「グルーポ・サルバドール展」の始まりである。第２回以降は、連絡のとれたサルバドル人画家たちの絵を日本まで運んで「合同展」をしたり、92年の和平合意後、93年にはＪＯＣＶの派遣再開が実現したことから、現地で活動する美術隊員とも連携しつつ「両国交流展」を行うなど、おおむね隔年ごとに開催される「グルーポ・サルバドール展」もすでに11回を数えるに至っている。

政情良き時代のエルサルバドルで傾けた青春時代の情熱を帰国後も燃やし続け、同国の12年間にわたる内戦中にも途切れることなく「希望」を灯し続けてきた「グルーポ・サルバドール展」には、毎回駐日エルサルバドル大使ご夫妻も訪れるなど、「日本‐エルサルバドル両国間の相互理解、友好親善」にも寄与する大変ユニークな活動として評価されている。

表58－1　派遣開始（1968年9月）～一時中断（1979年3月）までの隊員数

分　野	人　数		主な派遣先等
体　育	48(7)	36(6)	体育教員養成学校
		12(1)	青少年スポーツセンター他
美　術	11(5)		国立芸術学校
音　楽	5(4)		国立音楽学校
農　業	4		農業高校
工　業	4		国立工業学校
日本語	2(1)		国立エルサルバドル大学
計	74(17)		女性割合：23％

注：(　) 内の数字は女性の人数
出典：独立行政法人国際協力機構（JICA）派遣統計より筆者作成

1968年の「隊員派遣開始」から79年の「隊員一時引き揚げ」までにエルサルバドルに派遣された隊員総数は表58－1のとおり74名（うち女性17名で全体の23％）であるが、そのうち「体育教員養成学校」へは36名（49％）、「国立芸術高等学校（芸術学校と音楽学校）」には美術、音楽合わせて16名（22％）で、両校への派遣数割合は約70％を超えている。

ほかにも日本語隊員や工業分野の隊員、農業高校への隊員などが派遣されており、隊員ひとりひとりが現地の人びととの親交を深めながら十分持ち味を発揮しつつ活動したことは高い評価を与えられるのではないだろうか。

また、エルサルバドルに派遣された隊員OB／OGたちは、会合で顔を合わせるとよく「戦前の隊員、戦後の隊員」という言い方をする。内戦突入前の1979年「隊員一時引き揚げ」命令が下るまでに派遣された総勢74名は、文字通りエルサルバドルの隊員派遣史に輝く1ページを刻んできた隊員たちだし、今は亡き大の親日家であったワルテル・ベネケ氏の日・エ両国関係にかける熱い思いの体現

表58－2　派遣数累計（2009年5月31日現在）

区　分	派　遣　数（人）	割　合（%）
一時中断まで	74（17）	19（4）
派遣再開後	323（154）	81（39）
累　計	397（171）	100（43）

注：(　) 内の数字は女性および割合
出典：独立行政法人国際協力機構（JICA）派遣統計より筆者作成

者たちだったといえるであろう。こうした強烈な思い入れを有する隊員たちと、14年間にわたる中断の後、１９９３年に派遣が再開され現地へ赴いた隊員たちとの間には、帰国後の考え方や行動様式などに微妙な温度差が感じられるようで、それが前記の表現ぶりとなるようである。

表58－２のとおり、派遣再開後の隊員数が３２３名で派遣累計の81％を占める状況からすれば、微妙な温度差は今後さらに拡大すると思われるだけに、「派遣開始」から「隊員一時引き揚げ」までの、いわゆる「戦前の隊員活動状況」に思いを致すことはきわめて意義あることと思われる。

１９９３年のＪＯＣＶ派遣再開以後は、当初10年ほどは体育・スポーツや美術・音楽などの分野を中心に内戦前の派遣形態を踏襲しながら行われてきたが、その後は、ボランティア事業も一定の評価が求められるようになってきたことから、対エルサルバドル国別事業実施計画に則した「戦略的派遣」が行われている。地域開発や環境衛生改善、教育の質向上や予防医療能力開発等々のプログラムにＪＯＣＶ隊員が計画的に派遣され、協力効果の発現に鋭意努力している。時とともに派遣の形態や分野などに多少の変化をとどめながらも、ＪＯＣＶの活動を通じ日本とエルサルバドルの相互理解や友好親善関係の増進、そして、何よりも人的交流の歴史は脈々と引き継がれてきているのである。

（望月　久）

59

ワルテル・ベネケ

★真の愛国者で大の日本贔屓★

僕が、駐日エルサルバドル特命全権大使ワルテル・ベネケさんにはじめて会ったのは、1974年の春だった。当時、有楽町の駅前のビルのなかにあった大使館を父と訪ねたとき、両手を広げて大きな声で大使の部屋に招き入れてくれた姿は、今でも強烈な印象として残っている。

近くの国だから情報を持っているだろうと単純な理由で、メキシコ留学の相談にベネケさんを訪ねたが、大使の部屋を出るときには留学先がエルサルバドルに変わっていた。何をするのにも即決で、すぐに行動に移す人だから、留学先の大学も、ホームステイ先もあっという間に決まってしまった。

高校3年生の地方から出てきた僕には、大使館の雰囲気もさることながら、これまでの人生で出会ったことのないダイナミックな人柄と迫力と行動力に魅了された。数カ月後、ベネケさんから大使公邸で開くパーティに来なさいと連絡があった。

母と新幹線で東京の千駄ヶ谷にあった公邸にうかがうと、自分もパーティに出席するつもりで着飾った母に、「お母さんが一緒にいたら、彼は本領を発揮できない。彼にいろいろな人を紹介するから心配しないで、お母さんは買い物でもして羽を伸ばしてください」といって、追い返してしまった。

静岡なまりの日本語しか話せない僕は、大使公邸での華やかなパーティで、どう振る舞ってよいかわからずドギマギしていたが、ベネケさんは招待客みなに紹介してくれ、自ら僕にキューバリブレを作ってくれた。母が迎えにきたころには、すっかりほろ酔い加減になってしまった僕を見ておろおろする母に、ベネケさんは、エルサルバドルで生きて行くのに必要なことといって笑い飛ばしていた。

1975年1月26日、僕はエルサルバドルのイロパンゴ空港に到着した。ちょうど帰国中だったベネケさんが、自ら運転して空港まで迎えにきてくれていた。ベネケさんは、車の運転が大好きでそれもかなりのスピード狂だった。東京でもとても大使の車とは思えない、フェアレディZを自ら運転していたくらいだ。

空港からサンサルバドルのダウンタウンに入るころには、陽も沈み薄暗くなっていたが、車は途中で幹線道路から道を外れて雑然とした路地に入っていった。狭い道路の両側にずらっと並んだ開け放されたドアには鉄格子がはまり、なかのベッドの上に座った女性が、ピンクや赤の電球に照らされていた。いわゆる赤線地帯だったのだ。後で知ったことが、鉄格子はなかの女性を守るためのものだったが、18歳の僕には強烈過ぎる光景だった。ベネケさんは、何もいわずにゆっくり車を走らせる。僕は言葉を失っていた。突然ベネケさんが「君がこれから住む家は、高級住宅街にある私の妹のサラの家で、君の世話をしてくれる女中もいるし快適な暮らしが待っている。しかしこれが、エルサルバドルの現実だということを忘れてはいけない」。

ベネケさんは真の愛国者だった。エルサルバドルを本当に愛していた。エルサルバドルには何が必要で、どうすればこの国が良くなるかいつも考えていた。また大の日本贔屓でもあった。常々家族に、海外で一番好きな国は日本で、学ぶ所が多い国民だと語っていたそうだ。だから日本の良い所を積極的に取り入れようとして、青年海外協力隊を招聘したり、学校に観光学科を作ったりしたのだろう。この国の特産物コーヒーでも、ベネケさんは活躍した。

毎年日本のコーヒー関係者を集めて中米ミッションを開催し、50社以上のコーヒーマンたちがエルサルバドルを中心に、中米の生産国を訪問した。そして日本のコーヒー業界では、毎年2月の中米ミッションは恒例行事となり、エルサルバドルはブラジルやコロンビアと同じくらい有名になった。

ワルテル・ベネケ

ベネケさんは、日本から帰国すると、必ず僕の様子を見にきてくれた。海が好きだったベネケさんと、リベルタ海岸に行ったときのことは忘れられない。ベネケさんは、海岸の桟橋でミヌータを買い与えてくれた。ミヌータとは、エルサルバドルのかき氷で、氷の塊をカンナで削り取って三角の紙の器に入れ、そこに甘いシロップをかけて食べる。一度は食べてみたかったが、妹のサラさんから道端で売っているものは不衛生だから買い食いしてはいけないと、口を酸っぱくしていわれていた。ベネケさんに、食べても大丈夫かと尋ねたら、返事もしないで自分のミヌータにかじりついた。僕も安心して炎天下のなか、一緒に桟橋を歩きながら食べたのが懐かしい。

サラさんの家で最初のホームステイをして、言葉に慣れてきたころに、もっと大きな子どものいる家にホームステイ先を変えた。ベネケ一族とはまったく関係ない家庭だったが、偶然にもこの家の当主は、ベネケさんが奨学金留学生としてスペインに渡航した際に、一緒に留学した人だった。そして当時の話をよく聞かせてくれた。

一行はキューバのハバナに渡り、高校の寄宿舎に居候してヨーロッパ行きの船を待ったそうだ。ベネケさんは、留学組のなかで最年少だったが、非常に頭脳明晰でリーダーシップをとっていた。その寄宿舎でキューバ人学生のリーダー格だったのが、後にキューバ革命を起こしたフィデル・カストロだったと聞いたときは驚いた。しかしそのことは、ベネケさんの口からは1度も聞いたことはなかった。元来ベネケさんは、自分がどんな学校を出たかとか、どんな業績を残したかなどをいう人ではなかった。過去にとらわれない、非常に現実的な人だった。32歳の若さで1回目の駐日大使に任命されたことや、30代で教育大臣や外務大臣を歴任したことも後で人から聞いて知った。

あるとき、いわれたことがある。「El hombre hay que estar siempre listo.（男は常に準備ができていなければいけない）」といったあと、「もちろん彼女をベッドに連れ込むことに成功したときもな！」といって大声で笑っていた。

これは、今でも僕の金科玉条になっている。ベッドの話ではなく、仕事に向かう姿勢だ。またベネケさんに教えてもらった数多くのなかで、常に実践していることといえば、惜しみなく人を紹介することだ。ベネケさんは、とてつもないネットワークを、世界中に持っていた。そして頼ってくる人があれば、惜しみなく人を紹介し、それが結果的にさらにベネケさんの人脈を大きくしていった。

1980年4月27日、日曜日の朝起きたときに急にベネケさんに会いたくなり、エスカロン街の私邸に向かった。今思えば虫の知らせだったのだろう。現在の日本大使館の近くに私邸があったが、呼び鈴を押しても誰も出てこない。いつもゲートを開けてくれるメイドも顔を出さない。不思議に思って何回かベルを鳴らしたが、結局あきらめて家に帰った。ベネケさんが不在でも、必ずメイドがいるはずなのに嫌な予感がした。後からわかったことだが、僕の訪問直前に6人組の武装した男たちが訪れ、ベネケさんに面会を求めたが、応対したメイドは「彼は不在だ」と嘘をいって追い返した。それを聞いたベネケさんは、家人を全員連れて車に乗りお母さんの家に避難した。昼ごろに皆が止めるのも聞かず、もう大丈夫と1人で家に戻ったところを、残って隠れていた1人に背後から銃撃されて亡くなった。僕が、呼び鈴を押しているときも、この犯人は息をこらしてどこかに隠れていたのだろう。

昼食を終えたころ、友達から電話がありベネケさん暗殺の悲報を伝えてくれた。当時は、戒厳令下で午後6時から朝の6時までは外出禁止令が出ていて、動くものは犬でも撃たれた時代だった。僕は、家に帰らない支度をして安置されている所に向かった。暗殺者は、相当場数を踏んだプロだったのだろう。後ろから呼びかけて、振り向きざま心臓を打ち抜いていた。僕をエルサルバドルに連れてきてくれ、数々のチャンスを与えてくれた恩人のあまりにあっけない早すぎる死を、なかなか受け入れることができず朝を迎えた。

本来ならこの1週間後には、3回目の駐日大使として日本に赴任する予定だった。政府からの要請に対し、ベネケさんは当初固辞したが断りきれず、日本に向けて出発後に国内で就任を発表する条件を付けた。ところが暗殺の前日に突然新聞で発表され、約束を破った政府に非常に怒っていたそうだ。今となっては、なぜベネケさんがそのような条件を付けたか、またなぜ政府が約束を破ったのかわからない。そしていまだに犯人も捕まらず、どのグループの犯行かもわからない。内戦は、政府軍と左翼ゲリラ、そして富裕層の雇った私兵マノ・ブランコの三つ巴の戦いだったが、どのセクターに暗殺されたとしてもおかしくはなかった。ベネケさんは、生まれてくるのが早過ぎたと僕は思う。あの人の斬新で現実的、そして無駄がなくゴールに向かって突き進む考えは、どのセクターにとっても煙たい存在だったかもしれない。

日本から帰国して、政府にも政治にもかかわらず、大好きだったリベルタの海に会員制リゾートクラブを作り、一番好きな国の観光地の名前を付けてクラブ・アタミ（Club Atami）をオープンさせ実業家に転じたのは、当時のエルサルバドルに自分は必要ないと思ったからではないかと勝手に推測している。

ベネケさんは、１９３０年5月31日生まれだから、49歳を迎える直前で亡くなった。すでにその歳を超している自分を見つめると、惨めになるほど小さく感じてしまう。

（川島良彰）

60

国立コーヒー研究所

★世界屈指の水準を誇る★

僕の実家は静岡でコーヒーの焙煎業を営んでいた。姉と弟にはさまれた長男で、いずれは家業を継ぐことになると、漠然と考えていた。父はコーヒー好きの趣味が高じて、県庁職員を辞めて独学で焙煎卸業を始めたのだった。毎日その日の温度や湿度を気にしながら、コーヒー豆に話しかけるようにおいしいコーヒーを焙煎することに熱中していた。

物心付いたときから身の回りに常にコーヒーがあった。そして遊び場は、世界中から届くコーヒーの麻袋がうず高く積まれた倉庫。こんな環境に育ったせいか、小学生のころからラテン音楽に熱中し、中南米渡航への夢が膨らんでいった。中南米に行かせてほしいと何度も両親に話したが、なだめすかされているうちに高校生になり、そのころには長男として稼業を継ぐのが既定路線となっていた。僕自身もそれでもよいと思っていたが、どうせ継ぐなら一番元の栽培から勉強したかった。しかし両親は、日本の焙煎屋が栽培など覚えて何になると相手にしてくれず、東京の大学に行って、どこかのコーヒー会社で修行して実家に戻ることを希望していた。

幸運は、高校2年生のときにやってきた。父が2週間ほどメキシコと中米のコーヒー事情を視察旅行する機会があり、何を思ったか「メキシコの自治大学」ならば留学を許してくれるといい出したのだ。人生は何が縁となるかわからない。というのも、父の唯一のラテンアメリカの伝手だったのが、東京に駐在していたワルテル・ベネケ、エルサルバドル特命全権大使で、メキシコの大学事情を訊きに行ったのが、その後の僕の人生を大きく変えたからだ。大使は僕に、「メキシコなんかに行かずに、エルサルバドルに行きなさい。エルサルバドルの大学に行く手続きを私がとってあげるし、君は未成年だから、私が身元引受人になろう。そして、私の妹の家にホームステイしなさい」といってくれたのである。正直そのとき、エルサルバドルがどこにあるのかも知らなかったが、憧れのラテンアメリカに行ける喜びと興奮に包まれていた。コーヒー生産国に行けば、栽培の勉強ができると単純に考えていたのだ。

１９７５年1月25日、在学していた高校の特別許可を得て、卒業式前に日本を後にし、エルサルバドルに向かった。当時は平和な時代だった。ホームステイ先のベネケ大使の妹サラさんの家で最初の夜を過ごし、翌朝目を覚ますと、庭園には熱帯の花が咲き乱れ、乾季の空は抜けるようなブルーで、この国の美しさに感激した。サラさんの家では、エルサルバドルの上流階級の人びとの暮らしぶりを実体験し、スペイン語や毎週末に催されるパーティなどでの立ち居振る舞い、食事のマナーなど、厳しく教え込まれた。僕が留学したのは、日本の上智大学とおなじイエズス会の経営するホセ・シメオン・カーニャス中米大学（ＵＣＡ）の経済学部だった。日本人の留学生は僕がはじめてで、かなり珍しがられたものだ。大学に行くと町では見かけないような、目の覚めるような美人がいて、高級車を乗り回していた。しかし貧しい階層出身の学生もいて、僕はわけ隔てなく接し多くの友人を得た。

第60章
国立コーヒー研究所

ところで僕のエルサルバドル行きの目的は、親には内緒だったが大学で学ぶよりも、ともかくコーヒーの勉強をすることだった。スペイン語も日常生活に困らないほどに話せるようになり、町の様子がわかってきたころ、いよいよ行動に出た。そして出会ったのが、国立コーヒー研究所（ISIC）だった。世の中を知らないということは恐ろしいもので、実はこのISICは、ブラジル、コロンビアの研究所と肩を並べるほどの、世界でも屈指の水準を誇るものだったことを、後で知るのである。アポイントメントもとらずに所長に会いに行き、コーヒーの勉強をさせてくれと頼んだのは、前代未聞だっただろう。各分野の専門家や博士研究員はいたが、何の基礎もできていない18歳の日本人を受け入れてくれる機関ではなかった。門前払いを食ってしまったのは当然だった。

でもあきらめるわけにはいかない。毎日所長の執務室の前にある、秘書の机の前に座り、所長の来るのを待ち続けた。所長秘書の部屋に行き、机の前に座り込む日が1カ月続いた。顔を合わせるたびに必死に話しかける僕を、見て見ぬふりをして通り過ぎる所長だったが、ある日突然所長室のドアが開いたのである。ほとんど感情を表に出さないミゲル・メイスン博士は、うんざりした表情で僕を迎え入れてくれた。ともかく話は聞こうということで、僕の話を聞いたあと、メイスン所長は電話で、終世の師と仰ぐことになるアギラ課長を呼んだ。そして新進気鋭の若手研究者だったウンベルト・アギラ氏にこう告げたのである。「この日本人に2年間のカリキュラムを作り、コーヒー栽培のすべてを教えるように。今日から君がこの学生の指導教官だ」と。

それからのISICの研究所生活は本当に楽しかった。研究所本部は、病害課、虫害課、育種課、化学課、農学課、土壌課などに分かれ、それぞれの研究結果を農家への栽培指導に役立てていた。所有する車両だけでも150台以上だった。生産者向けの会報を作成するための出版部と印刷所まで揃えていた。

僕が幻のコーヒーといわれるブルボン・ポワントゥを知ったのもこのころだ。中米にはじめてコーヒーが入ったのは19世紀中ごろで、品種はアラビカ種ティピカ亜種だった。中米で一番面積の狭いエルサルバドルは、その勤勉な国民性とＩＳＩＣの研究成果により、単位生産性世界一とアラビカ種で世界第3位の生産高を記録する世界でも有数のコーヒー生産国となった。ティピカ亜種の後紹介されたアラビカ種ブルボン亜種が、現在ではエルサルバドルの主品種となり、ブルボン生産者組合が設立され、100％純粋なブルボン亜種に認証を出している。また、エルサルバドル生まれの品種もある。コーヒーの大生産地帯サンタアナ県のサルバドル・ポルティジョ氏の農園で発見されたこの品種は、ブルボンからの突然変異種で、品種名のパーカスの由来は、ポルティジョ氏からこの木の存在を知らされ、それを広く紹介したコーヒー生産者パーカス家から来ている。ブルボンより小ぶりで節間が短いために収量も多く、また高木の日陰樹を植える必要がなかった。そのため密樹ができ、効率がよかったうえ、ブルボンより暑さに強かったので、中腹から低地での栽培でその特性を発揮した。またこの特性を生かし、高木で巨大な豆を生産するが、生産性が悪く樹が大きすぎて収穫作業が大変なマラゴジッペ亜種と交配させて作ったパカマラは、高地で素晴らしい結果を出している。

研究所では全国の農園から、樹勢がよく歩留りの高いブルボンの木から採取した実を集めて発芽させ、優性種同士の掛け合わせを繰り返して行い、ブルボンのエリート種テキシック（ＴＥＫＩＳＩＣ）を作っていた。僕の研究生時代、パカマラとテキシックのプロジェクトを通して、コーヒーの人工交配を1から教えてもらった。そしてここで勉強したコーヒーの品種や品種改良の技術が、僕のコーヒー人生の血となり糧となった。

コーヒーの天敵ともいえるブロカは、コーヒーの実を食べてしまう恐ろしい害虫だ。ブロカを退治するには、毒性の高い農薬を使用しなければならないが、ISICが開発したトランパ（罠）は、まったく農薬を使用しないでブロカの被害を抑える優れもので、各国のコーヒー園で活躍している。

研究所での学生生活は、新しい発見ばかりの毎日で、興奮と感激の連続だった。アギラ先生は、定期的に僕を各課のその道の専門家に預けて勉強させた。そして専門家から机上の講義を受けるだけではなく、フィールドに出てプロジェクトの手伝いをすることで、実地の研修を受けることができた。プロジェクトは、全国各地に散らばっていたので、1、2泊で地方を回るチャンスにも恵まれた。研究者に同行して、実験農園に行くことで、大変よい勉強の機会を得た。農園のコンディションについて、研究者の先生たちから何がよくて何が悪いのか、その場で教えてもらえたからである。

地方に行く楽しみは、行く先々で出会う人びとと現地での食事だった。九州の半分くらいしかない小さな国だが、地方によって独特の食べ物があったし、地方の人はとても親切だ。日本人が村に来たからといって家に呼んでくれ、帰りには荷台に乗せきれないくらいのフルーツをもらうこともたびたびあった。当時エルサルバドルに在住していた日本人では、僕が一番地方の道を知り、どこに行けばおいしい食べ物があるかを知っていたと、自負している。かくして僕はコーヒーの生産について、エルサルバドルで世界最高水準の教育を受けることができた。しかしこの幸運も、1970年代後半の内戦により、大きく翻弄されることになったのである。

（川島良彰）

61

インシンカ事件の背景

★誘拐されて過ごした114日間★

私がエルサルバドルの合弁会社に出向したのは、1975年2月から79年4月までの4年2カ月である。出向先は日本の民間企業4社とエルサルバドルの産業開発公社（INSAFI）の折半出資会社インシンカ社（INSINCA S.A.）である。同社の設立は1966年5月、商業生産開始は翌年の1月、ポリエステル綿とレーヨン綿を輸入し紡績以降織布、染色の3工程で2つの繊維の混紡織物を製造・販売する企業であった。設立当時合成繊維はまだ55年代の成長力と収益力を保持しており、この混紡織物を日本から現地に輸出していた蝶理が、現地の開発公社から国内産業育成のため現地生産を懇請されていた。ちょうどこのころ、中米5カ国、グアテマラ、エルサルバドル、ニカラグア、ホンジュラス、コスタリカが中米共同市場を結成する時期でもあった。この5カ国が共同市場を結成したのは、古くはマヤ時代には同じマヤ文明を基盤とし民族的にはインディオの小都市国家群であったこと、またスペインの植民地時代にはグアテマラ総督府のもとで一括管理されていたという、歴史的に見ても共通の基盤があったからである。5カ国の国土は合わせて日本の8割ほど、当時の人口も5カ国で約1300万人という小国の集まりで工業化もあまり進んでいない発展途上国群であった。

この合弁にかかわった日本側企業は、蝶理、東レ、三井物産、岐センの4社である。この織物は当時日本からの繊維輸出の花形商品の1つであり、エルサルバドルでも学童用のユニフォーム、軍服、婦人服、ズボンなど幅広い分野で使われていた。当時のエルサルバドルはコーヒー、綿花などの1次産品に依存する発展途上国で、人口は約400万人、国民の大半はコーヒー農園や綿花畑で働く労働者などの貧困層で、企業に勤めるサラリーマンや自営の商工業者などの中流階層はごく少数であった。圧倒的な富を握っていたのは、いわゆる14家族（カトルセファミリア）と象徴的にいわれる一握りの上流階層で、彼らの大半が大地主としてコーヒー、綿花などの生産を独占し、工業製品についても海外企業と提携して経営を行っていた。こうした貧富の格差に加えて驚くほど階級意識の強い社会であった。

1975年になると合成繊維業界は55年代の輝かしい成長・発展の段階から日本・東南アジアとも過剰生産・過当競争による収益低迷に苦しんでいた。しかしインシンカ社はこの共同市場のマーケットにおいて圧倒的なシェアを持ち高収益を上げていた。インシンカ社の経営は社長以下日本側が派遣する常勤役員が行い、現地側はお目付け役的に1人の常勤副社長を出し、毎月の役員会で現地側の非常勤役員に業績報告と重要事項の承認を受けるという形で事業経営が行われてきた。そして77年にはさらに新しい事業——加工糸織物の生産・販売に乗り出したのである。この加工糸織物工場の開所式には当時の大統領も出席した。

このころの大統領はモリーナ大佐で、1972年の大統領選挙ではキリスト教民主党のホセ・ナポレオン・ドゥアルテと争ったが、不正選挙により大統領になったといわれている。対立候補のドゥアルテは選挙後ベネズエラに亡命した。

それまで表面的には安定していたエルサルバドルの治安は、1977年ごろから急速に悪化していった。まるでそれまで押さえつけられていた不満が一気に爆発しはじめたかのようである。まず現職の外務大臣が人民解放軍（FPL）という同国で最大のゲリラグループに誘拐された。幸い短期間で解放されたが、外務大臣は辞職して国外に出た。モリーナの後の大統領選挙でもモリーナ政権で国防大臣であったロメロ将軍が大統領に選ばれたが、選挙直後には対立候補とその支持者が選挙に不正があるとして旧市街の教会に立てこもり、軍との間で銃撃戦が行われた。また学生のデモ行進に国家警備隊が無差別銃撃を行う、FPLによる米国大使館の銃撃事件などの不穏な事件が続き、ときには戒厳令下のように装甲車に乗った兵士が銃を構え住宅街の角に出てくることもあった。

そして事件が起きたのは1978年の5月である。インシンカ社の松本不二雄社長が午後7時ごろ事務所を出るところをゲリラグループに誘拐されたのである。事務所には守衛もいてピストルを所持していたが、守衛の証言ではゲリラグループは数人で、自動小銃を乱射しながら社長を誘拐したようである。この誘拐を実行したのは人民革命軍（FARN）である。当時エルサルバドルではFPL、ERP（革命人民戦線）、FARNの3グループが大きなゲリラグループであった。

エルサルバドルは大統領、国会議員ともに国民の直接選挙で選出され、一見民主的国家に見られるが、実態は軍事政権国家である。当時は大統領、国会とも国民融和党（PCN）が30年以上支配し続けてきていた。国防大臣に就任すると軍を掌握し、次の大統領選に出馬、当選する。大統領の大半は軍人であり彼らは上流階層の出身者ではないが、その上流階層の権益を保護する見返りに彼らから資金的援助を受けるという、発展途上国によく見られる政治的癒着構造ができていた。こうした政治社会のなかでは、たとえば反政府活動を起こすグループは家族ごと、場合によっては村ごと一網打尽に逮捕し殺害したり、あるいは正当な司法手続きもとらず投獄することもしばしば起こる。こうした事件は新聞などで表向きには報じられないが、教会の関係者や民衆の間では口コミなどで伝えられる。

1959年キューバでカストロ政権が誕生した。革命に参加したチェ・ゲバラは、それ以前一時グアテマラに潜み同志とともに革命の研鑽をしていたが、FPLのリーダーであるカエターノ・カルピオはキューバ革命以前にキューバに渡ってキューバ共産党で学び、またこのグアテマラでも革命を学んだ経験があるようだ。エルサルバドルのゲリラグループはキューバからの直接的な支援を受けてはいないようだが、キューバ革命の成功が彼らを勇気付け、次第に勢力を伸張させていった要因の1つであることは否定できない。FPLは1970年に結成されマルクス・レーニン主義を信奉する最大ゲリラグループ。ERPは翌71年に結成され毛沢東派といわれ主要施設の爆破を中心に行うグループ。FARNはERPから分離独立したどちらかというと現実主義的グループである。ただいずれのグループも目的実現のためにはいかなるテロ行為も辞さない点では共通していた。

外国人を標的にした誘拐は、この1978年5月のインシンカ社松本社長から始まった。続いて同じ年にスウェーデンのエリクソン社の支社長、イギリス系で中南米に強いBOLSA銀行のエルサルバドル支店長と副支店長、その直後に私、そして翌年にイスラエルの名誉総領事が同じFARNに誘拐されるという事件が立て続けに起こった。松本社長のケースでは、彼らの要求は第1に政治犯の釈放、第2に彼らの声明文の報道、第3に戦争税、つまり身代金の要求であった。他のケースについては不明だが、たぶん同じような要求であったのではないかと思う。ゲリラ側の狙いは政権奪取のため、政府に対する民衆の信頼を失わせるとともに対外的信頼をも失墜させ、あわせて闘争のための軍資金を確保しようとしたのであろう。

私が誘拐されたのは1978年12月7日、BOLSAの支店長たちが誘拐された日から幾日も経っていないときであった。いつものように自宅で昼食をとるため昼過ぎに事務所から車で家に向かう途上であった。片側1車線の道で前を走っている車が突然止まったので、私もやむをえず車を止めると、前の車から自動小銃を持った男が2人「誘拐する」と叫びながら私の車に近づいてきた。私は2人に羽交い絞めにされて犯人たちの車に乗せられ、目隠しをされて民家らしい彼らの隠れ家に連れて行かれた。私は窓という窓がすべて暗幕でおおわれた薄暗い1室に閉じ込められた。拘束期間は114日、この間外部との交信は私と妻との間の手紙のやり取りだけであった。もちろん手紙の交換の時期はゲリラが決め、彼らがわかるようにスペイン語で書き、いずれの手紙も事前にゲリラによる検閲を受けての交信である。拘束期間中、肉体的危害を及ぼされることはなかったが、精神的にはずいぶんと圧迫を受けた。今から思えばこうした拘束状態において、私の自由も命もすべてゲリラの手に握られているという厳しい、自らには受け入れ難い現実を認識したうえで、過剰な期待や妄想などにより精神錯乱を起こさぬようできる限り精神的な安定と平常心を保つよう努めたことが、無事解放される結果に結びついた要因の1つであったと思う。このことは拘束された者にとっては心得ておかねばならぬことの1つではなかろうか。

拘束期間中ゲリラ側の幹部と何度か話をする機会があった。そこでわかったのは、ゲリラの目的が最終的には現政府を打倒し民衆のための国をつくりたいというものであった。しかしその目的達成のためにはテロ行為も辞さぬという彼らのやり方には、あまりの政治的未熟さと人道的思慮の欠如を感じざるをえなかった。

これら外国人を対象とした一連の事件では、松本社長とイスラエル名誉総領事が残念ながら帰らぬ人となった。インシンカ事件はこうした時代背景のなかで起きたのである。私が巻き込まれた1978年12月のインシンカ事件をきっかけに、現地に勤務していた日本人の大半は生命の安全のため現地からいったん引き揚げることになったのである。そして再び日本人が現地に戻るには10年近くの歳月を経なければならなかった。

（鈴木孝和）

62

日本・エルサルバドル修好70周年

★さらに進む関係緊密化★

エルサルバドルは長期の内戦を１９９２年の和平合意で終結させ、経済の復興、民主主義の定着による安定が進んだが、これを受けて、日本とエルサルバドルのさまざまな分野の関係も次第に回復していった。こうしたなかで、さらに緊密化が進む契機となったのが、２００５年の修好70周年を記念する要人の往来や、多くの「中米交流年」の行事であった。

なかでも特筆すべきは、はじめての皇室のご訪問となる常陸宮、同妃両殿下のエルサルバドルご訪問が実現したことである。このご訪問は、たまたま、熱帯性暴風雨の襲来、火山の噴火などが起こるという状況下で行われたが、被災者の避難所や、救援物資集配センターへのお見舞い、励ましのためのご訪問ともなり、エルサルバドルの政府、国民に強い感銘を与えることとなった。また、この年には、東京で日・中米首脳会談が行われ、愛知万博にも中米が共同で参加し、さらに、中米物産展も開催された。

エルサルバドルと日本には、長期にわたる友好な関係の歴史がある。そもそも、今日、エルサルバドルが中米の航空輸送のハブとなることを可能にしたコマラパ国際空港は、本格的な中

エルサルバドルとホンジュラスの国境にかかる橋も日本の協力で建設された。その名も「日・中米友好橋」

米内戦が迫りつつあった緊迫した状況のなか、1980年1月に日本の資金協力により、かつ日本企業の3年間余りにわたる工事によって実現したものであり、エルサルバドルにとっての画期的メガプロジェクトであった。この空港のもたらした効果の大きさは、サカ前大統領もインタビューで強調している（国際空港建設に関しては第10章参照）。

しかし、日本とエルサルバドルの友好関係はこれらよりさらにさかのぼる。日本の製造業が第二次世界大戦後、最初に海外投資をして工場を建設したのはエルサルバドルであった。呉羽紡績（後に東洋紡と合併）と現地の紡績会社の合弁により、1955年にユサ（IUSA）社が発足し、以来50年余り、内戦などの困難を乗り越えつつ、順調に操業を続けている。当時、エルサルバドルは日本への重要な綿花供給国の1つであった。また、このころ、エルサルバドルには、世界で2番目のトヨタの代理店が開設されている。66年には、東レをはじめとする4つの日本企業と政府の合弁でインシンカ社も発足した。こうして50年代後半から70年代にかけ、日本との経済関係は非常に活発化したのである。その後、不幸なインシンカ社の松本不二雄社長の誘拐事件や内戦の激化により、日本企業の撤退が続いた。しかし、ユサ社とインシンカ社は幾多の困難を乗り越えつつ、操業を続けた。ユサ社は2005年に創立50周年を迎え、また、翌06年には、インシンカ社が創立40周年を迎えた。常陸宮、同妃両殿下の05年のエルサルバドルご訪問に際しては、インシンカ社を訪問され、植樹をされた。ユサ社ゆかりのヒラオ公園にもご訪問の予定であったが、熱帯性暴風雨のため、途中の道路が壊れ実現できなかった。

また、有馬日本政府代表をお迎えし、大統領、副大統領をはじめ、両国の代表者の列席のもと、修好70周年記念式典が、2005年2月21日にサンサルバドルで行われた。「日・中米交流年」と名付けられたこの年の8月18日には、日・中米首脳会談が東京で開催され、日本と中米の関係に関する、「東京宣言」と「行動計画」が採択された。

70周年を祝う2005年以来、それをきっかけに、06年、07年と、日・エルサルバドル関係の緊密化が大きく進んだ。06年は、サカ・エルサルバドル大統領の日本への公式訪問が実現し、天皇皇后両陛下とのご会見をはじめ、両国首脳会談、経済界要人との会合などが行われた。訪日は、中米統合の中心的役割を果たすエルサルバドルとの関係強化の確認、日本のエルサルバドル支援を通じた中米地域への支援のアピール、国際場裡における協力関係の確認等の観点からきわめて有意義なものとなった。一方、経済分野では、同年9月、はじめての「日・中米ビジネスフォーラム」がエルサルバドルの首都サンサルバドルで開催された。佐々木経団連中南米委員会委員長をはじめ、日・中米の官民約

500名（日本側出席者は約100名）が参加し、中米側より、CAFTA、中米統合機構、メソアメリカ・プロジェクト（旧PPP）の進展の状況や、エネルギー、インフラ、観光などに関する投資機会が紹介され、日本側からは、日本企業の投資決定における条件、日本市場の特徴、CDM（クリーン・ディベロップメント・メカニズム）等に関して説明があり、率直な意見交換が行われたほか、参加した日本企業・中米企業間で約200件の会合が行われた。さらに、07年には、横路衆議院副議長の訪問、海上自衛隊練習艦隊の訪問などが行われた。

70周年を機会に、日本・エルサルバドル友好のシンボルとして、エルサルバドルの国木、マキリシュアットの植樹が推進された。この木は、桜に似た花が咲くので、「さくら・マキリシュアット」計画として2005年に始められた。エルサルバドル外務省、公共事業省などの多くの機関が参加し、文字通り、両国の協力プロジェクトとなり、コマラパ空港からサンサルバドル市に向かう道路の両側や中央分離帯などに2000本以上の苗木が植樹された。7月7日には、副大統領をはじめとする、エルサルバドル政府関係者も列席し、記念の植樹式が行われた。植樹は他にも、草の根無償で建てた初等学校の校庭など、あちこちで行われている。インシンカ社の入り口のところには、常陸宮、同妃両殿下のご訪問の際に、両殿下が植樹されたマキリシュアットの木が植えられている。海上自衛隊練習艦隊の訪問を記念し、軍士官学校の校庭にも植樹された。そして、新築された日本大使公邸の前庭にも植えられている。これらは、末永く日本・エルサルバドル友好のシンボルであり続けるであろう。

70周年を記念する事業として、多くの文化行事が行われたが、そのなかで、好評であったのは、エルサルバドルと日本の関係にちなむさまざまな分野についての、ドキュメンタリー映画の製作であった。環境に配慮した、発展を目指しての貝類養殖や、野菜栽培技術の協力をはじめとするプロジェクトを中心に、エルサルバドルの直面する課題に両国が協力していかに取り組んでいるかを現場の映像を通して見た『持続的発展』は、中米の最優秀ドキュメンタリー映画として、イカロ賞を受賞した（この製作は２００４年に行われた）。このほか、エルサルバドルの「プロジェクトＸ」であったともいえる、国際空港建設の歴史を描いたドキュメンタリー映画『エルサルバドル国際空港』も製作された。また、両国の共通の財産である藍に関して作成した『ブルーカントリーへの旅』は、英語、スペイン語、日本語の３カ国語で製作され、その短縮版は、愛知万博でエルサルバドルの藍染めの手工芸品の横で６カ月間上映された。これらを含め６本のドキュメンタリーのＤＶＤと、修好70周年にあたっての両国政府関係者のメッセージ、常陸宮、同妃両殿下のエルサルバドルご訪問、文化行事や、経済協力の概要などを収めた、70周年記念誌の出版も行われた。その表紙は、桜とマキリシュアットの花の写真で飾られている。また70周年の記念切手も発行された。

（細野昭雄）

63

ユサ社の軌跡

★戦後最初の日本の海外進出★

あまり知られていないことだが、第二次世界大戦後の日本企業の最初の工場進出先はエルサルバドルである。正式に合弁事業の合意が調印されるのは、１９５５年5月のことであった。日本側の企業は呉羽紡績で現地側では実業家のアンドレス・モリンスがパートナーとなった。呉羽紡績は10大紡績と呼ばれた大手の紡績会社であったが、業績不振から66年、東洋紡と合併した。設立された繊維企業はユサ社（ＩＵＳＡ：Industrias Unidas S.A.）と名づけられた。ユサ社は現在も操業を継続している。

戦後日本企業は世界中に工場進出したが、はたしてユサ社のようにほぼ半世紀にわたって存続している企業はいくつあるであろうか。しかも本書でたびたび触れてきたように、エルサルバドルは70年代後半から92年まで10年以上にわたって内戦状態が続いた。内戦時代には、エルサルバドルに進出していた主要な外国企業はほぼ全社が撤退した。筆者の知る限り例外的に無事に操業を続けたのは、ドイツの化学メーカーであるバイエルくらいであった。ユサ社はいかにしてこの時代を乗り切ったのか。その強さの秘密はどこにあったのであろうか。

もともとエルサルバドルでは１９５０年代から綿花生産が急

増した。その背景には1950年の朝鮮戦争の勃発による、綿花価格の暴騰があった。当時日本の紡績会社は原料である綿花の安定供給を確保するために、世界中に輸入先を捜し求めた。中米諸国はその最も有力な候補地となった。綿花生産がほぼ壊滅してしまった現在からでは想像できないことであるが、ピーク時、エルサルバドルやニカラグアは、全綿花輸出のそれぞれ100％、80％を対日向けに充てていたのである。中米の綿作そのものが、世界有数の紡績業を有する日本向けの輸出に依存した形で発展した。日本の総合商社や名古屋に本店を置く繊維商社の豊島などは、60年代から70年代にかけて、中米に綿花買い付けの専門家を配置し、場合によっては先買いのための融資などをして、原綿の供給確保に奔走した。豊島のように現地で複数の繰り綿工場を所有していた企業もある。このように日本サイドが中米綿に強い関心を寄せたのは、米国産の綿花とほぼ同じ品質であるにもかかわらず、価格が安かったからである。コスト競争にしのぎを削っていた各社にとっては、中米産綿花は魅力のある原材料であった。

ユサ社が進出した背景には、エルサルバドルが原料となる綿花の有力な供給地であったこと。さらに日本における紡績業がもともと過当競争体質を持っていて、国内生産がすでに頭打ちであったことなどがある。市場は飽和状態で、それ以上の拡大は望めなかった。加えて途上国がつぎつぎに繊維業に参入してきて、競争は激化していた。それにしても進出を決めた当時は、日本はようやく連合軍の統治による占領状態から離れて、一人前の独立国家になったばかりであった。日本の外交活動も緒についたばかりであった。エルサルバドルにはまだ日本の大使館はなかったのである。

呉羽紡績でエルサルバドル進出を強力に推進したのは平生三郎という人物であった。また呉羽紡績の事実上のオーナーであった伊藤忠兵衛は、何度もエルサルバドルを訪れ、平生の熱意を側面から支援した。さらにエルサルバドル側のモリンスやその他の出資者たちも合弁事業に大変熱心で、日本にも何度か来訪している。実際当時の現地の新聞記事を読んでも、対日感情がとてもよいことにある種の感慨を覚える。敗戦国の企業にこれほどまでに熱心に誘致運動を繰り広げたのは、たぶんそれだけ期待が大きかったからであろうと思う。

平生はユサ社スタートの際に、「信義と敬愛の念をこめて、エルサルバドル共和国のために」という標語を銅板に刻み、工場の一角に掲げた。大戦中の苦い体験もあり、呉羽紡績の経営陣は海外事業では、現地資本とその国の人びととの共存共栄の姿勢が重要であることを熟知していた。従業員の福利厚生施設にもかなり気を配った。こうした方針は、親会社が東洋紡と社名が変更した後の現在に至るまで、脈々と受け継がれている。

60年代から70年代の中頃にかけて、ユサ社は順調に業績を伸ばす。中米共同市場がスタートすると、輸入繊維には高率の関税がかけられたこともあり、ユサ社は中米では有力な繊維企業として発展した。エルサルバドル国内では、最盛期には2000人弱の従業員を抱える国内最大の民間企業となった。2022年のデータによると資本金は665万ドルである。この国の企業規模からすると大企業といえる。

平生三郎は1973年3月、東洋紡のブラジル現地法人出張の帰路、エルサルバドルに向かう途中のパナマで病に倒れ不帰の客となった。平生の功績を讃えるために東洋紡の会長職にあった伊藤恭一氏の尽力で、東洋紡は50万ドルの寄付をすることになった。そしてサブロー・ヒラオ公園が建設された。面積は5万平方メートルである。民間企業のメセナ活動はたくさんある。それでもこの公園が出色なのは、スポンサーとなった東洋紡やユサの社名がほとんど表に出ていないことである。社会貢献はするけれども、会社の名前は出さないという、かたくななまでのストイックな奉仕の精神を感じる。

公園内には植物園や日本庭園がある。庭園の前には銅版がおかれ、「この日本庭園は、生前エルサルバドル国の文化と経済の発展に大きな貢献をされた平生三郎氏の偉業を記念して、エルサルバドル国民が感謝の気持ちをこめて造園したものであり、同氏の崇高な精神と努力の象徴である」という語句が、日本語とスペイン語で刻まれている。公園の設置された地区は、そばに大統領官邸などはあるものの、どちらかというと勤労者の多く住む地域である。富裕層はあまり近づくところではない。週末に訪れると、ごく庶民的な家族連れが憩いのひと時を過ごす姿が目に付く。経済的に余裕のない層には、1日公園の芝生と遊具で遊んで過ごす貴重な空間であろう。

この場所に公園を建設するに至った経緯には、エルサルバドル政府とユサ社との間でやり取りがあったようである。何人かの関係者が奔走した。開園に至るまでのエルサルバドル側の熱の入れようは大変なもので、平生夫人は国賓として招かれた。開園式の模様はラジオで実況中継された、と伝えられている。

先日筆者は、フロレス大統領（当時）の2003年の施政方針演説の原稿を、何の気なしに読んでいた。すると同大統領は、大統領官邸やその周辺地域を将来国のレクリエーション地域にする旨の構想を発表している。これにはスポーツをはじめ、自然環境保全とその教育的な利用の目的もあるようである。そしてこの施政方針演説のなかに、サブロー・ヒラオ公園の名前が出てくるのである。環境問題については、エルサルバドルはかなり深刻で、自然林は2％を占めるだけにまで減少している。ゴミや廃棄物でも、急増する量に処理能力が追いつかない状況である。もしこの構想が本格的に実施されれば、サブロー・ヒラオ公園はスポーツや環境保護の施設として、その一翼をになうことになるかもしれない。泉下の平生をはじめ、関係者の方々は喜んでおられるのではないかと拝察する。

さてエルサルバドルに進出した日系企業について紹介する際には、やはり2度にわたる邦人幹部社員の誘拐事件について触れておく必要があろう。おそらくこの2度の邦人ビジネスマンの誘拐事件ほど、日本でエルサルバドルの国名が報じられたことはなかったであろう。というのも、海外に進出した日本企業の関係者が誘拐されるのは、第二次世界大戦後はじめてのことであったからである。

サブロー・ヒラオ公園内にある日本庭園（上）と博物館（下）（出典：Revista IUSA, 2002年3～4月号）

事件に巻き込まれた2人は、いずれもインシンカ（ＩＮＳＩＮＣＡ）社の幹部（うち1人は社長）である。インシンカ社は１９６６年に設立されたポリエステル、レーヨンの混紡織物を生産する日本企業とエルサルバドル政府出資の合弁企業であった。日本側の出資者は、東レ、蝶理、三井物産、岐センの4社である。最初の誘拐が起きたのは78年5月である。被害者は松本インシンカ社社長である。犯行グループはＦＭ

LNの分派であるFARN（人民革命軍）であった。彼らの要求は多額の身代金と政治犯の釈放であった。政治犯の釈放については、エルサルバドル政府は当初からかなり消極的であった。犯行グループとの接触もままならないうちに、松本社長は遺体で発見されるという最悪の結果を迎えてしまった。

松本社長の遺体が発見されたわずか2カ月後、今度は同じインシンカ社の鈴木取締役が誘拐された。2度目の誘拐事件の発生で日本政府もあわただしい動きを見せる。官邸では当時の大平正芳首相と園田直外相が緊急対策を協議した。園田外相は記者団に「かなわんですな。警察なんかも派遣したいと申し込んでいるが主権が絡んでいるので向こうもウンといってこない。国内の反体制運動の問題を関係のない第三者に向けられては困る。こういうことをされては感情としても理屈としても許すことはできない。昔だったら国交断絶ですよ」と発言して苛立ちを隠さなかった。

当時政権の座にあったロメロ大統領は軍部の最強硬派として知られたガルシア将軍を国防相に据えていた。国内全土が戒厳令下に置かれていたが、政府には統治能力はなく、事実上の無政府状態であった。外国人企業家や富裕層をねらった誘拐、殺害事件が多発していた。エルサルバドル外務省には誘拐された外国人の出身国政府（おもな国だけでも米国、英国、西ドイツ［当時］、スウェーデン、オランダ、南アフリカ、スイスなど）と十分に対応するだけの余裕はなかったのではなかろうか。

事件発生当時、エルサルバドルには369人の邦人長期滞在者がいた。このうち商社、メーカー、銀行などの企業関係者は315人であった。2度目の誘拐事件の前後から、続々と邦人は引き揚げ始めた。大使館も事実上の閉鎖状態に追いやられた。

さて鈴木さんの事件に話を戻すと、今回は犯行グループ（前回と同様FARN）との交渉に成功し、

79年3月に無事に解放された。誘拐されてから114日目であった（第61章参照）。

かくしてエルサルバドルにおける日本と日本企業、日本人のプレゼンスはこの事件をきっかけにほぼ消えてしまう（唯一の例外はユサ社である。あの困難な状況で無事に操業を続けたのは、繰り返しになるが、ほとんど奇跡に近い）。しかし町には日本製品が氾濫するといういびつな関係がその後続くことになる。現地の人びとにとって自家用車を持つことは、一種のステータスシンボルである。そしてその大半は日本製である。姿の見えない経済大国。内戦中の貧しい国に、ちゃっかり工業製品を売りつける一方で、かつての綿花のように、必要なときにどんどん耕作させて、いらなくなるとさっさと手を引いてしまう自分勝手な国。エルサルバドルのかなりの数の人びとにとっては、日本はそんな国に見られてしまったのではないかと筆者は内心危惧している。

残念ながら1992年の和平合意成立後、日本企業のエルサルバドル進出は微々たるものにとどまっている。多くの企業にとっては、中米はあまり魅力のある投資先ではないかもしれない。人件費を見ても、カンボジアなどのほうがはるかに安い。マーケットは狭い。それでも第9、13章などで紹介するように、港湾の整備拡充計画と並行して、政府開発援助の枠組みのなかでエルサルバドルの競争力を高め、企業誘致や新しい輸出産品を模索しようとするプロジェクトも実施されている。内戦という空白の期間の、日本サイドの経済交流や経済協力に対する不作為のロスを埋め合わせるという意味でも、こうした経済協力の一層の促進を期待したい。

（田中　高）

64

日系企業がもたらす「価値」

★多国籍企業が展開する事業活動という名の国際協力★

エルサルバドルへの日系企業の進出の歴史としては、第二次世界大戦後の最初の日系企業の海外進出となったユサ（IUSA）社、それに続くインシンカ（INSINCA）社など、日系紡績業が広く知られている。それ以外にも、エルサルバドルの地で、日本的経営に基づく企業活動を展開している日系製造業がある。サルバドル人従業員は、それら日本企業をどのようにみているのであろうか。

1970年、吉田工業株式会社（現YKK株式会社）とエルサルバドル現地企業SABA社との合弁会社としてYKKエルサルバドル社が設立された。YKKエルサルバドル社設立当初は、その当時のエルサルバドル政府による輸入代替工業政策もあり、主に国内市場向けの製造および販売を行っていたが、80年代の内戦時には、日本人駐在員が不在になるなど企業活動の縮小を余儀なくされた。しかしながら、92年の和平合意以降は、エルサルバドル政府の輸出促進工業政策により、マキラドーラ（輸出向け加工業）に進出した多国籍企業の衣料部門をターゲットに、各顧客のニーズに合わせた多様なファスナーを製造販売し、事業を拡大してきた。そして2007年にはYK

Kグループが株式100%を保有し、名実ともに日系企業として日本人駐在員2名、現地従業員160名（2008年10月現在）を抱え、衣類や鞄などのファスナーの製造および販売を行っている。

バレンシア管理部長は、1990年よりYKKエルサルバドル社に勤務し、YKKエルサルバドル社がもたらす「価値」を遵守する姿勢に感銘を受けていると述べている。「YKKエルサルバドル社が遵守する『価値』とは、企業としての法の遵守であり、従業員の権利の保障であり、社会に対する企業の責任である。エルサルバドルの企業活動では、法を遵守するよりも、法の抜け道を探して利を得る方法をとる傾向も見受けられるが、わが社においてはエルサルバドルの国内法がないがしろにされることは皆無であり、会社全体として、エルサルバドルという国、あるいはサルバドル人を尊重する姿勢を貫いている」。

ＹＫＫエルサルバドル社　（同社提供）

しかしながら、日本の組織のなかで働くことの難しさもある。1年ほど前に、米国系企業から転職したバラッタ人事部長は、「日本人とサルバドル人は、文化が異なるので、瞬時にお互い理解できないことも多い。そのため、人事部長である自分は、160名のサルバドル人従業員を代表し、日本人駐在員といろいろなテーマについて議論する立場にある。しかし、YKKエルサルバドル社はオープンな姿勢を保ち、サルバドル人従業員の意見、エルサルバドルの文化を尊重する姿勢を示してくれるので、最終的には、相互に納得した形で議論を終えることができるケースが多い。わが社では、特定の内部グループだけが恩恵を受けるよ

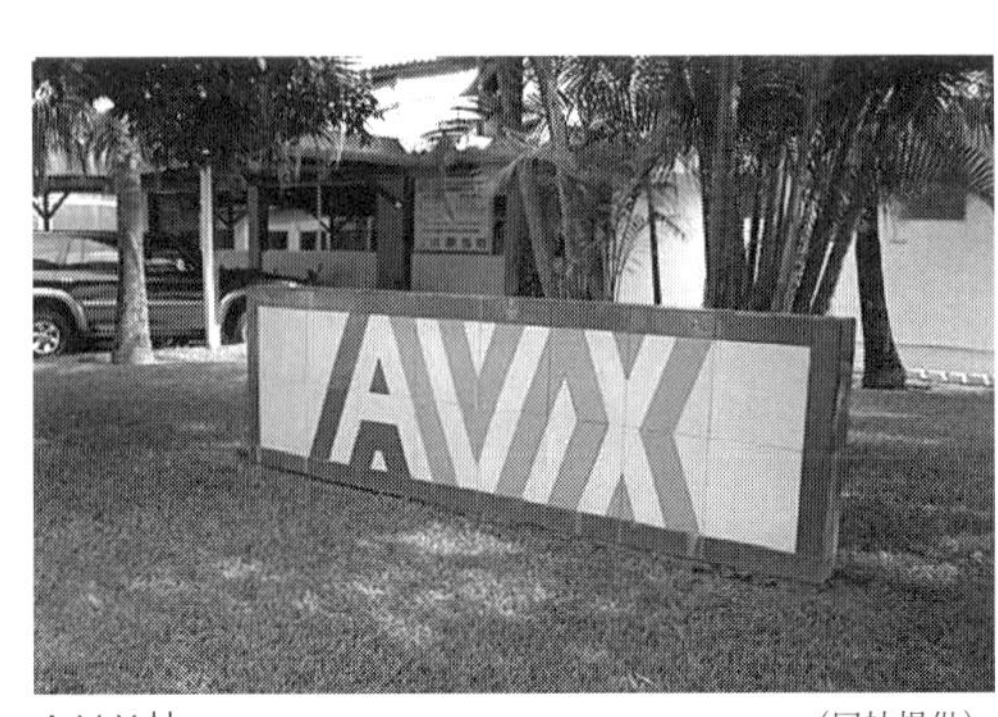

AVX社　（同社提供）

うなマネジメントがなされることはありえない。YKKの従業員に対する平等な対応と従業員の権利の遵守は、わが社で働く全従業員が共感しているところである」。

サンサルバドル県東部のイロパンゴ市に、1970年代にエルサルバドルではじめて設立されたマキラドーラ「バルトロメ輸出保税特区」がある。77年には米国系企業のAVX社が同特区に進出し、80年代に日本企業である京セラが同社の最大株主となった。それ以来、コンピューターや家電のセラミック製品の製造および輸出を行っている。これまでに日本人が駐在したことはないが、現在では、約2800名のサルバドル人従業員（2008年10月現在）により、日系企業の企業哲学を踏まえた企業活動が展開されている。

ミランダ支配人は1979年にAVX社に入社した。「AVXの企業文化としては、prudencia（思慮、分別、慎重という意味）とAVXファミリーと称される従業員への福利厚生や従業員が住む周辺地域における社会貢献にある。わが社の意思決定は、その場の思いつきや勢い、人間関係でなされるのではなく、さまざまな要素を客観的に分析したうえで慎重に決定される。そういったprudenciaは他のエルサルバドル企業にはあまり見られないように思う。また、従業員を大切にする思想もAVXの特徴であるといえよう。わが社の敷地内には、診療所、託児所、社員食堂、スポーツ施設、銀行窓口、無料の英会話クラスなどが設けられ、良好な勤務環境を作り出している。またAVXファミリーとしての意識を高めるためにも、従業員が意見を述べることができる意見箱が設置されたり、わが社のロゴの入ったグッズも多数販売している。また社会貢献活動を実施するために社内に基金が設けられ、地域の病院支援や従業員への奨学金の貸与、地域活動を推進するNGOへの支援などが行われている。エルサルバドルにおいては、そのような取り組みを行っている企業はごくわずかであろう。これらは最大株主である京セラの企業哲学を学んだ成果である」。

グローバル化した世界が日常のものとなった今、国際協力という名のもとに、さまざまなアクターがさまざまな活動に取り組んでいる。政府による協力、国際機関の取り組み、NGO活動、研究者による共同研究、学生間交流、ボランティア、あるいは旅行者による現地の人との交流もまたその範疇に含まれるであろう。異文化ゆえの困難に日々直面しつつも、相互理解に基づき、組織としての一体性を育みつつ事業活動を展開する多国籍企業という現象もまた、広い意味での国際協力といえるであろう。地球規模での国際協力、相互理解の促進において、企業活動もまた大きなポテンシャルを有している。エルサルバドルの地においても、日系企業がもたらす価値に基づく挑戦が日々展開されている。

（塚本剛志）

65

コロナ禍のJICA協力

★国連総会で表明された日本への感謝★

２０２０年3月18日、新型コロナウイルスの感染者が初めてエルサルバドルで確認され、この国のコロナとの闘いが本格的に始まった。政府の動きは速かった。3日後、ブケレ大統領は国民に対し、完全自宅待機命令を発し、当時世界で最も厳しいとされたエルサルバドルのロックダウンが始まった。国際協力機構（ＪＩＣＡ）も国内で活動していた関係者の大半にあたる25人を急きょ帰国させた。

この非常事態の最中、大きく動いたプロジェクトがあった。「災害復旧スタンドバイ」と呼ばれるＪＩＣＡの借款だ。これは、将来起こりうる災害時の復旧における資金需要に迅速に応えるため、前もって準備をしておくもので、２０１６年にＪＩＣＡとエルサルバドル政府の間で契約が締結されていた。急速に拡大するコロナ禍への対応のため、この適用申請がエルサルバドル政府からあったのだ。その後まもなくしてエルサルバドル政府に対する貸付が実行された。

政府は首都サンサルバドルに、コロナ専門としては中南米最大とされる病床１０００床のエルサルバドル病院を急きょ設立した。敷地には国内最大のワクチン接種センターが建設され、災害復旧スタンドバイの貸付資金が活用された。コロナとの闘いの象徴的な建物となったエルサルバドル病院に対する日本の支援への感謝は大きく、ブケレ大統領から当時の安倍総理大臣に感謝状が贈られたほか、その年の国連総会の場でブケレ大統領が「日本の協力がなければ、病院を設立することはできなかった。偉大な日本の国民と政府に心からの感謝を表したい」とわざわざ述べるほどだった。筆者は2020年10月、全身を防護服に包み、この病院を訪れた。病院の稼働状況を見た後、建物から出ると、大勢の医師や看護師が整列し、我々を拍手で迎えてくれた。予想だにしなかったことで非常に驚いたが、苦境の最中にもたらされたこの支援に対する感謝の深さを痛いほど感じた。

拍手で感謝を伝えるエルサルバドル病院のスタッフ

コロナ対応の最前線となったエルサルバドル病院に対してはその後もJICA世界保健医療イニシアティブの下、支援が行われた。人の往来ができないなか、日本の医師や看護師とエルサルバドル病院をオンラインで結び、集中治療をテーマにした研修や、実際の症例に基づいたアドバイスなどが定期的に行われ、医療スタッフの能力向上が図られた。

一方、コロナ禍によって停滞を余儀なくされた事業もあった。エルサルバドルで半世紀以上の歴史を持つ海外協力隊員は全員が帰国となり、その後2年間、派遣されることはなかった。2022年4月、ようやく隊員事業が再開され、1年で9人が派遣された。2023年度はさらに14人の派遣が見込まれている。

事業再開後、派遣された海外協力隊員

日本への留学や日本で行われる研修も中止となったり、オンラインでの実施に切り替わったりした。そうした中、人材育成奨学計画（ＪＤＳ）という無償資金協力の枠組みでの留学生派遣事業をＪＩＣＡは新たに開始し、その第1期生が２０２１年秋に日本の大学に入学した。ＪＤＳをはじめとした留学生事業はコロナ禍前よりむしろ人数を増やしており、２０２２年度は9名を派遣したほか、２０２３年度は10名の派遣を見込んでいる。

コロナ禍直前に工事が始まったサンミゲル市バイパス建設事業。政権がエルサルバドル東部の最大の事業と呼ぶこのプロジェクトもＪＩＣＡの借款によるものだ。東部の中心都市サンミゲル市では慢性的に渋滞が発生し、交通や物流のボトルネックとなっている。そこで、市内を迂回する全長約21キロのバイパス道路を建設し、東部地域やホンジュラスと、サンサルバドル首都圏やグアテマラとの間の物流を活性化させようというものだ。コロナ禍のロックダウンで一時期、工事の停滞はあったものの、その後は順調に進んでおり、２０２４年の全面開通を目指している。最初に工事が完了した工区の完成式典にはブケレ大統領も参加し、注目度の非常に高いプロジェクトとなっている。

その他、ＪＩＣＡは数学教育や防災への支援を引き続き積極的に行っているほか、エルサルバドルに本部のある中米統合機構（ＳＩＣＡ）との協力も幅広く実施している。今後は中米地域全体の経済成長を後押しするため、物流分野での支援も推進していく方針である。

１９６８年に協力を始めて50年余。これまでも、これからも、ＪＩＣＡはエルサルバドルに寄り添い、その発展を支えていく。

（横山浩士）

66

開発コンサルタントのみたエルサルバドル

★時計の振り子を超えて★

2023年7月現在、当地での数週間の業務を終えエルサルバドル国際空港にいる。昨年2月の空港拡張工事により、簡素で薄暗いこれまでの空港の姿は一変し、高々とした天井から斜めに伸びる巨大なガラス窓より明るい光が入り、各ゲートの空中には到着便の乗客を迎える青い橋がかかっている。白と青を広い空間に描くモダンな空港はブケレ政権が掲げる新しいエルサルバドルを具現化しているようだ。

同国とはまだ10年程度のお付き合いではあるが、開発コンサルタントとして、野菜農家の生計向上を目指すプロジェクトをはじめ、同国農産品のバリューチェーン調査、中小零細企業への支援、一村一品運動の展開支援などの分野で同国の人々と関わる機会をいただいている。

野菜農家の生計向上を目指すプロジェクト（東部地域野菜農家収益性向上プロジェクト）は、同国のなかでも貧困率の高い東部地域（ウスルタン県、サンミゲル県、モラサン県、ラウニオン県）で実施された（2014年～18年）。東部地域は内戦時代、ファラブンド・マルティ民族解放戦線（FMLN）の拠点となり、国軍との激戦地となったモラサン県は国軍によるエルモソテ村住民集団虐殺でも知られている。このプロジェクトの対象農家の多くは、1992年の和平合意の際に土地を分け与えられた小規模農家である。またプロジェクトを実施していた期間は、内戦時代にはゲリラ組織であった左派政党FMLNが政権についていた。和平合意からすでに20年以上経ていたとはいえ、これがどのような意味を持つのか、プロジェクトにどのような影響を与えるのかを気にしながらの実施となった。

同プロジェクトは、JICAがケニアで導入し奏功したSHEPアプローチ（SHEP: Smallholder Horticulture Empowerment and Promotion）を初めて中南米に適用した案件でもあった。野菜農家が従来の「作って売る」農業から「売るために作る」農業への意識変革を起こし、営農スキルや栽培スキル向上によって生計向上を目指すものだ。私どもプロジェクト団員は、首都サンサルバドルから東部地域に通いつめ、農牧省の農業普及員とともに対象農家の方々が市場ニーズを捉えたうえで、これを作物選定や栽培につなげていく支援を行った。また自ら生産コスト、売上高、収益を把握し結果を次の作付けに活用するための営農帳簿の作成研修やニーズに合った栽培技術の提供なども実施した。SHEPアプローチは置かれた現状のなかで農家の自律性を促すことを重視している。年に1サイクルの活動を合計3回、異なる農家グループを対象に実施した。第1サイクルは大手スーパーマーケットへも出荷している先進農家グループ、第2サイクルは将来的に共同出荷ができる体制にある農家グループ、第3サイクルは個人農家のグループを対象に計43農家グループとともに一連の活動を行った。当時のエルサルバドルでは、マラス（Maras：メキシコ、エルサルバドル、ホンジュラス、グアテマラで広がっているギャングの一種）がはびこっており、2015年から2018年までの4年間、同国の殺人発

東部地域野菜農家収益性向上プロジェクト：農家のスーパー流通網視察（筆者撮影）

生率は世界1位をキープしていた。村の市場の片隅で野菜を販売するにもマラスからみかじめ料を要求されるなど農家は危険と隣り合わせの生活を営んでいた。村の若者や子供達がマラスに引き込まれないようにとプロジェクトで実施するワークショップに若者を参加させ、村を健全に保とうとする大人達の懸命な姿がみられた。また内戦時代に学校に行くこともできずに育った父母に代わって子供たちが帳簿記入の手助けをしていた。このような姿をみると、同国の思想家マスフェレールが書いた「ミニムム・ビタル」が村の人々に何らかの形で根付いているのでは、と思うこともしばしばであった。一方で、村のところどころに周囲の景観に釣り合わない立派な家が建っている。このような家はおおかた米国に出稼ぎに行った家族から送金が届く家庭である。従来の貧困という概念が分かりにくくなっている環境でもあった。

同国の多くの野菜農家は、圃場に野菜を買い取りに来る仲買人の言い値で作物を販売していた。野菜農家生計向上プロジェクトでは農家の人々自身で様々な売り先を模索していくことを促すため、ウォルマート（米国系チェーン）やスーペル・セレクトス（国内資本チェーン）などの大手スーパーマーケットの協力を得て、農家によるスーパー流通網の視察や商談会開催などの活動も行った。スーパーへの協力を依頼するために、国内資本大手のスーペル・セレクトス社を運営するカジェハグループの3代目カルロス・カジェハ氏と一度お会いした。若いにもかかわらず謙虚な物腰で同グループの社会的責任（CSR）事業として実施しているカジェハ基金の活動を熱心に説明された。彼との対談をとおし、内戦と和平合意を経た後の若手資本家の心構えを垣間見ることができた。その時には同氏が2019年の大統領選挙にARENA党から立候補し、現ブケレ大統領（2019～24年）に敗退することになろうとは予想していなかった。

和平合意後のこの30年間は、エルサルバドルの人々にとって右派（資本主義）と左派（社会主義）、富める者と貧しき者の間の溝を埋めることに費やした年月であったのではなかろうか。上記プロジェクトの中で接した様々な人々からそのような意識を感じ取った。貧富の格差を示すジニ係数をみると、1998年の0・55から2019年には0・39と確実に格差を縮めた。政治的にも右派ARENA政権の20年間（1989年～2009年）は汚職問題で、左派FMLN政権の10年間（2009年～19年）はマラスの蔓延で国民の信頼を失い、右派と左派に大きく揺れてきた時計の振り子の振動幅は縮んだ。右派（ARENA）と左派（FMLN）の二大政党の構図を崩したブケレ政権（NI）によって、同国は新たな歴史の幕開けを迎えている。

今回のエルサルバドル渡航の目的は、小零細企業支援機関である国家小零細企業庁（CONAMYPE：Comisión Nacional de la Micro y Pequeña Empresa）との業務である。日本の長年の協力により、中米カリブ地域7カ国では、中小企業への5S・カイゼンを中心とした品質生産性向上支援を行うファシリテーターが各国で育成されてきた。エルサルバドルではCONAMYPE内でこれら人材が育成されており、時代に合わせカリキュラム・教材等の刷新を行うこととなった。当方の担当はこれら人材が履物や食品加工クラスター形成に貢献できる道筋を検討することである。履物産業はサンタアナ県に産業集積がみられ、ここでどのような展開ができそうか模索中である。頭を悩ませているのは同組織が小零細企業のみを対象としている点である。同国にとっては中規模企業の層を厚くすることがカギであり、企業間連携や官民学連携を通じた産業集積支援が小零細企業支援組織とどの程度可能か模索中である。

歴史の中で右に左に振り回されたエルサルバドルは今後どこに向かうのか、高い窓ガラスから差し込む空港の明るい空気につつまれながら、来年2024年2月の選挙とその後のエルサルバドルの将来に思いをはせた。中南米最大規模のメガ刑務所建設、ビットコインの法定通貨化など世間をあっと言わせる施策を軽々と実行に移していくブケレ政権だが、投機的な要素が高い仮想通貨に依拠した財政や中国との接近など、危ない橋を渡ってはいないか、今後も目が離せない。

（伊藤珠代）

参考文献

Ribera, Ricardo, *Dialéctica del Proceso. El Salvador de 1969 a 2019*, UCA Editores, El Salvador, 2020
Masferrer, Alberto, *El mínimum vital*, Editorial Juridica Salvadoreña, El Salvador, 2015

参考文献案内

日本語で書かれたエルサルバドル関係の文献は非常に少ない。その多くは英語かスペイン語の文献である。そこでここでは読者の利便を考えて、日本語で書かれた文献（1点を除いてすべて単行本）を紹介することにしたい（順不同）。遺漏のある場合もあるかと思われるが、その際にはご寛恕願いたい。

インターネットで現地の情報を入手するには、テキサス大学ラテンアメリカ情報ネットワークセンターの開設しているウェブサイト http://lanic.utexas.edu/ から入るのが便利である。

歴史関係

島崎博『中米の世界史』古今書院、２０００年

長谷川洋行「満州国とエルサルバドル」『ラテンアメリカ時報』１９９１年10月号

二村久則、野田隆、牛田千鶴、志柿光浩『ラテンアメリカ現代史Ⅲ　メキシコ・中米・カリブ海地域』山川出版社、２００６年

増田義郎、山田睦男編『ラテン・アメリカ史①　メキシコ・中央アメリカ・カリブ海』山川出版社、１９９９年

文学関係

安藤二葉『燕たちの調書』集英社、１９８１年

オラシオ・カスティジャーノス・モヤ（浜田和範訳）『吐き気』水声社、２０２０年

ロス・トーマス（菊池よしみ訳）『欺かれた男』早川書房、１９９６年

政治経済

石井章編『冷戦後の中米』アジア経済研究所、１９９６年
小池康弘編『現代中米・カリブを読む』山川出版社、２００８年
西嶋啓一郎『エルサルバドルのＯＶＯＰ』創英社、２０２０年
橋本強司『開発調査というしかけ』創成社、２００８年
細野昭雄、遅野井茂雄、田中高『中米・カリブ危機の構図』有斐閣、１９８７年
細野昭雄「中南米の和平プロセスにおける民主化と発展」大塚啓次郎、白石隆編『国家と経済発展』東洋経済新報社、２０１０年

ルポルタージュ（評論）など

橋本謙『中米の知られざる風土病「シャーガス病」克服への道』ダイアモンド社、２０１３年
樋口和喜『商社マン、エルサルバドル大使になる』集英社インターナショナル、２０２２年
エスコバル瑠璃子『エルサルバドル内戦を生きて』花伝社、２０２３年
川島良彰『コーヒーハンター』平凡社、２００８年
クリスティーナ・ガライサバル、ノルマ・バスケス（ディグナスを読む会訳）『女性のアイデンティティの再建を目指して——エルサルバドル内戦12年の痛み』柘植書房新社、２００３年
鈴木孝和『誘拐拘束一一四日』日本合成繊維新聞社、２００６年
西方憲広『中米の子どもたちに算数・数学の学力向上を——教科書開発を通じた国際協力三〇年の軌跡』佐伯コミュニケーションズ、２０１７年
細野昭雄「青年海外協力隊とキャパシティ・ディベロップメント」岡部恭宣編著『青年海外協力隊は何をもたらしたか——開発協力とグローバル人材育成50年の成果』ミネルヴァ書房、２０１８年

筑波大学・国際基督教大学・上智人学講師。エルサルバドル共和国の「外交官夫人の会（ABCD）」元会長（2004～07年）。

＊**田中　高**（たなか　たかし）［2, 4, 16, 18, 19, 20, 24, 40, 41, 42, 44, 55, 63, コラム4］
編著者紹介参照。

塚本剛志（つかもと　ごうし）［22, 28, 30, 31, 64］
内閣府国際平和協力本部事務局主査（外務省より出向中。2006年から09年まで在エルサルバドル日本国大使館二等書記官）。

敦賀公子（つるが　きみこ）［54］
明治大学他非常勤講師、ラテンアメリカ地域研究、社会言語学専攻。

中川智彦（なかがわ　もとひこ）［23］
中京学院大学助教。国際関係論、ラテンアメリカ地域研究専攻。

平尾行隆（ひらお　ゆきたか）［45, 49, 50, 51, 52, コラム3］
元三井物産株式会社勤務、ブラジル、エルサルバドル、コロンビアに駐在。

笛田千容（ふえた　ちひろ）［1, 5, 6, 12, 25, 26］
駒澤大学講師、ラテンアメリカ地域研究専攻（2002年から2004年まで在エルサルバドル日本国大使館専門調査員）。

＊**細野昭雄**（ほその　あきお）［3, 9, 10, 11, 13, 14, 17, 34, 56, 62, コラム1］
編著者紹介参照。

望月　久（もちづき　ひさし）［58］
杏林大学大学院非常勤講師。元国際協力機構（JICA）勤務、エルサルバドル、パラグアイ、メキシコに駐在。

八角　香（やすみ　かおり）［35, 36］
2019年から2021年まで在エルサルバドル日本国大使館専門調査員、2021年から2023年まで在ウルグアイ日本国大使館専門調査員。

横山浩士（よこやま　ひろし）［37, 38, 65］
国際協力機構（JICA）職員。2020年から2024年までJICAエルサルバドル事務所勤務。

吉田和隆（よしだ　かずたか）［7, 8］
外務省勤務。2018年から2022年まで在エルサルバドル日本国大使館勤務。

〈執筆者紹介〉（＊は編著者、［　］は担当章）

伊藤滋子（いとう　しげこ）［33, コラム2］
中南米研究専攻。主な著書：『幻の帝国』(同成社、2001年)、『女たちのラテンアメリカ(上)』(五月書房新社、2021年)『女たちのラテンアメリカ(下)』(五月書房新社、2022年)。

伊藤珠代（いとう　たまよ）［66］
株式会社かいはつマネジメント・コンサルティング中小零細企業開発部コンサルタント。

浦部浩之（うらべ　ひろゆき）［21］
獨協大学教授。ラテンアメリカ地域研究・政治学専攻。

上野　久（うえの　ひさし）［32］
元在グアテマラ日本大使館勤務。

小澤卓也（おざわ　たくや）［39, 43, 53］
立命館大学他非常勤講師。ラテンアメリカ近現代史専攻。

川島良彰（かわしま　よしあき）［27, 59, 60］
株式会社 Mi Cafeto（ミ・カフェート）代表取締役。

木谷　浩（きたに　ひろし）［46］
国際協力機構（JICA）国際協力専門員（水産開発）。東京海洋大学非常勤講師。

狐崎知己（こざき　ともみ）［29］
専修大学教授。ラテンアメリカ地域研究専攻。

設楽知靖（しだら　ともやす）［57］
明治学院大学非常勤講師。元千代田化工建設株式会社勤務、メキシコ、ブラジル、パナマ、エクアドルに駐在。

柴田潮音（しばた　しおね）［47, 48］
エルサルバドル政府文化庁文化遺産局考古課。

鈴木孝和（すずき　たかかず）［15, 61］
元インシンカ社取締役経理部長。その後、丸佐株式会社常務取締役を経て2000年退職。2009年逝去。

ソニア・フイカ（Sonia Fuica）［34］

〈編著者紹介〉

細野昭雄（ほその　あきお）
国際協力機構（JICA）緒方貞子平和開発研究所シニアリサーチアドバイザー。
1962年、アジア経済研究所、66年、国連ラテンアメリカ・カリブ経済委員会（ECLAC, CEPAL)。76年、筑波大学社会工学系、2000年、神戸大学経済経営研究所、03年、在エルサルバドル共和国大使、08年、政策研究大学院大学教授、11年国際協力機構緒方貞子平和開発研究所長を経て、13年から現職。
【主要著書】
『APECとNAFTA――グローバリズムとリジョナリズムの相克』有斐閣、1995年
『チリの選択　日本の選択』（共編著）毎日新聞社、1999年
『ラテンアメリカ多国籍企業論』（共編著）日本評論社、2002年
『ラテンアメリカにおける政策改革の研究』（共編著）神戸大学経済経営研究所、2003年
『ラテンアメリカ経済論』（共編著）ミネルヴァ書房、2003年

田中　高（たなか　たかし）
中部大学国際関係学部教授。
1983年から85年、在ホンジュラス、エルサルバドル国連開発計画（UNDP）事務所プログラムオフィサー。85年から87年、在ニカラグア日本大使館専門調査員。四日市大学を経て現職。ハバナ大学客員研究員、オハイオ大学客員教授。
【主要著書・論文】
『日本紡績業の中米進出』古今書院、1997年
『ラテンアメリカ経済史』（共訳）名古屋大学出版会、2001年
『砂糖のグローバル・イシュー』（成文堂より近刊予定）

エリア・スタディーズ　80

エルサルバドルを知るための 66 章【第 2 版】

2010 年 5 月 10 日　初　版第 1 刷発行
2024 年 5 月 15 日　第 2 版第 1 刷発行

編著者　細野昭雄
　　　　田中　高
発行者　大江道雅
発行所　株式会社 明石書店

〒101-0021　東京都千代田区外神田 6-9-5
電　話　03 (5818) 1171
FAX　03 (5818) 1174
振　替　00100-7-24505
https://www.akashi.co.jp/

組版／装丁　明石書店デザイン室
印刷／製本　日経印刷株式会社

（定価はカバーに表示してあります）　ISBN 978-4-7503-5772-0

エリア・スタディーズ

1 **現代アメリカ社会を知るための60章**
明石紀雄、川島浩平 編著

2 **イタリアを知るための62章【第2版】**
村上義和 編著

3 **イギリスを旅する35章**
辻野功 編著

4 **モンゴルを知るための65章【第2版】**
金岡秀郎 著

5 **パリ・フランスを知るための44章**
梅本洋一、大里俊晴、木下長宏 編著

6 **現代韓国を知るための61章【第3版】**
石坂浩一、福島みのり 編著

7 **オーストラリアを知るための58章【第3版】**
越智道雄 著

8 **現代中国を知るための54章【第7版】**
藤野彰 編著

9 **ネパールを知るための60章**
日本ネパール協会 編

10 **アメリカの歴史を知るための65章【第4版】**
富田虎男、鵜月裕典、佐藤円 編著

11 **現代フィリピンを知るための61章【第2版】**
大野拓司、寺田勇文 編著

12 **ポルトガルを知るための55章【第2版】**
村上義和、池俊介 編著

13 **北欧を知るための43章**
武田龍夫 著

14 **ブラジルを知るための56章【第2版】**
アンジェロ・イシ 著

15 **ドイツを知るための60章**
早川東三、工藤幹巳 編著

16 **ポーランドを知るための60章**
渡辺克義 編著

17 **シンガポールを知るための65章【第5版】**
田村慶子 編著

18 **現代ドイツを知るための67章【第3版】**
浜本隆志、髙橋憲 編著

19 **ウィーン・オーストリアを知るための57章【第2版】**
広瀬佳一、今井顕 編著

20 **ハンガリーを知るための60章【第2版】** ドナウの宝石
羽場久美子 編著

21 **現代ロシアを知るための60章【第2版】**
下斗米伸夫、島田博 編著

22 **21世紀アメリカ社会を知るための67章**
明石紀雄 監修　赤尾千波、大類久恵、小塩和人、
落合明子、川島浩平、高野泰 編

23 **スペインを知るための60章**
野々山真輝帆 著

24 **キューバを知るための52章**
後藤政子、樋口聡 編著

25 **カナダを知るための60章**
綾部恒雄、飯野正子 編著

26 **中央アジアを知るための60章【第2版】**
宇山智彦 編著

27 **チェコとスロヴァキアを知るための56章【第2版】**
薩摩秀登 編著

28 **現代ドイツの社会・文化を知るための48章**
田村光彰、村上和光、岩淵正明 編著

29 **インドを知るための50章**
重松伸司、三田昌彦 編著

30 **タイを知るための72章【第2版】**
綾部真雄 編著

31 **パキスタンを知るための60章**
広瀬崇子、山根聡、小田尚也 編著

32 **バングラデシュを知るための66章【第3版】**
大橋正明、村山真弓、日下部尚徳、安達淳哉 編著

33 **イギリスを知るための65章【第2版】**
近藤久雄、細川祐子、阿部美春 編著

34 **現代台湾を知るための60章【第2版】**
亜洲奈みづほ 著

35 **ペルーを知るための66章【第2版】**
細谷広美 編著

36 **マラウィを知るための45章【第2版】**
栗田和明 著

37 **コスタリカを知るための60章【第2版】**
国本伊代 編著

38 **チベットを知るための50章**
石濱裕美子 編著

39 **現代ベトナムを知るための63章【第3版】**
岩井美佐紀 編著

40 **インドネシアを知るための50章**
村井吉敬、佐伯奈津子 編著

41 **エルサルバドル、ホンジュラス、ニカラグアを知るための45章**
田中高 編著

エリア・スタディーズ

エリア・スタディーズ

エリア・スタディーズ

エリア・スタディーズ

168 フランス文学を旅する60章　野崎歓 編著
169 ウクライナを知るための65章　服部倫卓、原田義也 編著
170 クルド人を知るための55章　山口昭彦 編著
171 ルクセンブルクを知るための50章　田原憲和、木戸紗織 編著
172 地中海を旅する62章　歴史と文化の都市探訪　松原康介 編著
173 ボスニア・ヘルツェゴヴィナを知るための60章　柴宜弘、山崎信一 編著
174 チリを知るための60章　細野昭雄、工藤章、桑山幹夫 編著
175 ウェールズを知るための60章　吉賀憲夫 編著
176 太平洋諸島の歴史を知るための60章　日本とのかかわり　石森大知、丹羽典生 編著
177 リトアニアを知るための60章　櫻井映子 編著
178 現代ネパールを知るための60章　公益社団法人 日本ネパール協会 編
179 フランスの歴史を知るための50章　中野隆生、加藤玄 編著
180 ザンビアを知るための55章　島田周平、大山修一 編著
181 ポーランドの歴史を知るための55章　渡辺克義 編著

182 韓国文学を旅する60章　波田野節子、斎藤真理子、きむ ふな 編著
183 インドを旅する55章　宮本久義、小西公大 編著
184 現代アメリカ社会を知るための63章【2020年代】　明石紀雄 監修　大類久恵、落合明子、赤尾千波 編著
185 アフガニスタンを知るための70章　前田耕作、山内和也 編著
186 モルディブを知るための35章　荒井悦代、今泉慎也 編著
187 ブラジルの歴史を知るための50章　伊藤秋仁、岸和田仁 編著
188 現代ホンジュラスを知るための55章　中原篤史 編著
189 ウルグアイを知るための60章　山口恵美子 編著
190 ベルギーの歴史を知るための50章　松尾秀哉 編著
191 食文化からイギリスを知るための55章　石原孝哉、市川仁、宇野毅 編著
192 東南アジアのイスラームを知るための64章　久志本裕子、野中葉 編著
193 宗教からアメリカ社会を知るための48章　上坂昇 著
194 ベルリンを知るための52章　浜本隆志、希代真理子 著
195 NATO（北大西洋条約機構）を知るための71章　広瀬佳一 編著

196 華僑・華人を知るための52章　山下清海 著
197 カリブ海の旧イギリス領を知るための60章　川分圭子、堀内真由美 編著
198 ニュージーランドを旅する46章　宮本忠、宮本由紀子 著
199 マレーシアを知るための58章　鳥居高 編著
200 ラダックを知るための60章　煎本孝、山田孝子 著
201 スロヴァキアを知るための64章　長與進、神原ゆうこ 編著
202 チェコを知るための60章　薩摩秀登、阿部賢一 編著
203 ロシア極東・シベリアを知るための70章　服部倫卓、吉田睦 編著
204 スペインの歴史都市を旅する48章　立石博高 監修・著　小倉真理子 著
205 ハプスブルク家の歴史を知るための60章　川成洋 編著
206 パレスチナ／イスラエルの〈いま〉を知るための24章　鈴木啓之、児玉恵美 編著

——以下続刊

◎各巻2000円（一部1800円）

〈価格は本体価格です〉